Viking Metal Guidebook

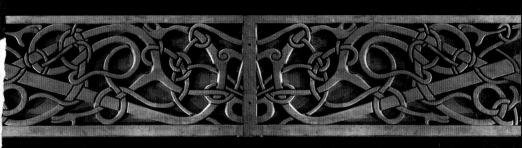

まえがき

ヴァイキングメタルとは？

本書ではヴァイキングメタルという音楽ジャンルの紹介をする。まず、そもそもヴァイキングメタルとは何であろうか？　ヘヴィメタルが年月とともに他ジャンルの要素を取り入れたり、特定の音楽要素を深化させるなどして、様々な方向性に分化し、管弦楽器や合唱を組み込んでオーケストラを彷彿とさせるシンフォニックメタル、プログレッシヴロックからの影響を受けて複雑な楽曲構成や展開を特徴とするプログレッシヴメタル、ゴシックロックの耽美性を取り込んだゴシックメタル、重さと激しさに特化したデスメタル、速さと攻撃性を兼ね備えたスラッシュメタル、遅さを突き進めたドゥームメタル、サタニックな要素を強めたブラックメタルなどなど、多様なサブジャンルが誕生したことは、メタルリスナーであればご存知であろう。ヴァイキングメタルもメタルと名が付くとおり、そうしたサブジャンルの一つなのだが、ヴァイキングメタルという名前から音楽性が想像できるかと言われれば、なかなか難しいのではなかろうか。

スラッシュ / ブラックメタルをプレイしていたスウェーデンの Bathory が、キリスト教を攻撃するのに同教が発明した悪魔を使うのは矛盾しているとして、90 年頃に地元の歴史や神話をモチーフとしたメタルを生み出したのがこのジャンルの始まりである。その後ノルウェーの Enslaved が 94 年頃自らの音楽性をヴァイキングメタルと名付け、同郷の Einherjer など重要なバンドがスカンジナビアを中心として誕生していった。まずは Bathory の曲「A Fine Day to Die」と、Enslaved の曲「Yggdrasil」あたりを聴いてみていただきたい。どちらも長尺なミドルテンポの曲で、エピックかつフォーキーな要素を多分に含んだバンドということで、なんとなくのヴァイキングメタル像は伝わるのではないかと思う。だが、実際のところはもっと複雑で、ヴァイキングメタルはメタルの他のサブジャンルと比較して、定義が曖昧で、人によって指すものが大きく異なるのが実状なのだ。そもそものジャンル名が混乱を招きがちで、ヴァイキングメタルバンドだと見なされたバンド側からも「俺たちの歌詞はヴァイキングとは何の関係もないから、ヴァイキングメタルというラベリングは誤りだ」との声が聞かれることもある。修飾語のヴァイキングのみならず、北欧神話やスカンジナビアの歴史をテーマとしたメタルがヴァイキングメタルだと一般的には考えられるのだが、認識の齟齬が起きやすい。また、スウェーデンの Amon Amarth のように、ヴァイキングメタルバンドだと分類されがちなのだが、「歌詞のテーマで音楽ジャンルが規定されるのはおかしい。俺たちの音楽はメロディック・デスメタルだ」と主張するバンドも存在する。先ほどのなんとなくのヴァイキングメタル像のように、エピックで荘厳な音使い、しばしば民謡リフや民族楽器の導入が見られる、ミドルテンポ主体でヒロイック、雄々しいコーラスが入ることが多い、などなどヴァイキングメタルを構成する音楽要素はいくつか挙げられる。その一方で歌詞のモチーフや精神性の面でヴァイキングメタルを捉える向きも存在するために、このような主張の食い違いが発生していると考えられる。事実、ドイツの Stormwarrior のようにヴァイキングをテーマとしたメタルを演奏しているが、ヴァイキングメタルとは見なされず、音楽的には 80 年代ジャーマンメタル影響下のヘヴィメタルと分類されるバンドもいる。ヴァイキングメタルが、スラッシュ / ブラックメタルを下地として成立したため、Amon Amarth はヴァイキングメタルだとカテゴライズされて、Stormwarrior はされないのかとも推察されるが、必ずしもスラッシュ / ブラックメタルを音楽的バックグラウンドとしないヴァイキングメタルバンドもおり、このあたりはやはり人によって考えが異なると言わざるを得ない。
ヴァイキングメタルは誕生から時間が経過するにつれて市民権を得て、歴史・文化的な素地をまったく持たない国にも、スカンジナビア諸国のヴァイキングメタルバンドからの影響を受けて、形式上そういった歌詞を用いて音楽的な側面を真似たヴァイキングメタルバンドが出現していった。特に 90 年代末から 2000 年代前半にかけて、民謡要素を大々的に取り入れたエンターテインメント的なバンドも数多く出現している。南米や日本にもヴァイキングメタルバンドは存在するのだ。そうした中、北欧神話やヴァイキングをテーマとはしていないが、戦いなどをテーマとした勇壮なメロディを聴かせるメタルも、音楽的に近いためにヴァイキングメタルだと考える人も出てきた。
そういうわけで、近隣ジャンルに民族楽器や民謡メロディを取り入れたフォークメタルや、異教をテーマとしたペイガンメタルが挙げられるが、それらとヴァイキングメタルとの境界も非常に曖昧な実態にある。ゲルマン系の神話と北欧神話は民族的な背景から類似点が大いにあり、ゲルマン系のペイガンメタルと、ヴァイキングメタルの区分はことさら模糊としている。特にここ日本では、そういった神話や異教に馴染みが薄いこともあって、実際にはヴァイキングとは何の関係もないフォークメタルバンドなども、音楽性が似通っているとのことで、一律ヴァイキングメタルだと考えられてしまう傾向にある。

パイレーツメタルとは？

本書では姉妹ジャンルとしてパイレーツメタルも付録的に紹介している。ヴァイキングメタルの定義が混沌としているのと同様、こちらもジャンルとしては未成熟で、明確に確固たる定義があるわけではない。もともと 80 年代からドイツの Running Wild などが海賊をテーマとしたヘヴィメタルを演奏していたが、ヴァイキングメタルの大衆化や、フォークメタルの流行に伴い、イギリスの Alestorm が、フォークの要素を大々的に取り入れたパイレーツメタルを再発明し、昨今はその影響下のバンドが増えている。ヴァイキングも海賊のイメージが強いせいか、パイレーツメタルをヴァイキングメタルの一種だと考えている人も存在するため、本書に含めた次第である。

本書のスタンス

本書ではこのジャンルを取り巻く実状を踏まえて、実際にヴァイキングメタルをプレイしているかどうかはさておき、レーベルやディストロ、ブログやレビューサイトなどのメディア、あるいは日本のメタルショップなどで、ヴァイキングメタルだと考えられがちなバンドをなるべく網羅したつもりである。ただ、ヴァイキングメタルだと考えている人が散見されても、その数が少なく、明らかにフォークメタルなどのほうが適切だろうと思われる場合は除外したものもある。
こういったフォーク、あるいはペイガン要素が強いと判断したバンドたちは、今後出版を予定している『フォークメタル・ガイドブック』『ペイガンメタル・ガイドブック』で紹介するつもりなので、ご理解頂ければ幸いである。
また、北欧神話など文化的背景や世界観が重要なジャンルであるため、可能な限り作品のテーマや背景についての解説を載せるようにした。本書を片手に聴きながら、作品の描く世界について思いを馳せていただければ執筆者冥利に尽きる。

※バンド出身国の言語におけるバンド名の発音をルビに記した。ただし英語での発音が世界的に定着しているバンドに関しては、英語の発音を併記している。

※記号の意味
出身地　活動年　メンバー
アルバム名　レーベル　リリース年

北欧神話　ヴァイキングメタルをより楽しむために

そもそも北欧神話とは？

キリスト教化される前のスカンジナビアのゲルマン民族の信仰に基づく神話で、ノルウェー、スウェーデン、デンマーク、アイスランドおよびフェロー諸島の神話の総称である。フィンランド人を構成する主要民族のフィン人は、言語的にゲルマン語族とは異なるウラル語族のため、フィンランドの神話は通常含まれないことに注意されたい。詩の形で口承で伝えられ、アイスランドの詩人スノッリ・ストゥルルソンが 13 世紀初期に著した『エッダ』（スノッリのエッダ）、17 世紀にアイスランドで発見された『王の写本』（古エッダ）、あるいはルーン石碑などに文字として記録されている。

北欧神話のあらすじ

原初の時代には、南の方に炎が猛り狂う地ムスペルヘイムと、北の方に雪と氷で覆われた地ニヴルヘイム、そしてその 2 つの間に巨大な裂け目ギンヌンガガップが存在していただけだった。ニヴルヘイムの泉から流れ出た毒気を含む川エリヴァーガルの水がギンヌンガガップに流れ込んで凍って、ある時それがムスペルヘイムから流れてくる熱気と触れて溶けて滴った。その雫からユミルという巨人が生まれた。毒気が素となっているためこのユミルは邪悪で、彼がどんどん生み出した霜の巨人もまた邪悪であった。

ギンヌンガガップの氷がさらに溶けるにつれて一頭の牝牛アウドムラが生まれ、彼女が氷をなめていると氷塊からブーリという神が出てきた。彼の息子ボルは霜の巨人ボルソルンの娘ベストラと結婚し、二人の間にオーディン、ヴィリ、ヴェーの三人の男神が生まれた。オーディンは北欧神話における最高神で、彼の系譜の神々をアース神族と呼ぶ。彼らはユミルと増え続ける凶暴な霜の巨人族が気に入らず、ユミルを殺害した。夥しい血で霜の巨人の大半は溺死し、オーディンらはユミルと霜の巨人の死骸で世界を創造していった。また、トネリコとニレの木から最初の人間の男女が作られた。そうして、世界樹ユグドラシルの下に 3 つの平面が作られ、最上層にはアース神族の住むアスガルド、ヴァン神族の住むヴァナヘイム、妖精の国アールヴヘイム、第 2 層には人間の住むミッドガルド、巨人の国ヨツンヘイム、小人の国ニダヴェリール、黒い妖精の国スヴァルトアールヴヘイム、最下層にはニヴルヘイムと死者の国ヘルヘイムという 9 つの世界ができた。なお、ヘルヘイムはしばしばニヴルヘイムと同一視され、その場合はムスペルヘイムが 9 つ目となる。

この世界を舞台としてヴァン神族とアース神族の戦いの話や、ユグドラシルにオーディンが 9 日 9 夜自身を捧げてルーン文字の秘密を得る話、神々が不老の林檎を巨人シアチに奪われるが取り戻す話、雷神トールがヨツンヘイムの都市ウトガルドに巨人を征伐に行く話などなど様々なエピソードが語られる。その中には預言者から知識を得たり、賢い巨人との知恵比べの話もあるのだが、そこで世界はやがて終末の時ラグナロクを迎え、霜の巨人との戦いのあと炎の巨人スルトの火がすべてを焼き尽くすことが明らかになる。そういうわけで戦死者を選ぶものヴァルキュリヤは戦場から死んだ戦士（エインヘリヤル）をオーディンの宮殿ヴァルハラに集め、日々互いに戦わせて終末の時まで腕を磨かせているのだ。

ところで、オーディンの義理の兄弟ロキは母親が巨人で、悪戯好きでしばしば神々に不利益をもたらす存在だった。彼は巨人アングルボダと交わり、狼フェンリル、蛇ヨルムンガンド、奇怪な色をした女ヘルという 3 人の子供をもうけた。神々は彼らを脅威に思い、軍神テュールの腕を犠牲にしつつもフェンリルを鎖で縛り上げ、ヨルムンガンドはミッドガルドの周りの海洋に投げ込み、ヘルはニヴルヘイムに突き落として冥府の女王とした。

ある時、オーディンの息子バルドルが悪い夢を見て、預言者によるとそれは彼の死を暗示するものだとされる。バルドルの母フリッグは9つの世界のあらゆるものに彼を傷つけないよう誓いを交わさせるが、ロキはフリッグから巧みにヴァルハラの西に生えている若いヤドリギだけはあまりに若いから放っておいたと聞き出し、そのヤドリギで矢を作った。神々は傷つかないバルドルに投石したり、矢で射たりする遊びに興じていたが、そこに加われていなかった盲目のヘズをたぶらかしてロキはヤドリギの矢を射させ、バルドルを殺害した。バルドルの兄弟ヘルモーズが、ヘルヘイムに向かいバルドルの連れ帰りを試みるが、ヘルは9つの世界のあらゆる者がバルドルのために泣くのであれば彼をアスガルドに連れ戻して良いと伝える。フリッグは再び9つの世界に使者を送り、あらゆるものにバルドルの死を悲しむよう頼むが、ロキが化けた女巨人セックが拒み、バルドルの復活は阻止された。

ロキは復讐を恐れてミッドガルドの不毛の地に隠れるが、すべてを見通すオーディンが神々の一行を向かわせ、ロキは洞窟の岩板に自分の息子ナルヴィの腸で縛られ、上には毒蛇が鍾乳石に繋がれ、彼の顔に毒液が滴るようにされた。

三度の冬が続いたあと、最後の時が始まる。大地は震え、樹木は揺らいで倒れ、山々はぐらつき、崩れ落ちる。そしてあらゆる戒めや足枷は弾け飛び、フェンリルは自由となる。そうしてすべての巨人とヘルヘイムの住人たち、フェンリルとヨルムンガンド、スルトとムスペルの息子たちが集まってくる。一方神々はアスガルドの門番ヘイムダルが角笛ギャラルホルンを吹いて、9つの世界に響き渡らせすべての神々にラグナロクの到来を告げる。なお、二人の人間がユグドラシルの奥深くに避難する。オーディンはエインヘリヤルを引き連れてフェンリルと戦うが、飲み込まれて死んでしまい、息子のヴィーダルが敵を討つ。トールはヨルムンガンドを倒すが、毒液でその後息絶えてしまう。テュールはヘルヘイムの番犬ガルムと、ヘイムダルはロキと相討ちになる。豊穣の神フレイはスルトに敗れてしまう。そしてスルトがすべてを焼き尽くし9つの世界は死に絶える。

だが、やがて世界は蘇る。オーディンの息子ヴィーダルとヴァーリはラグナロクを生き抜いたし、トールの息子のモージとマグニも健在だ。バルドルとヘズも死者の国から蘇る。また、ユグドラシルの奥深くに避難した二人の人間は子孫を設け、大地のあらゆるところに生命が溢れる。ラグナロクは世界の終わりであり始まりでもあるのだ。

豆知識　フィンランドとヴァイキング

フィンランドは北欧に位置するが、スウェーデン、ノルウェー、デンマークなどの北ゲルマン語群と異なり、フィン・ウゴル語派である。またスカンジナビアにも含まれない。したがって一般的にはフィンランドとヴァイキングには直接的な結び付きはないとされる。

しかしながら、スウェーデンのヴァイキングとされるスヴェア人がフィンランドに入植していた。現在スウェーデン系を自認する人々はフィンランド人口の5.2%を占めている。元々沿岸部に多く住んでいたが、フィンランド系との通婚が進んでいる。よってフィンランドにもスウェーデン系ヴァイキングの末裔がいると言えるのである。

元々支配階級だったスウェーデン系フィンランド人はムーミンの作者トーベ・ヤンソンや英雄マンネルヘイム将軍などの有名人を輩出している。長年ロシア帝国の支配下にあった事も、フィンランドの国柄が他のスカンジナビア諸国と一風異なる要因となっている。

9 ……… CHAPTER 1 ヴァイキングメタル黎明期

71 ……… CHAPTER 2 ヴァイキングメタル興隆期

CHAPTER 1

THE DAWN

ヴァイキングメタル黎明期

～1994

この章では、ヴァイキングメタルの誕生前後から1994年までを、ヴァイキングメタル黎明期と位置づけて、その時代に結成されたバンドを紹介する。ジャンルを発明したスウェーデンのBathoryや、ジャンル名を生み出したノルウェーのEnslavedなど、重要なバンドが当然ながら多数存在する。この時期はまだ北欧のシーンがメインだった。ジャンルの音楽性としても、彼らの地元スカンジナビアの民謡を自然な形で織り込み、ヴァイキングの歴史や伝承から想起されるイメージを音として形にしていった帰結だったように思われる。

HEAVY LOAD《ヘヴィロード》

スウェーデン出身、北欧神話取り入れヴァイキング元祖説も！

スウェーデン ストックホルム県 ストックホルム　1976 ～ 1983, 1985, 1987, 2017 ～
Styrbjörn Wahlquist (Vo, Dr), Ragne Wahlquist (Vo, Gt, Key) Torbjörn Ragnesjö (Ba), Nic Savage (Gt)

Heavy Load は 1976 年にボーカリスト / ドラマーの Styrbjörn とボーカリスト / ギタリスト / キーボーディストの Ragne の Wahlquist 兄弟、およびベーシストの Michael Backlund によって結成されたヘヴィメタルバンドである。後の同郷のブラック / スラッシュメタルバンド Bathory こそが、音楽的な意味でのヴァイキングメタルの嚆矢となったと一般的に考えられているが、このバンドはそれ以前から歌詞のモチーフとして北欧の神話・伝承やヴァイキングを扱っていた。他にもそういうバンドはいたものの、特に Heavy Load はスウェーデン出身ということもあって、このバンドを元祖ヴァイキングメタルだと考える人も少なからず存在する。

ベーシストの交代後、78 年に Heavy Sound Records から『Full Speed at High Level』でデビューを飾ったが、このレーベルがその後倒産、Wahlquist 兄弟は自主レーベル Thunderload Records を設立した。そしてギタリストに Eddy Malm が加入、ベーシストが Torbjörn Ragnesjö に交代して、以後 EP と 2 枚のアルバムを発表して 83 年に解散する。

85 年、87 年と再結成するもシングルやデモのみの発表で再び解散、しかしバンドは 2017 年に再始動しており、今後の活動が気になるところである。

Stronger than Evil
Thunderload Records　1983

最初の解散前に発表した 3rd アルバム。ネクサス・インターナショナルから『邪悪の化身』の邦題で国内盤もリリースされた。現在で言うヴァイキングメタルの音楽性とは異なるが、北欧らしい美しいメロディと勇ましいコーラスが冴え渡る正統派ヘヴィメタルの名盤である。5、6 曲目には Thin Lizzy の Phil Lynott がベースでゲスト参加。長年廃盤であったが、再始動に合わせてか、2018 年に No Remorse Records から、リマスターおよび未発表曲 4 曲を含む 6 曲のボーナストラックを追加の上で再発されている。

MANOWAR《マノウォー》

Bathory ドラマーが大ファンで ヴァイキングメタルに重大影響！

アメリカ ニューヨーク州 オーバーン　1980～
Joey DeMaio (Ba, Key), Eric Adams (Vo), Anders Johansson (Dr), E. V. Martel (Gt)

Manowar は 1980 年から活動するアメリカのヘヴィメタルバンドである。バンド名は War と Mannishness（漢らしさ）の組み合わせで、「人生は戦争であり、メタルの世界から漢らしさが失われて久しい、偽メタルに死を」と Joey は言う。なお、戦士や軍艦を意味する man of war が省略された man o' war という言葉もある。

Bathory が 88 年～ 90 年にヴァイキングや北欧神話について歌い出すのに先立って、そうした内容を一部の楽曲のモチーフに起用したバンドは存在して、彼らもその一つだ。しかしながら、そうしたバンドがヴァイキングメタルバンドと見なされることは稀で、実際彼らをそう考える人はまずいない。その一方で、Bathory の初代ドラマーの Jonas Åkerlund が彼らの大ファンだったことが知られており、Bathory に Manowar が影響を与えたのではないかという説も存在する。その点では彼らはヴァイキングメタルにおいて重要と言えよう。

彼らは結成以来 13 枚のスタジオアルバム（うち 2 枚は再録）を発表しており、エピックで雄々しいサウンドが特長だ。2016 年～ 19 年のツアータイトルが「The Final Battle World Tour」だったため、解散が懸念されたが、20 年に Joey はそれを否定、長大なロックオペラの制作に取り組んでいるとのこと。

Into Glory Ride
Megaforce Records　1983

自らの血で契約書にサインしてレーベルを移籍しての 2nd アルバム。『地獄の復讐』の邦題で国内盤も発売された。戦士のような出で立ちのメンバーが目を引くジャケットからも窺い知れるように、エピックで力強く重厚なヘヴィメタルという彼らのスタイルが確立され始めた。原題は前作『Battle Hymns』のタイトル曲の歌詞に言及するもので、ロックンロール色が強かった前作の中で一際ドラマティックに異彩を放っていた同曲の流れを汲む作品。「Gates of Valhalla」は明確に北欧神話をテーマにした楽曲だ。

BATHORY《バソリー》

反キリスト教の矛盾気づき、早逝したヴァイキングメタルの始祖！

スウェーデン ストックホルム県 ストックホルム　1983 ~ 2004　Quorthon (Vo, All instruments)

血の伯爵夫人エリザベート・バートリ

1983年にスウェーデンの首都ストックホルムの西部ベリングビューにて、当時弱冠17歳であったボーカル及びギターのQuorthonを中心に、ドラムのJonas Åkerlund、ベースのFrederick Melanderらの3人がメタルバンドを結成した。中心人物のQuorthonは当初はBlack Spadeと名乗っており、後に彼がファンだったKissのギタリストAce Frehleyに因んでAce Shotに改名、その後Quorthonになったらしい。これは悪魔の名前だと言われている。Bathoryはバンド形態ではあったが、どちらかと言えばQuorthonによるワンマン・プロジェクトという色合いが強い。彼は重要なのはメンバーではなく音楽だと考え、作品のクレジットにメンバーを載せないこともままあった。また、別人なのに同一のメンバー名を使いまわしたこともあるらしい。Bathoryは音楽性が何度か変化したことでも知られているが、とりわけ次の二つが重要である。一つは90年代にスカンジナビア半島で発生した第二世代ブラックメタルの源流となったこと、そしてもう一つはヴァイキングメタルというジャンルの雛形を作り上げたということだ。

北欧ブラックメタルの先駆け

当時、Quorthonの父はTyfonという小さなレコードレーベルを運営しており、83年後半にスカンジナビア半島のメタルバンドたちによるコンピレーションアルバムを企画した。しかし、参加バンドの一つがアルバムの制作直前に参加を取りやめたがために、彼は息子のバンドBathoryをその代替として収録することとした。こうして84年3月にリリースされた『Scandinavian Metal Attack』で、Bathoryというバンド名が初めて世に出ることになった。この名前は16～17世紀にかけて数多くの残虐殺人を行い、「血の伯爵夫人」との異名で知られるハンガリー王国の貴族エリザベート・バートリに因んだものである。

このコンピレーションが意外にもリスナーから大きな反響を呼んだために、Tyfon は Quorthon にフルアルバムのレコーディングを依頼することとなった。ドラマーとベーシストが脱退してしまったため、新たにベーシスト Rickard Bergman とドラマー Stefan Larsson を雇って、わずか 1 回のリハーサルの後に 84 年 6 月にレコーディングを行い、10 月に Tyfon のサブレーベル Black Mark Production からデビューアルバム『Bathory』をリリースした。Quorthon 本人は、Black Sabbath や Motörhead、G.B.H. といったバンドから影響を受けたとインタビューで答えており、Venom や Slayer など聴いたこともなかったと語る。だが、この当時の Bathory の音楽性はそれらのバンドに近いものだった。そもそものバンド名も、Nosferatu や Natas、Mephisto などなどいくつかの候補の後に、Quorthon がイギリスのロンドン・ダンジョンというホラー系のテーマパークでエリザベート・バートリの蝋人形を見て Bathory の名に落ち着いたとのことであるが、初代ドラマーの Jonas は Venom の楽曲「Countess Bathory」に因んだものだと言っている。

いずれにせよ Bathory は 85 年に 2 枚目『The Return......』を、87 年に 3 枚目『Under the Sign of the Black Mark』と立て続けにリリースを重ねる。この時期の Bathory は第一世代ブラックメタルバンドの一つだと考えられており、特に 3rd アルバムの後続への影響は計り知れないものがある。

ヴァイキングメタルを発明

88 年には 4 作目『Blood Fire Death』を発表、本作も基本的にはそれまでの延長線上の音楽性であったのだが、ミドルテンポの荘厳な楽曲が 2 曲収録され、音楽性の変遷が見られる。歌詞に関しては当初は反キリスト教といったダークなトピックが主で、Quorthon は実際悪魔主義者というわけではなかったが、キリスト教を攻撃する題材として悪魔を持ち出していた。これが後のブラックメタルを特徴づけることとなった。しかしながら、悪魔はそもそもキリスト教の産物ゆえ、それを使ってキリスト教を攻撃するのは矛盾していると考えるようになり、本作あたりから彼が好きだった歴史、それもヴァイキングの時代や北欧の神話へとフォーカスしていった。

この流れで 90 年に発表されたのが 5 枚目のフルアルバム『Hammerheart』である。このアルバムは最初のヴァイキングメタル・アルバムと考えられている。ちなみに初代ドラマーの Jonas は Manowar の大ファンで知られ、Manowar もヴァイキングをモチーフにした楽曲を発表していたため、ヴァイキングメタルへの移行にはその影響があるという説もある。しかし、ヴァイキングメタルというジャンルのパイオニアとなったのはやはりこの Bathory であろう。翌年リリースされた『Twilight of the Gods』も前作と並んでヴァイキングメタルの名盤とされる一枚となった。

ヴァルハラへの旅立ち

以降、Quorthon 名義でのソロ活動を並行して開始しつつ、94 年の 7 枚目『Requiem』と 95 年の 8 枚目『Octagon』ではスラッシュメタルへの回帰を見せるが、これら以降は 96 年の『Blood on Ice』、2001 年の『Destroyer of Worlds』、02 年の『Nordland I』、03 年の『Nordland II』とヴァイキングメタル路線の作品を中心に発表し続けていった。このまま作品を重ねていくかと思われたのだが、突如バンドは終焉を迎えてしまう。2004 年 6 月、Quorthon が心不全により自宅で亡くなっているのが発見されたのである。もともと過去に心臓疾患を患っていることが知られてはいたようだが、あまりにも突然のことであった。06 年には父親のレーベルから 3 枚組のメモリアルボックスアルバムがリリースされている。Quorthon が後世のアンダーグラウンド・メタルシーンに与えた影響は極めて大きいと言えよう。

Bathory
Black Mark Production　1984
単独での作品としては初となる 1st アルバム。本作の音楽性は Venom 影響下のスラッシュメタルだが、楽曲はさらにスピーディで、音質は劣悪でスカスカに、ボーカルも吐き捨てるような邪悪なものとなっており、ブラックメタル史上で重要な作品となった。LP の初回プレスのみジャケットの山羊が黄色（金色だとコストがかかるので黄色にした）で、以降はよりサタニックにするために白黒の山羊となっている。初回プレスはイエローゴートと呼ばれ、かなりのプレミアが付いており、ブートが出回っているので注意。91 年に CD 化された。

The Return......
Black Mark Production　1985
2nd フルレングス。オリジナルの LP の裏ジャケットにはトラックリストではなく、曲名が織り込まれた謎めいた詩が載せられており、最後まで作品を聴いた時にこのアルバムの真のタイトル「The Return of the Darkness and Evil」がわかるようになっている。前作のようなファストなスラッシュメタルの要素も残っているが、より不気味でミニマルな方向に進んでオリジナリティを提示した 1 枚。本作も初期ブラックメタルの重要な作品だ。こちらも 91 年に CD 化されており、再プレスされ続けている。

Under the Sign of the Black Mark
Under One Flag　1987
セカンドウェーブ・ブラックメタルに甚大な影響を与えた金字塔的な 3rd アルバム。イギリスの Music for Nations のサブレーベルから発売された。「Enter the Eternal Fire」のようなミドルテンポの曲も収録されたほか、キーボードが導入されるなど、過去 2 枚よりも楽曲の幅が広がっている。この時点で北欧ブラックメタルの原型は完成していたと言っても過言ではない。本作も次の 2 枚も Black Mark Production から再発されている。なお、ジャケットは当時スウェーデンでトップクラスのボディビルダーだった Leif Ehrnborg の写真である。

Blood Fire Death
Under One Flag　1988
ジャケットからも窺い知れるように、ヴァイキングメタルへの音楽性の変遷が見え始めた 4 枚目。歌詞がサタニックなものから、歴史や伝承へと切り替わり、1 曲目のインスト曲「Odens Ride over Nordland」（オーディンが北の地を駆ける）から北欧の神話世界へリスナーを誘う。前作までのスラッシーな音楽性の流れを汲む楽曲が依然メインだが、「A Fine Day to Die」と「Blood Fire Death」の 2 曲はそれぞれ 8 分超、10 分超に及ぶミドルテンポの荘厳な楽曲で、元祖ヴァイキングメタル・チューンと考えられている。本作からは LP と CD が同時発売された。

Hammerheart
Noise International　1990
元祖ヴァイキングメタル・アルバムだと言われる 5 枚目のアルバム。現在も Noise Records として存続するドイツのレーベルから発売された。前作の 2 曲のヴァイキングメタル・チューンはブラックメタル的ながなり声で歌われていたが、本作ではクリーンボイスによる歌唱が取り入れられた。ゆったりと力強い長尺な楽曲を朗々と歌い上げるスタイルは本作で固まったと言えよう。歌はお世辞にも上手いとは言えないのだが、有無を言わせぬ貫禄を感じさせる。後続の多くのヴァイキングメタルバンドが本作と次作の影響を受けたと語る必聴盤。

Twilight of the Gods
Black Mark Production　1991
再び父親のレーベルから発売されるようになった 6 作目。全編通してクリーンボーカルによる作品となった。Quorthon がコーラスを含む歌、すべての楽器パートとドラムプログラミングを一人でこなした初の作品。タイトルはリヒャルト・ワーグナーのオペラ『ニーベルングの指環』の第四部「神々の黄昏」に因んだもの。ラストの「Hammerheart」はグスターヴ・ホルストの組曲『惑星』の「木星」のアレンジだ。本作も必聴。日本ではヘヴィメタル情報誌『BURRN!』がレビューで 100 点満点中 1 点を付けたことでも話題に。

Requiem

Black Mark Production　1994

当初は前作をラストアルバムとするつもりだった（ゆえに前作には続きを予感させる不穏なアウトロがない）らしく、仕切り直しで突如としてスラッシュメタルへの回帰を見せた7作目。ただし初期3枚と異なるのは、歌は吐血しそうながなり声でこそあれ、曲は元祖ブラックメタルとも言えるノイジーでボロボロの作風ではなく、オールドスクールなスラッシュメタルだったという点だ。ゴリゴリのベースが印象的な作品。歌詞もHoly Jesus fucking Christ みたいな安っぽいものになったがこの音楽性にはフィットしている。

Octagon

Black Mark Production　1995

スラッシュメタル路線を引き継いだ8枚目。比較的ノーマルに近いボーカルでの歌唱なのが前作との違いだろうか。時代的にスラッシュメタルの人気が衰退し、多くのバンドが速さや攻撃性よりも重さやグルーヴを重視した音楽性へとシフトしていく中、Slayer直系のスラッシュメタルということで、その手のファンからの評価は悪くない。しかし、前作には及ばず、初期のブラックメタルスタイルや中期のヴァイキングメタル路線のファンからは最低評価を下されることも多い不遇の作品。Kissの「Deuce」のカバー含む11曲40分。

Blood on Ice

Black Mark Production　1996

9thアルバム。もともとは88年から89年にかけてレコーディングされ、5thアルバムとして発表される予定だったが、きちんと最後まで仕上がっていなかったのと、あまりにもそれまでの音楽性とかけ離れていたためにお蔵入りとなっていた。当時の音源の40%ほどを95年に作り直してようやく世に出たのが本作だ。代わりに発売された『Hammerheart』と比較すると全体的にキャッチーで、Manowarからの影響が色濃く見え、当時発表を躊躇したのも頷ける。Quorthonによる創作神話を綴ったコンセプトアルバム。

Destroyer of Worlds

Black Mark Production　2001

5年ぶりに届けられた10作目は、ヴァイキングメタル路線とスラッシュメタル路線の両方が収録された作品となった。タイトルは、「原爆の父」として知られるアメリカの物理学者ロバート・オッペンハイマーが、古代インドの聖典『バガヴァッド・ギーター』から引用したセリフ「我は死神なり、世界の破壊者なり」を拝借したもの。歌詞のテーマは戦争やアイスホッケーなど多岐に渡る。最後を飾る「Day of Wrath」の歌詞には、過去作のタイトルを想起させる単語が並ぶこともあり、本作はある種のベストアルバム的作品と言えよう。

Nordland I

Black Mark Production　2002

11枚目のスタジオアルバム。タイトルにIとあるのは、2時間分の音源をレコーディングしたが、長過ぎて1枚にはできず、2枚組は市場で好まれないため、別々に発売することが、この時点で決まっていたから。ただ、IとIIを両方聴かないとストーリーがわからない類のコンセプトアルバムではないとのこと。混じり気のない北欧の空気感の表現と、リスナーが一緒に合唱できそうなコーラスにこだわったらしく、シアトリカルで大仰な作風。しかしながら、どこか現代的な色合いのサウンドで、バラエティ豊かな楽曲はやや散漫な印象も受ける。

Nordland II

Black Mark Production　2003

前作の続きとなる12thアルバムにして、オリジナルアルバムとしては最後の作品。ゆったりとした荘厳な楽曲中心の構成ながら、全体のカラーを逸脱しない範囲で緩急もついており、前作より完成度が高い引き締まった一枚となった。北極星の下、Nordlandでレコーディングされたとブックレットに記載されているので、Nordlandとは北ノルウェーにある地域ではなく単に「北の地」と思われる。さらにIIIとIVの追加制作が予定されていたらしいのだが、Quorthonの突然の他界により、残念ながら見果てぬ夢となった。

AMON《アモン》 AMARTH《アマルス(※シンダール語)　アマース(英語)》

人工言語シンダール語「凶運の山」意味し、ヴァイキングを否認！

スウェーデン ストックホルム県 ストックホルム　1988 ～ 1992 (as Scum), 1992 ～
Ted Lundström (Ba), Olavi Mikkonen (Gt), Johan Hegg (Vo), Johan Söderberg (Gt), Jocke Wallgren (Dr)

実は無宗教で基本的に楽曲ありき

1988 年にスウェーデンのストックホルム県南部の町トゥムバで Scum というデスメタルバンドが産声を上げた。ボーカリスト Puppe M.（Paul Nordgrim）とギタリスト Olli M.（Olavi Mikkonen）を中心に、ドラマー Niko K.（Niko Kaukinen）、セカンドギタリスト Vesa M.（Vesa Meriläinen）という面子で始まったこのバンドに、91 年にベーシスト Petri T.（Petri Tarvainen）が加入、3 曲入りのデモテープを制作した。その後ベーシストが Ted Lundström に交代、Paul も脱退、後任には Olavi の友人であった Johan Hegg を迎え、ギタリスト Anders Hansson の加入の後に、バンド名を変更してここに Amon Amarth が誕生した。

このバンド名は J・R・R・トールキンの小説『指輪物語』に登場する架空の火山であり、彼が考案した人工言語シンダール語で「凶運の山」（普及した訳語は「滅びの山」）という意味らしい。改名前の Scum は底辺やクズのような意味で、他にもっと良いバンド名が思いつかなかったというだけで、この名前にしたらしい。後に Ted が Amon Amarth という名前を提案して、そちらの方がミステリアスで良いということですぐ採用に至ったとのこと。なお、Scum を脱退した Paul はその後 93 年から 95 年にかけて同郷のブラックメタルバンド Dark Funeral で Themgoroth の名のもとに活躍したことでも知られている。

Amon Amarth の歌詞のモチーフの大半はヴァイキングや北欧神話なので、そういう意味ではヴァイキングメタルバンドだと考えられるが、彼ら自身はヴァイキングメタルとはノルウェー起源のもっとブラックメタル寄りの音楽であると考えている。それゆえ、自分たちの音楽性とは異なるということで、メロディック・デスメタルという分類を好んでいる。そもそも歌詞の内容でジャンルが規定されるのはおかしいとも述べており、これは同郷のデスメタルバンド Unleashed と同様の考え方である。しかし、日本のCDショップ等においては、Unleashedがデスメタルに分類されることが多い一方で、どういうわけか彼らはほぼ決まってヴァイキングメタルバンドとして扱われている。

作詞を担当しているHeggは無宗教であり、他の大多数のバンドとの差別化のためにBathoryのように北欧神話に取材した歌詞を書いてみたところ、それが楽曲によくマッチしたため、以降もインスピレーションの源泉として利用している。途中からは周囲からの期待もあり、今更他のテーマに変更できなくなっていった。これが当初の実情で、彼らは基本的に楽曲ありきである。

日出国へ捧ぐ

改名してからは93年に『Thor Arise』(雷神トール参上)を制作(ただし当時は未発表)、94年にデモテープ『The Arrival of the Fimbul Winter』(フィンブルの冬到来)を発表して、アンダーグラウンド・エクストリームメタルファンの興味を惹き、96年にはシンガポールのデスメタル系レーベルPulverised Recordsとの契約に至る。同年7曲入りEP『Sorrow Throughout the Nine Worlds』をリリース、6,000枚の売り上げを記録した。Martin Lopezへのドラマーの交代後、アメリカの名門レーベルMetal Blade Recordsとの契約を獲得、97年3月にはフルアルバムのレコーディングを開始、翌98年2月に『Once Sent from the Golden Hall』でワールドワイド・デビューを果たした。このリリースの後、Andersが脱退、新ギタリストにJohan Söderbergを迎えてバンドはDeicideやSix Feet Underといったデスメタルバンドとツアーを実施する。ところでMartinは97年にプログレッシヴ・デスメタルバンドOpethにも加入しており、そちらの方が彼の志向する音楽性だったようで、ツアー後にバンドを脱退してしまう。バンドはFredrik Anderssonを後任に加えて、次のアルバムの制作に取り掛かった。

そうして99年には『The Avenger』を発表、以降コンスタントにアルバムのリリースを重ね、2008年にはレーベルとの契約を更新、7枚目のフルアルバム『Twilight of the Thunder God』をドロップした。この作品は欧米のヒットチャートで軒並み上位を記録し、日本国内盤デビューも本作で果たしている。ちなみに翌年には過去のアルバムも遡って国内盤が発売されている。10年にはLOUD PARK 10で初来日が決定、これを記念してライブの定番曲を網羅した日本独自のベストアルバム『グレイテスト・ヒッツ - 日出国へ捧ぐ -(Hymns to the Rising Sun)』も発売された。

クリーチャーどもを一掃

2011年、13年とバンドは精力的にフルアルバムを発表、しかし2015年にこれまで17年の長きに渡り活動をともにしてきたドラマーFrederikが別の道を歩むこととなったため、バンドはリリース予定のアルバムを完成させるべく、セッションドラマーを雇用、16年に『Jomsviking』を発表した。なお、本作からバンドはSony Musicと契約しており、北米ではこれまで通りMetal Blade Recordsからのリリースだが、世界向けにはSony Musicからの販売となっている。同アルバムのリリース後には正式に後任のドラマーJocke Wallgrenが加入、18年には活動25周年を記念したドキュメンタリー&ライブアルバム『The Pursuit of Vikings: 25 Years in the Eye of the Storm』がリリースされ、19年には11thアルバム『Berserker』が発売された。なお、バンドは2010年の初来日以降も12年の単独公演、14年のKNOTFEST 14、18年のパワーメタルバンドSabatonのサポートアクトで来日しており、その人気の高さが窺える。

余談となるが、2017年にはバンド名を冠した横スクロール・アクションゲームがモバイル(iOS/Android)向けにオフィシャルリリースされている。これはプレイヤーが雷神トールとなってミッドガルドを脅かすクリーチャーどもを一掃するゲームで、彼らの楽曲のチップチューン・アレンジバージョンが BGM に使用されている。また、20 年にも 11th アルバムに因んだモバイルゲーム『Berserker』が発表された。こちらはイングランドの悪しき王を倒すべく、雷神トールが地球に向かうというストーリーらしい。

Once Sent from the Golden Hall
Metal Blade Records　1998
デモと EP に続く彼らの 1st アルバム。キーボードや民族楽器に頼らないストレートなメロディック・デスメタルで、聴き手を鼓舞する熱いメロディが徹頭徹尾展開される。バンド名を冠した曲に現れる「Amon Amarth」と「Mount Doom」は本来同じものだが、この曲は彼らが凶運の山を乗り越える物語になっている。また、他の曲にも「5 人の戦士」や「5 人の勇敢な男」といった表現がそこかしこに登場し、タイトル曲では彼らは戦いのために神々の黄金の館から送り込まれた設定になっている。ジャケットのシルエットも彼らであろう。

The Avenger
Metal Blade Records　1999
2nd フルレングス。音楽性としては前作の延長線上だろう。同郷のヘヴィ / パワーメタルバンド HammerFall と当時一時的に仲が悪かったらしく、「Metalwrath」（メタルの怒り）の歌詞に「We made the false hammer fall」と彼らを揶揄するような表現が見られる。HammerFall の成功が妬ましかったと同時に、その成功に値しないバンドだと当時は考えていたそうで、これは子供じみて驕り高ぶった考えだったと後に Hegg は述べている。タイトルの「復讐者」とは、歌詞に登場するルーン文字が刻まれた剣の名前の模様。

The Crusher
Metal Blade Records　2001
3 作目となる本作は、よりヘヴィでアグレッシヴになった。タイトルは北欧神話の雷神トールが持つハンマーの名前ミョルニル（Mjölnir）を指す。これはもともと古ノルド語で「粉砕するもの」らしい。本作では北欧神話以外にも 1 曲目に表現の自由を扱う楽曲も収録された。最初のデモテープ収録の「Risen from the Sea」は、当初はボーナストラック用途で再録されたが、思いのほか良い出来になったために通常収録された。彼らいわくデモの曲はあまりにも歌詞が酷かったとのことで、原曲から歌詞が加筆修正されている。

Versus the World
Metal Blade Records　2002
レコーディングスタジオを変更してリリースされた 4 枚目。これまでよりミドルテンポで重い曲が増えたのは、このアルバム全体のコンセプトが終末ラグナロクだからとのこと。アルバムタイトルは彼ら自身の周囲との軋轢や葛藤を表したものらしい。『Viking Edition』と題された 2 枚組の限定盤には、デモ 2 本と最初の EP が追加収録されている。本作までの 4 枚はリマスタリングを施した上、2008 年末のドイツのボーフムでのライブ音源を収録したボーナスディスク付属の 2 枚組デジパック仕様で、2009 年に再販されている。

Fate of Norns
Metal Blade Records　2004
これまでの作品よりも構成が複雑で、ダークでメランコリックな曲が増えたとメンバーが語る 5th アルバム。タイトルは「ノルニルの運命」の意で、ノルニルは北欧神話に登場する運命を司る女神ノルンの複数形である。ジャケットにもその三女神が見て取れる。前作で当時持てるすべてを出し切り、一方で周囲からのプレッシャーは依然としてそこにあり、「今後自分たちはどういう運命にあるのだろう」という心境からこのコンセプトになったとのこと。限定盤デジパックには 2004 年のアイスランドのレイキャヴィークでのライブ DVD が付属。

With Oden on Our Side

Metal Blade Records　2006

6 枚目のフルレングスとなる本作は、Hegg が古代北欧のシンボルであるヴァルクヌート（重なった 3 つの三角形を一筆書きできる形で組み合わせたもの）にインスパイアされて制作されたという。諸説あるが、このシンボルは死と結びついているらしく、しばしばオーディンを合わせて描くことで、死に対する神の力の優位性を表すという。Hegg いわく原点に立ち返ったという本作は、このタイトルでバンドを取り巻く諸々の困難に対する彼らの勝利を暗示しているのではなかろうか。限定盤はライブ音源や収録曲のデモバージョン収録の 2 枚組。

Twilight of the Thunder God

Metal Blade Records　2008

国内盤デビュー作で、彼らのディスコグラフィーの中でもブレイクスルーとなった 7th アルバム。表題曲は、ジャケットに描かれた通り、北欧神話のラグナロクにおける雷神トールと世界蛇ヨルムンガンドとの戦いがテーマとなっている。Entombed、Children of Bodom などからゲストプレイヤーを迎えて制作され、特に「Live for the Kill」には Apocalyptica が参加、従来の無骨なメロディック・デスメタルにチェロを導入する新しい試みがなされた。限定盤と国内盤にはライブ DVD が付属。

Surtur Rising

Metal Blade Records　2011

8 作目の今作は攻撃的で怒りに溢れた音を目指したとのこと。前々作の「Hermod's Ride to Hel」ではオーディンの息子ヘルモーズが、ロキの奸計により命を落とした兄バルドルを連れ戻しに冥府を訪ねたが、女王ヘルから全世界が追悼するなら、彼を解放してやろうと告げられる。本作の「Töck's Taunt」ではその続編で、セックという女に化けたロキが悲しむのを拒んでバルドルの復活を阻止する物語が綴られた。限定盤にはライブ DVD が付属、国内盤『焔の巨人スルト襲来』には Kiss のカバーを追加収録。

Deceiver of the Gods

Metal Blade Records　2013

フルアルバムとしては 9 枚目となる本作。「神々を欺く者」はロキを指し、彼にまつわる物語を中心とした作品となった。カバーアートはラグナロクにおける最終決戦の場ヴィーグリーズでの神々とロキとの戦いを描いたもの。8 曲目「Hel」には元 Candlemass の Messiah がゲスト参加。ボーナスディスクには彼らが影響を受けた 4 つのバンド Judas Priest、Black Sabbath、Motörhead、AC/DC について、それぞれのバンドをオマージュした、そのバンドっぽいオリジナル曲が収録されている。

Jomsviking

Sony Music　2016

Sony Music と契約して発売された 10th アルバムは、彼らの長いキャリアで初のコンセプトアルバムとなった。アイスランドに伝わるヨムスヴァイキング・サーガに取材した本作は、殺人を犯した男が逃走中にヨムスヴァイキングという傭兵団の一員になる物語が綴られている。また、本作は 2013 年に病死した Metal Blade Records のマネージャー Michael Trengert に捧ぐ作品ともなっている。デジブック仕様の限定盤には未発表曲 1 曲追加、国内盤はさらに既発曲の再録とライブバージョンを追加収録。

Berserker

Sony Music　2019

前作リリース後に正式ドラマーが加入しての 11th アルバム。今作は前作以前の、まず曲を作ってからフィットしそうな歌詞をつける方法に立ち返り、「Fafner's Gold」のイントロや、「Ironside」の間奏のアコースティックギター、「Valkyria」のアウトロのピアノなど、楽曲に緩急をつけることを意識したとのことだ。メジャーリーグのインディアンスの Trevor Bauer 投手が Amon Amarth の大ファンで、それを知り「Crack the Sky」には野球を想起させる歌詞が盛り込まれた。

ANCIENT《エインシェント》 RITES《ライツ》

自殺・事故死・海軍兵役など不運に見舞われたベルギーの遅咲き！

ベルギー フラームス＝ブラバント州 ディースト　1988〜
Gunther Theys (Ba, Vo), Erik Sprooten (Gt), Jory Hogeveen (Gt)

ライブが爆破予告された

Ancient Rites は 1988 年にベルギーのフラームス＝ブラバント州の都市ディーストで結成されたブラック / フォーク / ヴァイキングメタルバンドである。最初に固まった布陣としては、現在も在籍するベースとボーカルの Gunther Theys に加えて、ギターの Philip と Johan、そしてドラムの Stefan だった。結成当初はサタニズムをテーマにした伝統的なブラックメタルをプレイしており、90 年にデモテープ『Dark Ritual』を発表、自主制作ながら 500 本を制作し、世界中のアンダーグラウンド・シーンに広まった。しかし、ほどなくして Philip が交通事故で死亡、Stefan が次いで自殺と不幸な出来事に見舞われる。それでもバンドは歩みを止めることはせず、ドラムは Stefan のローディーだった Walter Van Cortenberg が後を継ぐこととなった。

その後、Johan がブラックメタルのサタニックな世界観や思想に同調できずに脱退、ギターに Pascal と Bart Vandereycken が加入、92 年に自主レーベル Fallen Angel Records を設立して EP『Evil Prevails』を発表した。Pascal がベルギー海軍の兵役によりバンド活動に専念できず解雇となったが、スプリットやオムニバスへの参加を経て、バンドは 3 ピース構成で 94 年 11 月に自国の After Dark Records から初のアルバム『The Diabolic Serenades』のリリースに至った。彼らいわく、このレーベルはぼったくりレーベルで、レコーディングを自費で実施した（レーベルはプレス代のみ提供）にも関わらず、売上金をまったく渡さずに倒産してしまったらしい。

それゆえバンドはオランダの Mascot Records と契約、96 年 5 月に 2 枚目のアルバム『Blasfemia Eternal』を発表した。同作のリリース後、Bart が脱退するもバンドはヨーロッパで数回のツアーを実施し、Morbid Angel、Deicide、Rotting Christ といったバンドとライブを行った。

この当時、ライブの爆破予告やボイコット、ツアーのキャンセルなど数々の苦労を強いられたのだが、バンドはその苦労や怒りを制作意欲に変えて、解散することなくあくまで前に突き進んだ。また、この頃彼らはアンダーグラウンドの世界で成功する夢を見ていたが、アンダーグラウンドですら金の力で動いている現実を知って失望したとも語っている。

苦難に見舞われ、機が熟すまで 9 年

その後 Erik Sprooten、Jan Yrlund と二人のギタリストが加入、バンドは 98 年 8 月に名作となった 3 枚目『Fatherland』を発表する。それまでの生々しいサタニックなブラックメタルから、シンフォニックな方向へ舵を切り、これを後押しする形で同作のリリース後、キーボーディストの Domingo Smets が加入、01 年 5 月には Hammerheart Records と契約して 4 枚目のアルバム『Dim Carcosa』をドロップした。02 年には Smets が袂を分かつことになったが、Davy Wouters を後任に迎えて、03 年にライブアルバム『And the Hordes Stood as One』を発表する。同作の発売後のツアーでバンドは Jan を解雇、Bart を再加入させる。04 年には Smets が再加入、キーボードではなくベースを担当し、Gunther はボーカルに専念するようになる。

さらに 1996 年～ 97 年にサポートしていた Raf Jansen が正式メンバーに加入、トリプルギターを含む 7 人の大所帯バンドとなって、フランスの大手レーベル Season of Mist と契約、06 年 5 月に 5 枚目『Rvbicon』をリリースする。その後レーベルとの契約終了、Raf、Davy、Bart が脱退、Smets がベースからギターに転向、再び Gunthar がベースを兼任というラインナップの変更などの苦難に見舞われ、9 年間も機が熟すのを待って 15 年に『Laguz』を発表した。その後、Smets が脱退、19 年からは Jory Hogeveen が後任している。21 年には長年在籍した Walter が病死してしまった。

Fatherland

Mascot Records 1998

彼らの転機となった 3 枚目のフルアルバム。デモ『Dark Ritual』からの 2 曲をボーナストラックに加えて Toy's Factory から国内盤もリリースされていた。それまでのサタニックでスラッシーなブラックメタルから、フォークの要素を取り入れてメロディックでドラマティックな音楽性へとシフトしている。Gunther は旅が好きらしいのだが、長いこと地元を離れると、自分の生まれ故郷の風景が心に浮かんでくるそうで、そういう思いをしたことがあるすべての人に向けた作品となっている。残念ながら現在は廃盤状態。

Dim Carcosa

Hammerheart Records 2001

出世作となった 4 枚目。デジパック仕様。Carcosa とはロバート・W・チェンバースの短編集『The King in Yellow』（黄衣の王）に登場する架空の都市の名で、タイトル曲は H・P・ラヴクラフトに影響を与えたとも言われるこの作品からの抜粋を歌詞に借用している。音楽性としては前作よりさらにシンフォニックかつメロディックになり、メジャー感のあるブラックメタルとなっている。土着的なメロディも健在。国内盤こそ出なかったが、輸入盤も比較的流通しているので、入手はそう難しくないであろう。

Laguz

Massacre Records 2015

9 年ぶり 6 枚目のフルアルバム。Laguz とはルーン文字の一つで、水に関連付けられるものらしい。水には生命や起源以外にも、嵐や洪水といった負の側面もあるが、そうした苦難を乗り越えることができれば、また繁栄が訪れる。バンドは自身の境遇をそれに重ねて、このタイトルを採用したとのことだ。カバーアートは、イギリスのサフォークで発見された 6 ～ 7 世紀の船葬墓にあった兜で、水のイメージと古代ヨーロッパを結びつけるものである。音楽的にはバンド史上最高にシンフォニックで、ド派手なエピック・ブラックメタルになっている。

FALKENBACH《ファルケンバッハ》

アイスランドで育ったジャーマン・ヴァイキングメタルの先駆者！

ドイツ ノルトライン＝ヴェストファーレン州 デュッセルドルフ
1989～ Vratyas Vakyas (Vo, All instruments)

いかなる音楽的影響も受けていない

Falkenbach は 1989 年から実に 30 年以上 Vratyas Vakyas（Markus Tümmers）なる人物一人で活動を続けているブラック / ヴァイキング / フォークメタルバンドである。最初期のヴァイキングメタルバンドの一つ、とりわけドイツにおけるヴァイキング / ペイガンメタルの先駆け的存在だと考えられている。ゲルマン系のネオペイガニズムにおいて、宗教に基づいて科学や芸術、思想や哲学を説く Vatan という聖書的な位置づけの書物が存在するのだが、彼の名の Vratyas と Vakyas はその書物に登場する最初の二つの段階らしく、合わせて「探求するさすらい人」のような意味合いとなるとのこと。彼はこの書物に強い影響を受けているそうで、バンドの歌詞もゲルマン民族の伝統や文化、価値観や信念がメインで、北欧神話というのはそれらを記述するための一つの手段でしかない。バンド名はドイツ語で「ファルコン川」を意味し、イギリスに同名の川（Falconbrook, brook は小川の意）が存在するが、それとは何の関係もなく、また、何かの名前でもなく、彼個人に関わるものらしい。バンド名の由来や意味なんかよりも音楽や歌詞に注目すべきだとして、この名の背景については明かされていない。

Vakyas はドイツ出身ではあるが、幼少期にアイスランドに移住したらしく、Falkenbach の作品はアイスランドの『エッダ』に取材したものが多い。なお、現在はドイツのデュッセルドルフに住んでいると言われているが、噂のうち真実は千に一つもないとして本人は否定も肯定もしていないので実際のところは不明だ。彼はワーグナーのようなクラシック音楽を好んで聴くらしいが、メタルに関しては Falkenbach のデモ音源やアルバム作品を自ら聴いているらしい。意外なことにフォークミュージックはまったく聴かず、Falkenbach はいかなる音楽的影響も受けていないと語る。

デモテープだがデモではない

始動年に最初の 3 曲入りデモテープ『Havamal』（『古エッダ』のアイスランド語の写本『王の写本』に収録された詩のタイトルで「高き者の言葉」の意）を制作するが、わずか 9 本しか生産しなかったとのこと。このデモの収録曲の一部は後のアルバムで再録されるのだが、この時点の音楽性はアコースティックギターとクリーンボーカルによるピュア・フォークミュージックであった。次いで 90 年に『Tanfana』（ゲルマン神話に登場する女神の名）、91 年に『Towards Solens Golden Light』（太陽の黄金の光に向かって）、95 年には『Laeknishendr』（癒やしの手）、『Promo '95』（この作品はドイツの No Colours Records からのプロモ音源）、『Ásynja』（アース神族の女神の意）、96 年には『...skínn af sverði sól valtíva...』（太陽が殺戮の神々の剣に輝く）と次々とデモ音源を制作していく。当初、音楽は彼の宗教的・思想的な感情を表現する場であり、プロモ音源を除くこれらのデモ音源は友人などごく身近な人物と共有するためだけのもので、その意味では「デモンストレーション」ではなく、それゆえにバンド名の表記すらなかったらしい。

若手にチャンスを与えたい

1995年には『Fireblade』と仮タイトルが付けられたアルバムの制作を開始したらしいのだが、レコーディングスタジオの設備やエンジニアの質が低かったため、ミキシング作業の前に制作を中止、そのままお蔵入りとなった。その後95年12月と96年3月にレコーディング作業を行い、プロモ音源を出していたNo Colours Recordsから96年7月に1stフルアルバム『...en their medh riki fara...』をリリースした。

その約一年後、Napalm Recordsからのオファーを受けてFalkenbachは同レーベルと契約を交わしたのだが、レーベルの選定に関して、自由であることがもっとも重要だと彼は語る。このレーベルにおいて彼は、出したくなったときにアルバムを出せばいいし、何年かかろうが、音楽性や歌詞、レイアウトに至るまで自由というかなりの好待遇だったようだ。98年にはそうして2ndアルバム『...magni blandinn ok megintíri...』を発表している。

このアルバムのリリース後、しばらく彼はレコーディング活動を止め、Skaldic Art Productionsというレーベルの経営を開始する。この意図としては「若手で才能のあるバンドにアイデアを実現する場を与えたいとの思いによるもの」とのことである。このレーベルからはMenhirやFurthest Shoreといったヴァイキング/フォークメタル系のバンドの作品がリリースされたほか、2006年には『...An Homage to Falkenbach』と題されたトリビュートアルバムが2枚（Part IとII）発売されており、EluveitieやFolkearthといったバンドが名を連ねている。その後、時間的余裕の欠如や、そもそも自分はこうしたレーベル運営に向いていなかったとして、レーベルはクローズされた。

ついに見つけた創作をともにするに値する仲間

これまで一人で創作活動を続けていたVakyasであったが、2003年には3人のセッションミュージシャンを携えてレコーディング活動を再開する。この3人はボーカリストTyrann、アコースティックギタリストHagalaz、ドラマーBoltthornであり、余談となるが、彼らが別でやっていたバンドLe Grand Guignolの『The Great Maddening』はシンフォニック/アヴァンギャルドメタルの名盤ゆえ、ぜひチェックされたい。Falkenbachは3枚目となる『Ok nefna tysvar ty』を同年にリリース、同セッションミュージシャンたちとともに、05年にはかつてお蔵入りとなった音源の一部を使用して、4枚目のアルバム『Heralding – The Fireblade』を完成させた。セッションミュージシャンが加わったことで、ライブを望むファンからの声がますます大きくなったのだが、計画こそあれど現在に至るまでライブは実現していない模様。

それから新たなメロディやアイデアが浮かんでこない日々が続き、Vakyasもそういう状況で無理に新しいことに取り組もうとはしなかった。5年の年月が経ち、5枚目のアルバム『Tiurida』が日の目を見たのは11年のことであった。本人が過去のこととして語りたがらないため、理由は不明であるが、本作を持ってNapalm Recordsとの契約が終了し、6作目『Asa』は13年、Prophecy Productionsからのリリースとなった。これ以降、時折Facebookが更新されるものの、表立って大きな動きはないため、次の活動が待たれるところである。なお、20年に過去作をまとめたボックス『The Nine Worlds of Falkenbach (Manifestations 1995-2013)』が発売されている。

...en their medh ríki fara...
No Colours Records 1996

1st フルアルバムにして最初の流通作品。タイトルは詩「Hávamál」からの一文で、古アイスランド語で「彼らは誇らしく突き進む」のような意味らしい。プロモ音源やデモテープの楽曲の再録バージョンを含む7曲入り。最初のデモがフォーク作品だったのに反して、このアルバムではRawなプロダクションのブラックメタル色が強くなっている。しかし、本人はクリーンボーカルの方が好きらしく、ハーシュボーカルのみならず、依然として朗々としたクリーンボイスの歌唱は健在だし、アコースティックギターもふんだんに用いられている。

...magni blandinn ok megintiri...
Napalm Records 1998

レーベルを移籍しての2nd アルバム。『王の写本』に収められた詩「Sigrdrífumál」(シグルドリーヴァの言葉) から抜粋されたタイトルは「力と栄光を付与されて」のような意味だ。ミドルテンポの比率が高まり、ブラックメタル要素が強かった前作から、音楽性に関してヴァイキングメタルに近づいた印象を受ける。あくまで雰囲気を高めるに徹したシンセとともに、勇壮に進行するゆったりとした楽曲群は、音楽的にも歌詞の面でもさほど似ていないと本人は言うものの、Bathory のファンにも受け入れられるのではなかろうか。

Ok nefna tysvar ty
Napalm Records 2003

初めてセッションミュージシャン3人を起用して制作された3枚目のアルバム。前作同様「Sigrdrífumál」から抜粋されたタイトルは、「そしてテュールを2回呼べ」のような意味で、戦いで勝利を収めるためのルーンの秘密である。音楽性としては前作の延長線上にあるが、プロダクションが大きく向上し、クリーンボーカルの比率がさらに上がったため、マイルドなフォーク/ヴァイキングメタルといった作風に仕上がっている。メロディもやや平坦に感じられた過去作よりも練られており、全体的にクオリティが高まっていると言えよう。

Heralding – The Fireblade
Napalm Records 2005

1995年に最初のアルバムとして制作を試みるも、お蔵入りとなった楽曲の一部を使用して制作された4枚目のアルバム。歌詞を一部修正したり、若干の手直しを施しはすれど、極力原曲から変更しない方向で制作されたとのことだ。そういうわけで、すでに過去のアルバムで発表済みの数曲も、もともとは『Fireblade』の一部になるはずだった、という理由で再録された上で収録されている。ピュア・フォークミュージックな楽曲から、ファストで暴虐なブラックメタルに至るまで、Vakyas の多才ぶりを改めて堪能することができる一枚。

Tiurida
Napalm Records 2011

古高ドイツ語で「栄光」を意味する、実に前作から6年ぶりにリリースされた5枚目のアルバム。前作は、デビューアルバムに収録される予定だった曲を、改めて形にしたということで、ブラックメタル色が強く速めの曲が収録された作品だった。それに対して、今作はアトモスフェリックでミドルテンポ主体の作品となっており、初期のデモから再録されたインスト曲や、歌唱パートが少ないフォーキーな曲が、アルバムに素朴で牧歌的な雰囲気を添えている。「Runes Shall You Know」は哀愁漂うフォークバラードの名曲である。

Asa
Prophecy Productions 2013

再度レーベルを移籍して発売された6枚目。タイトルは「アース神族」を指す。『Fireblade』の方向性を順当に進化させたような本作は、これまでで最も緩急に富んでおり、多様な楽曲が収録されている。既発曲の再録など4曲を収録したボーナスディスクに加えて、歌詞の英訳などが記載された18cm四方の豪華仕様の限定デジブック盤も発売された。7" で先行シングルも出た「Eweroun」(永遠に) の歌詞が、何語なのかわからないと話題になったが、ごく狭い地域でのみ使用されていたドイツ/オランダ語の方言の一種らしい。

UNLEASHED《アンリーシュド》

北欧神話活用するもヴァイキングは否定するスウェデス四天王！

スウェーデン ストックホルム県 ストックホルム／ウプサラ県 クンサンニェン　1989～
Johnny Hedlund (Ba, Vo), Anders Schultz (Dr), Tomas Olsson (Gt), Fredrik Folkare (Gt)

後に Entombed に改名することになるスウェーデンのデスメタルバンド Nihilist を、1989 年に解雇されたベーシストの Johnny Hedlund が、同年 12 月に新たにスタートしたのがデスメタルバンド Unleashed である。結成当初はギタリストがボーカルを担当していたが、短期間で脱退、以後は Johnny がボーカリストを兼任している。バンド名は英語で「解き放たれた」の意で、彼らがやりたいブルータルな音楽性や歌詞のテーマ、ライブのスタンスなどから、自分たちを形容するに最適だとしてこのバンド名に至ったとのこと。

このバンドは典型的なデスメタルの歌詞のテーマである死や暴力、悪魔などに代わって、ヴァイキングや北欧の歴史・文化遺産についての曲をやり始めた最初のデスメタルバンドの一つとして知られており、その意味で彼らをヴァイキングメタルと考える向きも存在する。ただ、Amon Amarth と同様、本人たちは歌詞の内容でジャンルが規定されるのはおかしいとして、あくまでデスメタルバンドだと主張している。ちなみにバンドロゴの逆十字はサタニックなものではなく、先導者など不要、自分たちは自由だとの意思表示らしい。彼らは今や Dismember、Entombed、Grave と並んでスウェディッシュ・デスメタルの四天王とも言われ、現在までに 13 枚のフルアルバムを発表している。

Odalheim
Nuclear Blast Records　2012

11 枚目にして日本コロムビアから初の国内盤も発売された作品。Odal とはルーン文字の一つで遺産を意味するらしく、これと家や国を表す heim を合体させて「受け継がれた世界」という意味合いにしたとのこと。創作神話を扱ったコンセプトアルバムとなっている。ラグナログの後の世界 Odalheim では、ミッドガルドの戦士たちがヴァイキングの伝説や価値観を受け継いでおり、イエス・キリスト軍と戦うも敗北、世界各地をまわってマヤの戦士などの仲間を集め、再度キリスト軍との戦いが始まろうとしているところで幕を閉じる。

ALLEGIANCE《アリージャンス》

オーディンをテーマにしてヴァイキング・ブラックメタル提示！

スウェーデン エステルイェータランド県 セーデルコーピング　1989～？　（解散時期不明）
Mikael Almgren (Ba), Ulf Dalegren (Gt), Fredrik Andersson (Dr), Bogge (Gt, Vo), Pär Thornell (Gt, Vo)

Allegiance は現在のヴァイキングメタルシーンで語られることはそう多くはないが、スウェーデンにおけるヴァイキングメタルの先駆者的存在の一つだ。彼らは 1989 年に結成され、91 年の 3rd デモ『The Beginning Was the End』までは、破壊や暴力などといった一般的なテーマのスラッシュ / デスメタルをプレイしていた。しかし、93 年の 4th デモ『Odin äge er alle』（すべてはオーディンの意のままに）で、ブラックメタル色を強めるとともに北欧神話を歌詞のモチーフに打ち出した。次のデモ『Höfdingadrapa』（酋長の詩）でも、その流れを踏襲・強化し、ヴァイキング・ブラックメタルと呼べるような音楽性を提示した。そして No Fashion Records と契約を交わして、96 年の『Hymn till hangagud』（絞首の神オーディンへの賛歌）でデビュー、次いで 97 年に『Blodörnsoffer』（血の鷲の生贄）、99 年に『Vrede』（憤怒）と、3 枚のアルバムを発表した。バンドのその後の足取りははっきりとせず、いつの間にか解散してしまったようだ。

なお、このバンドには当時の Marduk のドラマー Fredrik Andersson、ベーシスト B. War が在籍したことでも知られ、デモの時点では当時のギタリスト（後にベーシスト）Devo も参加していた。

Blodörnsoffer
No Fashion Records　1997

2nd アルバム。タイトルの「血の鷲」とは、スカルド詩に登場する儀式的な処刑方法で、この刑に処された者は血まみれの鷲のように見えるという。Marduk の B. War がギターボーカル、Fredrik がドラムを担っていることもあって、ファストなパートの苛烈さと安定感は抜群。その一方で、前作よりもミドルテンポのパートの民謡色や勇ましさが強まり、ヴァイキング・ブラックとしてわかりやすくなっている。次作ではさらにアトモスフェリックな要素が強まるので、本作が一番緩急のバランスが取れているのではなかろうか。

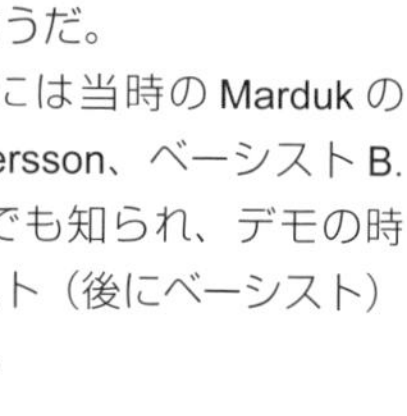

ENSLAVED《エンスレイヴド》

ヴァイキングメタルの代表的存在でありながら徐々にプログレ化！

ノルウェー ローガラン県 ハウゲスン ▶ ホルダラン県 ベルゲン　1991 ～　Ivar Bjørnson (Gt, Key, Vo, Piano etc), Grutle Kjellson (Vo, Ba, Mouth Harp etc), Arve Isdal (Gt), Håkon Vinje (Key, Vo), Iver Sandøy (Dr, Vo)

Immortal のデモテープの曲から名を採った

ノルウェー西海岸の港町ハウゲスンで、1990 年に当時それぞれ別のバンドで活動していたギタリスト Ivar Bjørnson とボーカリスト Grutle Kjellson が、他数人と新たに Phobia（恐怖症）というドゥーミーなデスメタルバンドを結成した。このバンドは 2 本のデモを制作したが、発展性や革新性の欠如から、91 年には二人は脱退、結果的に Phobia は解散した。その後、Ivar の幼少期からの友人であり、Phobia の前のバンドメイトだったドラマーの Trym Torson を誘って、3 人で曲作りを始めたところ、何かしらの手応えを感じたらしい。そしてこの新プロジェクトの名前を決めかねていた頃、ブラックメタルバンド Old Funeral がライブのためにハウゲスンを訪れた。以前このバンドに在籍していた Immortal の Demonaz もバンドに帯同していた。ちょうど当時制作された Immortal のデモテープの曲「Enslaved in Rot」に因んで、Demonaz が Enslaved というバンド名を提案した。そしてここに Enslaved が誕生した。当時 Ivar と Grutle は弱冠 13 歳と 17 歳だったそうだ。

彼らは 91 年にプロモーション用に『Nema』（キリスト教徒が唱える Amen を逆順に綴ったもの）というテープを制作するが、あまりにも実験的過ぎた楽曲とその劣悪な音質のために、正式なリリースは控え、翌 92 年夏にデモテープ『Yggdrasill』（北欧神話の世界樹ユグドラシル）を正式発表する。これが Mayhem のギタリスト Euronymous に感銘を与えたらしく、バンドは彼が運営する Deathlike Silence Productions と契約を交わすこととなった。そうして彼らはデビューアルバムの制作に入る。その頃イギリスのグラインドコアバンド Extreme Noise Terror のベーシスト Lee が新たに Candlelight Records を設立するにあたり、ノルウェーのブラックメタルバンドの作品をリリースしたいとの相談を Euronymous に持ちかけていた。その結果、Enslaved と Emperor が推薦

8月には早くも2作目『Frost』を発表する。この作品はヴァイキングメタルというジャンルの形成上、非常に重要な作品となった。ドラマーの交代を経て97年に3rd『Eld』をリリース、このアルバムは彼らがプログレッシヴな方向に舵を切る転機となる。「音楽は変わりゆくもので、特定の物事に固執するのはつまらないことであり、真のミュージシャンたるものは常に新しい形を探求し続けて、何物にも適応するべきだ」と彼らは考えているそうだ。そういうわけで、作を重ねるにつれてますますプログレッシヴな色合いを強めていく。

されて12"『Hordanes Land』の発売に至った。そしてデビュー作『Vikingligr veldi』が完成するも、EuronymousがBurzumのCount Grishnackhに殺害されてしまったため、ディストリビューターであるVoices of Wonderと権利の問題で揉めてリリースが難航したらしい。結局、94年2月に本作は日の目を見ることとなった。

この頃には彼らは、ブラックメタルとしては異例の長尺で複雑な楽曲を作るようになっていた。それゆえに彼らは「ブラックメタル」としてカテゴライズされることを嫌い、「エクストリームメタル」という語を好んで用いている。また、歌詞のテーマがサタニズムではないという点でも、ブラックメタルと呼ばれるのはそぐわないと考えているようだ。

ヴァイキングメタルの形成上、非常に重要

そうした状況でフランスのOsmose Productionsからのオファーを受けて成約、

2004年には、創設メンバーのIvarとGrutleに加えて、リードギターにArve Isdal、ドラムにCato Bekkevold、キーボードとクリーンボーカルにHerbrand Larsenという布陣で、レーベルをTabu Recordingsに移して8枚目のフルレングス『Isa』を発表、これ以降12年間に渡ってこの体制での活動を続ける。08年にIndie Recordingsと契約を交わして、10thアルバム『Vertebrae』を発売、12年には世界最大のメタルレーベルNuclear Blastとのサインに至った。同年、12枚目の『RIITIIR』を発表している。

16年にはバンドの25周年を記念して彼らは世界ツアーを実施した。その一環として、さいたまスーパーアリーナでのLoud Park 2016に出演し、待望の初来日を果たしている。このツアーの終了をもって、長年活動をともにしたHerbrandが脱退の運びとなった。だが、バンドは足を止めることなく、翌17年に後任にHåkon Vinjeを迎え入れて、14作目『E』を世に出した。このアルバムを引っさげて、初の日本ツアーも果たしており、Back to the Northセットと題して、初期3枚のアルバムの曲のみのセットリストによるスペシャルライブも開催された。18年にCatoが脱退するも、Iver Sandøyが後任に加入して活動を続け、20年に15作目『Utgard』をドロップした。

ちなみにIvarは、Ivar Bjørnson & Einar Selvik名義でも作品を発表している。これは、元Gorgorothのドラマーでノルディック・フォーク/アンビエントグループのWardruna（「秘密の守護者」あるいは「囁く彼女」を意味するらしい）でも活躍するEinar Selvikとのプロジェクトだ。16年に『Skuggsjá - A Piece for Mind & Mirror』（鏡）、18年に『Hugsjá』（心で見る、あるいは心の内側を見るといった意味らしい）を発表している。ネオフォーク寄りの作品だが、Enslaved譲りのプログレッシヴ・ブラックメタルの要素もある一筋縄では行かない音楽性となっているので、そちらもチェックしてみると良いだろう。

Hordanes Land
Candlelight Records 1993
Candlelight Recordsのオーナーの意向により、CDはEmperorとのスプリットで、12"のMini-LPはそれぞれでという形でリリースされた。デモの1曲の再録を含む3曲入りで、エピローグに始まりプロローグで終わる不思議議な構成になっている。タイトルはおそらく「ホルド（古ゲルマン人の部族）たちの地」で、現在のホルダラン県を指すのではないかと思われる。2018年にはIvarが運営するBy Norse Musicから、バンド名を冠した楽曲を追加の上、デジパック仕様で再発されている。

Vikingligr veldi
Deathlike Silence Productions 1994
ノルウェージャン・ブラックメタルの金字塔としても重要な作品となったデビュー作。Euronymousの追悼作ともなっている。タイトルはアイスランド語で「偉大なるヴァイキングの力」の意。古ノルウェー語で書かれた「Heimdallr」を除いて、アイスランド語の歌詞が採用されたのは、その方が古ノルド語に近いかららしい。音は暴虐なブラックメタルだが、スカンジナビア民謡にほんのりと根ざしたメロディ、冷ややかなシンセと対照的に温かみのあるアコースティックギターが取り入れられ、北欧神話やノルウェーの風土が描かれている。

Frost
Osmose Productions 1994
Bathoryの『Hammerheart』『Twilight of the Gods』と並び、ヴァイキングメタルというジャンルを確立した最重要作の一つ。悪神ロキを表現した邪悪な笑いや、朗々としたクリーンボイスで歌われる民謡調の楽曲により、北欧神話の世界やヴァイキングの暮らしが、前作より明確に想起できるような内容となった。他のブラックメタル勢と一線を画するため、本作で彼らは公式に「ヴァイキングメタル」という用語を使ったという。本作までは後にEmperorに加入するTrymがドラムを叩いている。ちなみにFrostは英語とスペルが同じノルウェー語。

Eld
Osmose Productions 1997
彼らのディスコグラフィーの中で転機とされる3rdアルバム。ノルウェー語で「火」の本作は前作の「霜」と対になる。依然として苛烈なブラックメタルも耳にできるが、楽曲に以前より複雑な展開が見られるようになった。最も顕著なのが「793（Slaget om Lindisfarne）」で、793年にヴァイキングがリンディスファーン島の修道院を襲った史実を扱ったこの曲は、シンセによる予兆めいたイントロから、航海をイメージさせるようなパート、そして戦いを思わせるブラックメタルパートと、一大絵巻が描かれている。

Blodhemn

Osmose Productions　1998

「血塗られた復讐」を意味する 4 作目。一転して本作はブラックメタル色が強く、コンパクトな楽曲が並ぶ作品となっている。また、初の英語詞でスラッシーな「Urtical Gods」や、ハードロックからの影響を感じさせる「Nidingaslakt」（臆病者どもの殺戮）のような楽曲もあり、メロディックで比較的聴きやすい。表題曲はオーディンの息子バルドルが、ロキに騙された弟ヘズに殺され、オーディンが復讐を誓う内容ではないかと思われる。前作に続いてジャケットは、ヴァイキング戦士のような出で立ちのメンバーたちだ。

Mardraum -Beyond the Within-

Osmose Productions　2000

再びプログレッシヴな作風を推し進めた 5 枚目のフルレングス。Mardraum とは「夢魔（メア）が見せる夢」を表す。この頃にはエンターテインメント的なヴァイキングメタルバンドが世に溢れ、Enslaved は自身の音楽性を「エクストリームメタル」と呼び出した。歌詞についても北欧の神話や伝承とリンクしてはいるが、従来より個人的な内容となり、実利主義が蔓延する世の中を「Ormgard」（虫の巣穴）と皮肉り、世の中への敵意が表現されている。楽曲が持つドリーミィな要素に因んだタイトルではあるが、案外ブルータルな一枚となった。

Monumension

Osmose Productions　2001

初のコンセプトアルバムとなった 6 枚目。内なる自分に到達するための 8 つのステップが、それぞれの曲に対応している。ボーナストラックは、フェロー諸島に実在したヴァイキングの首領シグムンド・ブレスティソンが死に至る経緯を歌ったもの。前作からの流れにあるが、前作ほどのアグレッションはないため、70's プログレ / サイケの影響が一層顕著だ。製品のどこにも記載がないが、本作は 2005 年あたりまでコピープロテクト付きでプレスされていたため、中古で買う場合は注意が必要。なお、本作以降大半が英語詞になった。

Below the Lights

Osmose Productions　2003

7th フルアルバム。前々作で再び模索し始めたプログレ路線だが、「前作でそちらに舵を切り過ぎ、今作はなんとかメタルとのバランスを見つけることができた」とメンバーは語る。ジャケットに描かれたルーン文字は、世界の始まりと終わりについて綴られた『古エッダ』の巫女の予言へと言及しており、アルバムタイトルは、万物が光のもとで常に流転し続けていることを示唆しているそうだ。クリーンボーカルで歌われる民謡調の「Havenless」や、ブラックメタル寄りの「A Darker Place」あたりは初期のファンにもオススメ。

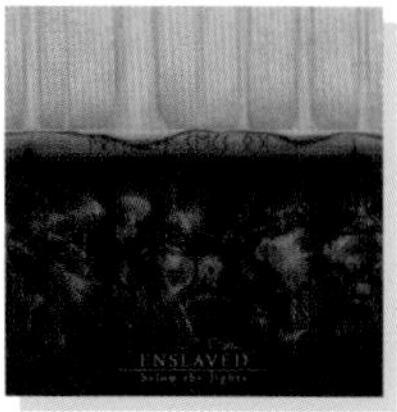

Isa

Tabu Recordings　2004

レーベルを移籍した 8th アルバム。タイトルは氷を意味するルーン文字で、時が止まっている様や、転じて外部からの影響への抵抗、逆境に打ち勝つ挑戦など、氷の持つ性質にまつわる曲が収録されている。彼らにしては珍しくわかりやすいサビが用意された表題曲は、恋人を失いそこから動けずにいる男の歌だろうか。よりプログレッシヴな音作りのため、キーボードの Herbrand Larsen を正式メンバーにしたことで、本作はバンドのターニングポイントとなったと Ivar は語る。ドラマティックな「Neogenesis」は圧巻。

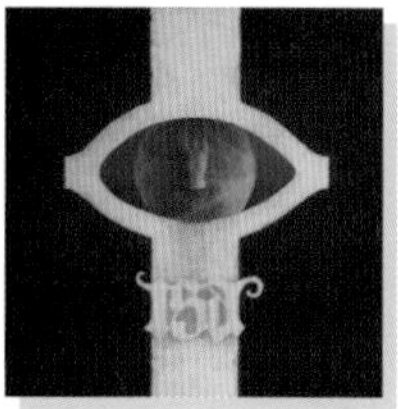

Ruun

Tabu Recordings　2006

9 作目。ノルウェーのグラミー賞にあたる Spellemann 賞のメタル部門 2006 年度受賞作品。前作よりダークだが、どこか温かみを感じるサウンド。「人間の内面の様々な層が非常事態にどう反応するか」というテーマをラグナロクになぞらえて綴ったらしい。時にはパニックに終わるが、新しいものを作るには何かを壊す必要があるため、それは必ずしも悪いことではない。ジャケットにはそうした状況の例えとして、沈み行く船が描かれた。プログレッシヴ・デスメタルをやっていた頃の Opeth と比較されることが多い名作。

Vertebrae

Indie Recordings　2008

再びレーベルを移籍して発表された10枚目のフルアルバム。Pink Floydのようだと高く評価され、前作に続きSpellemann賞を受賞した。タイトルは「脊椎」の意の英単語で、人間を肉体的にも精神的にも構成するシンボルだ。人間は潜在的な可能性を秘めているが、個人ではあまりにも弱い。ジャケットに一つ佇む脊椎骨は、誇らしげだが脆くも見えるものとして描かれている。自己とは肉体を持つ個人だという考えに束縛された個の意識と、個を離れた全体意識について、アース神族と巨人の戦いに例えて綴ったらしい。

Axioma Ethica Odini

Indie Recordings　2010

11thフルアルバム。本作で3作連続でSpellemann賞を受賞という偉業を達成した。タイトルはラテン語として正確ではないのだが、「自明なる真理 オーディンの説く道」のような意味らしく、『古エッダ』に収録のHávamál（高き者の言葉）を指す。彼らいわく、『古エッダ』には自然や周囲の人たちとどのように関係していくべきかが説かれており、それは一神教（キリスト教）的な考え方を何世紀も重ねるうちに我々が失ってきてしまったものだという。ここ数作の中でも特にメタルの重さや激しさが戻った一枚。

RIITIIR

Nuclear Blast Records　2012

大手レーベルに移籍とともに、国内盤デビューを果たした12枚目。タイトルはIvarによる造語で、「人類の儀式」のような意味合いらしい。地理的に接点のない地域で似たような神々が信仰されていた事実に見られるように、人類は理屈では説明できない同じ恐れを共有しており、それを自分たちより上位の存在のせいだと考える。本作は人類がいかにして物事をより深く理解すべく模索してきたかについて綴られているそうで、ジャケットもそれを表現したもの。メタルの攻撃性を残しつつも、プログレッシヴロックの影響が特に色濃く出た佳作だ。

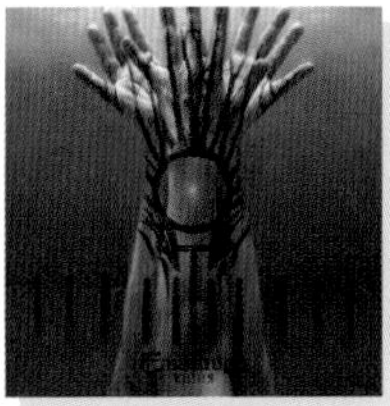

In Times

Nuclear Blast Records　2015

13thアルバム。このタイトルは、場所や時間を超えて多元的現実が存在していることを反映したものらしい。神話の世界、夢の世界など、それぞれに現実が存在していて、そこには様々な時間が含まれている。本作はそうした様々な時間を扱ったものとのこと。バンドが自身の歴史にインスピレーションを得たことが、本作を制作する上で重要だったと語っているように、前作の70'sプログレ路線から一転して、初期のようなブラックメタル的な激しさを強めた作品。森の奥深くでレコーディングするなどして、当時に戻った感覚を得たともいう。

E

Nuclear Blast Records　2017

久々にSpellemann賞を受賞した14thアルバム。ルーン文字のM（Ehwaz）がその形から馬を表すということで、ジャケットにもシンボリックな馬が描かれた。この文字は馬と人間の長年の関係から、協力や共生、二元性も意味し、人間と自然、自己における現在と過去の人格など、様々なレベルやバリエーションで、本作ではこのコンセプトについて綴られている。長年在籍したHerbrandからHåkonへの脱加入による影響はさほど感じず、再び70'sプログレ/サイケに歩み寄った大人しめの作品となった。

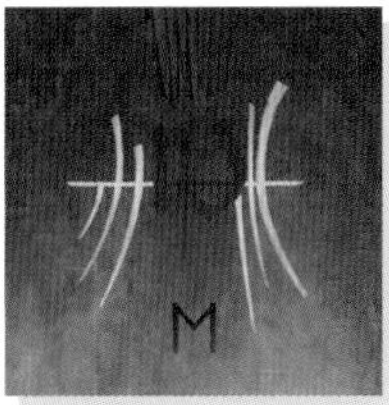

Utgard

Nuclear Blast Records　2020

15作目。タイトルは巨人の住処を指し、危険で制御できない場所の比喩として用いられた。ユング心理学での「影」の概念のように、自己にもそういう部分は存在するが、その存在を認めて向き合うことで、それは創造性の源ともなりうる。また、夢の世界は混沌として制御できないが、夢での経験は現実の自分や自己の意識にとって何か意味のあるもののはずだ。「Jettegryta」（巨人の大釜）は、川などが岩に穴をあける現象を指し、神秘的な自然現象が多数見られるアイスランドへの入植が、内なる自己への対面になぞらえられた。

GRAVELAND《グレイヴランド》

ケルトやヴォータニズムなど ポーランドと無関係のこと連発！

ポーランド ドルヌィ・シロンスク県 ヴロツワフ　1991～
Rob Darken (Vo), Skyth (Ba), Draugir (Gt), M. Ahrin (Dr)

GravelandはRob Darkenのソロ・プロジェクトとして1991年に始動した。当初はRawブラックメタルで、ドラマーにCapricornusを迎えて発表された93年の『In the Glare of Burning Churches』はデモながら名作の呼び声が高く、CDやLP化されて幾度も再発されている。また、次にKarcharothをベーシストに加えて発表したデモ『The Celtic Winter』が指し示すように、初期はケルト信仰がテーマの一つだった。94年のデビュー作『Carpathian Wolves』はデモの延長線上だったが、翌年の2作目『Thousand Swords』ではフォークの影響が垣間見えるブラックメタルを提示。97年の『Following the Voice of Blood』、98年の『Immortal Pride』と、キーボードを多用したエピックで長尺なサウンドへと変遷、2000年の『Creed of Iron』からヴォータニズム（ゲルマン民族の神話や信仰を復興させ、同民族をルーツをともにする人々として結びつけ直し、アイデンティティを強めようとする運動）に基づいたペイガン/ヴァイキングメタル作品を多数発表している。Karcharothは95年、Capricornusは99年に脱退して、以降長らくDarken一人だったが、2015年にライブ向けの布陣が編成され、16年に初ライブが実現した。

Creed of Iron
No Colours Records　2000

タイトルはネオペイガニズム団体Wotansvolkの設立者Ron McVanの同名の著書からで「鉄の信条」の意。Darkenは中世アンビエント・プロジェクトLord Windでも活躍しており、本作は中世騎士戦争をテーマにした映画音楽のようなサウンドに、抑揚の少ないがなりボーカルが乗る音楽性。ヴァイキングメタル期のBathoryに感化され、独自の発展を遂げたと言える。2001年に『Prawo stali』（鉄の法）のタイトルでNawia Productionsからポーランド語バージョンも発売された。

TWIN OBSCENITY《ツインオブセニティ》

Century Media のカタログから抹消されたクトゥルフ神話！

ノルウェー ローガラン県 スタヴァンゲル　1991 〜？　（解散時期不明）
Jo Arild Tønnessen (Ba), Knut Næsje (Gt, Dr), Atle Wiig (Vo, Gt, Key), Dolgar (Vo), Tonje Ettesvold (Vo)

Twin Obscenity は 1991 年の冬に、ボーカル / ギター / キーボードをこなす Atle Wiig とベーシストの Jo Arild Tønnessen が出会い、Jo と過去にバンドをやっていたドラマーの Knut Næsje がそこに加わる形で、結成されたブラック / デス / ヴァイキングメタルバンドである。バンド名はクトゥルフ神話に登場する旧支配者の一員であるロイガーとツァールを指す「双子の卑猥なるもの」に由来する。

93 年には 2 本のデモを発表するが、この時点ではトラディショナルなデス / ドゥームメタルをプレイしていた。95 年の 3 本目のデモ『Revelations of Glaaki』（旧支配者の一員グラーキの啓示）で、音楽性をアトモスフェリックなブラックメタルへと転換する。その後、Head Not Found と契約して、1st フルアルバム『Where Light Touches None』をリリース、各所で高評価を獲得して、ヨーロッパ中にその名を轟かせた。98 年初頭に、バンドは Century Media Records と 6 枚のアルバム契約に至ったのだが、同年の『For Blood, Honour and Soil』、そして 2001 年の『Bloodstone』の 2 枚をリリースしたのみで、時期も理由も不明の解散となった。そして、なぜかレーベルのカタログ一覧からも抹消されてしまっている。

For Blood, Honour and Soil
Century Media Records　1998
2nd アルバム。女性ボーカルやシアトリカルなピアノを配した、エピックでメロディックなデス / ブラックメタル。バンド名や過去の作品の曲名に、クトゥルフ神話からの影響が感じられる彼らなので、本作についても果たしてこれがヴァイキングや北欧神話を扱った歌詞かと言うと定かではない。だが、薄暗い中世の戦いを連想させるためか、広義のヴァイキングメタルと見なされることが多い。ボーカルは低音グロウルと、ブラックメタル的な喚き声を使い分けるタイプで堂に入っている。やや盛り上がり切らない感もあるが、聴いて損はないだろう。

BLACK《ブラック》 MESSIAH《メサイア》

マンドリンやシンセ、ヴァイオリン挿入しチュートン神話が歌詞！

ドイツ ノルトライン＝ヴェストファーレン州 ゲルゼンキルヒェン　1992 ～
Zagan (Vo, Gt, Violin, Mandolin), Garm (Ba), Pete (Gt), Ask (Key), Surtr (Dr)

ブラックメタルをリスペクト

Black Messiah は 1992 年（91 年あるいは 94 年説もあり）に、ドイツの大都市圏ノルトライン＝ヴェストファーレン州の都市ゲルゼンキルヒェンにて結成されたシンフォニックブラック / フォーク / ヴァイキングメタルバンドである。この当時はボーカルおよびベースに Zagan、ギターに Frohnleichnam、ドラムに Reverend Heidenbluth というラインナップだった。3 人ともブラックメタルのファンで、「自分たちもオリジナルのバンドを始めてみよう」と、純粋なオールドスクール・ブラックメタルバンドとしてその活動を開始した。当時の楽曲は、彼らが好んで聴いていた Venom、Celtic Frost、Bathory、Possessed といったデス / ブラックメタルのパイオニア的存在をリスペクトしたものだったらしい。

95 年には 4 曲入りの初のデモテープ『Southside Golgotha』を発表。翌 96 年には Frohnleichnam が脱退、次いで Reverend も Zagan との意見の不一致により脱退してしまう。Zagan はこうして一人になったが、その代わりに新しい音楽性に手を出すチャンスを手にすることとなった。そうして彼の持つクラシックの素養と、ペイガニズムの影響を感じさせるような楽曲の制作に乗り出した。

所属レーベルの裏切り

97 年にはドラマー Nabahm が加入、彼らはデビュー作『Sceptre of Black Knowledge』を制作し、自国のレーベル Last Episode と契約して 98 年にリリースする。Zagan は本作でボーカル、ギター、ベースのみならずヴァイオリンやマンドリンまで担当している。本作には新旧の楽曲が収録され、古い楽曲がオールドスクールなブラックメタル寄りであるのに対し、新しい曲はそれまでよりメロディックで、歌詞のテーマもペイガニズムに重きが置かれた。特にこれらの新しい曲は、多くの雑誌やファンジンで高い評価を得た。99 年中頃には Last Epidode 側の重大な契約不履行により、バンドは同レーベルと袂を分かつこととなり、2001年には再び自主制作により3曲入りのデモを制作する。ちなみにこのデモは正式な発表はされなかった。

その制作後、Black Messiahとしてステージに立ってライブがしたいというZaganと、あくまでスタジオプロジェクトの位置づけだと考えるNabahmとで、意見の相違によりNabahmの脱退に至ってしまう。Zaganは再びメンバー探しを始め、04年には4曲入りのデモ『Futhark』（ルーン文字の最初の6文字）を発表する傍ら、数多くのメンバーチェンジを経て、05年にはドイツのEinheit Produktionenとの契約に成功する。同年ドロップした2枚目のフルアルバム『Oath of a Warrior』は国際的に高い評価を獲得、ライブハウスでの多くのギグ、いくつかのフェス、アイルランドのケルティック・ブラックメタルバンドCruachanとのヨーロッパツアーを行うに至った。

その後、ベーシストがGarmへと交代してドイツの大手レーベルAFM Recordsと契約、3作目『Of Myths and Legends』を06年にリリース、その後も幾度かのメンバーチェンジをしながら、09年に4th『First War of the World』、12年に5th『The Final Journey』、13年に6th『Heimweh』（望郷）と、コンスタントにリリースを重ねた。大手との契約は、PVの制作や大きなフェスへの出場など、彼らにとってビッグステップとなった。しかし、6枚目のリリース後、再びバンドを大きな危機が襲う。ドラマー、ギタリスト、キーボーディストの3人が脱退してしまい、ZaganとGarmの二人になってしまったのだ。

彼らは新メンバーを集めてこれを乗り越え、17年には長年契約していたAFM RecordsからドイツのフォークメタルNOTEレーベルTrollzorn Recordsへと移籍し、前作から4年ぶりとなる7枚目のアルバム『Walls of Vanaheim』をリリースした。

Oath of a Warrior
Einheit Produktionen　2005
前作から苦節7年、彼らの名を広く知らしめた2ndアルバム。01年と04年のデモの曲をすべて収録し、インスト3曲と新曲を1曲加えたもの。前作ではまだ色濃く残っていたブラックメタル色はほぼ姿を消し、メロディックで勇壮なヴァイキングメタル・スタイルへと変遷している。アルバム通して、シンセがエピックな雰囲気を作り出しており、時折挿入されるヴァイオリンが奏でるメロディは、物悲しく感動的ですらある。異国情緒を感じさせるマンドリンの導入も、このバンドの初期の作品の特徴の一つだ。最初に聴くのであれば、これを薦めたい。

The Final Journey
AFM Records　2012
5枚目のアルバム。後半では、命を落とした後ヴァルハラに旅立とうとするも、生前の素行不良により認められず、死者の船ナグルファルでの労働の役務につかされることになった、ヴァイキングの物語が綴られている。この頃には彼らの音楽性も円熟して、よりシンフォニック/オーケストラルになっている。PVが制作された「Windloni」（氷の風の意の北欧神話の神）はフォーク/ヴァイキングメタルでありながら、間奏にはチャーチオルガンのような音色のクラシカルなキーボードが挿入される名曲だ。限定盤にはこのPVを含むDVDが付属。

Walls of Vanaheim
Trollzorn Records　2017
ヴァン神族の魔女グルヴェイグが、アスガルドの民をたぶらかしたことに起因する、アース神族とヴァン神族の争いを描いた4作目の続きとなる7作目。互いに有能な神を人質として交換することで、停戦を結んだ両神族だったが、アース神族からの人質ヘーニルが無能だったことに怒ったヴァン神族が、もう一人の人質ミーミルを殺して首をアスガルドに送り返した。怒ったオーディンがヴァン神族が住むヴァナヘイムに攻め込むが、その壁は頑丈だった。トールがこれを撃破してアース神族が勝利、両神族が平和に暮らすことをオーディンが提案する。

Black Messiah インタビュー

回答者：Zagan

Q：まず初めに時間を割いてインタビューに回答していただいてありがとうございます。Black Messiah は当初はブラックメタルバンドとしてスタートしたんですよね？　あなたを含むオリジナルメンバー３人がみんなブラックメタルファンだったと。しかしながら、あなたはクラシック音楽の知識もルーツとしてお持ちかと思われます。恐れながら、クラシック音楽とブラックメタルはかけ離れているように感じるので、あなたがどのようにしてこれらの音楽に出会ったのか興味があります。ご説明いただけますでしょうか？

A：ああ、その通りさ。俺たちはピュアなオールドスクール・ブラックメタルバンドとしてスタートした。俺は 1991 年に他二人のミュージシャンとこのバンドを結成して、俺たちみんな Venom、Celtic Frost、Bathory、Possessed といったバンドのファンだったんだ。だから俺たちがそういった音を作り出したかったのは明白だよね。最初の３年間はリハーサルルームにずっとこもって、すごくシンプルな曲を書いてたんだ。この当時はクラシック音楽とは無縁だったね。きわめて Raw で加工のない音楽だったよ。

他二人の設立メンバーがバンドを脱退した時にすべてが変わったんだ。突如として俺は一人ぼっちになり、でもバンドを続けていきたかった。だけど俺はクラシック音楽の教育を受けていたし、常々北欧神話に興味を抱いていたから、音楽性を変え始めたんだ。すべてがもっとクラシック音楽寄りになって、オーケストラの音源やクワイアを使って、自分でヴァイオリンを弾いた。これによって俺たちの音はより派手で大仰になったんだ。年月とともに俺たち自身の Black Messiah 特有の音をどうにか生み出せたと俺は思うね。それから俺はクラシック音楽とヘヴィメタルの差はそんなに大きいとは思わないな。あらゆる音楽は同じ要素を使ってるからね。つまりどんな音楽もコードとメロディをマッチさせる方法には違いないってことさ。クラシック音楽であれロックであれフォークミュージックであれ他のどんな音楽スタイルであってもそこは同じさ。じゃあ混ぜてみないわけにはいかないだろ？

Q：あなたはマイクを取り、ギターにベース、ヴァイオリンやマンドリンまで演奏できるなんて、とても才能のあるミュージシャンだと思います。一体どのようにしてそんなにスキルを身につけられたのでしょうか

A：嬉しい言葉をありがとう。

俺は３歳の時にヴァイオリンの演奏を始めたんだ。だから 44 年間演奏してるってことになるね。時は流れ、俺は何年もの音楽理論の授業も受けたんだ。オーケストラの指揮を学んだし、他にも必要なものは全部学んだ。俺は本当に良い教育を受けたし、素晴らしいヴァイオリンの先生に師事していた。彼はアメリカ人で、今の自分やこれまで自分が成し得てきたものは全部彼のおかげだよ。ギターとマンドリンは独学したんだ。弦楽器はどれもそんなには違わないから、俺にとってはすごく簡単だったよ。そういうわけで俺はギターの演奏に関しては普通とはかなり違ったテクニックを持ってるのさ。ギターの演奏をきちんと学んだ人なら、違ったふうに、そして正しく演奏するだろうよ。俺は実際には多くのことを間違ってやってるんだろうけど、なんとかうまくやれている。そうこうしているうちに、もう若くないから学び直すのは無理だしな。

Q：また、みなさんの音楽にマンドリンを加えるアイデアはどのようにして思いつかれたのでしょうか？　あの異国情緒溢れる雰囲気がとても良いと思います。

A：マンドリンは東欧のフォークミュージックでとてもよく使われるんだ。ロシアではあらゆるフォークバンドに不可欠なも

のだしね。このアイデアは最初のアルバム『Sceptre of Black Knowledge』をレコーディングしているときに俺が思いついたんだ。俺はスタジオにいて最初の曲「Old Gods」の良い終わり方が思いついていなかった。どうするべきか考えながら、そこに長い間座り込んでいた。とあるフォークロックバンドがその場でリハーサルしているスタジオで俺たちはレコーディングしていたから、スタジオのどこかの隅っこにマンドリンがあったんだ。俺はおもむろにそれを手にとって、何かしら弾いてみた。ポルカスタイルで何かを演奏して、どういうわけか「Old Gods」の終わりにそんな感じの何かを付け加えるアイデアが浮かんできたんだ。当時のドラマーのNabahmはまるで俺がおかしくなったかのように俺を見て、「それは本気で言ってるのか」って訊いたんだ。「ああ、でもすべてがある程度以上きちんとできたらな」って俺は答えたんだ。そうして俺たちはマンドリン演奏をレコーディングして、素晴らしい出来だと思ったんだ。

俺たちがそんなことをやった最初のバンドだって、今になって俺は胸を張って言える。Finntroll や Korpiklaani なんてあの頃はいなかったからね。だからたぶん俺たちがポルカメタルの創始者だよ。今となっては誰もそんなこと知らないだろうけどね。

Q：マルチプレイヤーの中には音楽を一人で全部作り上げる人もいます。つまり、とりわけブラックメタルなどのジャンルには多くのソロアーティストがいますよね。でもあなたは（訳注：マルチプレイヤーですが）全部を一人ではやってないですよね。なのでバンドメンバーみんなが何かしらみなさんの音楽に寄与しているかと思われます。Black Messiah の音楽はバンドのラインナップが変わるにつれてどのように成長してきたとお考えでしょうか？

A：ああそうさ、これは俺たちの音楽においてとても大切な部分なんだ。メンバー誰もが曲を書くことを許されているし、メンバー誰もが曲のパートを提案することを許されている。みんな違った音楽的趣向を持っているから、そこからどんなものが生まれるか時にはすごく面白いんだ。俺たちのルールの一つは「バンドメンバーみんなが好きだという時に限り、曲は完成とされる」なんだ。

もちろん、そうすることで曲が完成するのにより長くかかることもありうるんだけど、俺たちみんなが自分が作ったものを十分に支持できることが大切だと結局のところ俺は思うんだよね。ステージに立って本心では大嫌いなつまらない曲を演奏しなければならないことほど、ミュージシャンにとってひどいことはないからね。金のためにそうせざるを得ず、それを嫌がってるミュージシャンも知ってるしな。

Black Messiah はいつだって俺たち自身が楽しむためのものなんだ。どんな時もバンドメンバーの間には友情があったし、その雰囲気はステージ上でも感じられるはずさ。だから、自分自身が好きな音楽を演奏するってことが重要なんだ。

そしてそういうわけでバンドメンバーみんなが自分のアイデアを音楽に織り込むことができることが大切なんだ。俺はこれが俺たちの音楽を成長させてきたと思ってるよ。

Q：私の知る限り、みなさんの歌詞は北欧神話とヴァイキングに基づいているかと思います。しかしながら、Encyclopaedia Metallum によるとチュートン人の神話がみなさんの歌詞のテーマの一つに挙げられています。これは正しいのでしょうか？　チュートン人の神話は北欧神話と大きく異なるものでしょうか？

A：両者の違いは微々たるものだよ。違いの大半は主として名前づけによるものなんだ。北欧神話の主神はオーディンと呼ばれるけど、ゲルマン神話ではヴォータンと呼ばれる。北欧神話の雷神トールはゲルマン神話バージョンではドナーという。でも両者は間

違いなく同一人物で、名前だけが違うんだ。そうは言っても、もちろん物語にも多少の差異はあるけどね。でも事実としてほぼ一緒だよ。それを北欧神話と呼ぶかゲルマン神話と呼ぶかなんて些細なことだと俺は考えている。俺にとって大事なのはそれらすべてを記憶に留めておくことなんだ。これは俺たちの大切な一部だから、忘れられてはならない昔から伝わる文化の重要な部分だからね。これらの神話には俺たちを確固たるものとする、たくさんの物事が詰まっていると俺は確信しているよ。君も日本にかけがえのない文化を持っていて、たくさんの日本の人々によってその文化が今なお息づいていることは知ってるよ。君や君の国に根付いているその文化を俺は称賛するよ。

残念ながら、多くの人々が俺たちの文化を忘れてしまったんだ。俺たちの祖先から受け継がれるものから目を背けるとき、人々は自分が失うものの価値をわかっていない。もちろん、これには説明がそんなに容易ではないいろいろな理由があるんだけど、これが君にとって興味があるかわからないから、ここまでにしておくよ。

Q：いやいや、その理由にすごく興味があります。例えば北欧の『Hávamál』はいかにして正しく生きるかを説いたものなので、人々が古代文化を忘れてしまったら、それは文字通り大きな損失になります。でも、あなたが言及した、人々を確固たるものとする物は、そういう表面的なものではないと思われます。自身の文化的背景やルーツを知ることは、個としてのアイデンティティを形成するのに重要な役割を果たし、同様に、共通の信念体系を持つことは民族としてのアイデンティティを形成するのに重要な役割を果たすと思います。ですので、神話の遺産を忘れてしまったら、それは大きな損失となります。この認識で正しいでしょうか？　これが正しいとして、なぜ人々はその価値に気づかないのでしょうか？　もしかすると、現代社会には情報が溢れすぎていて、人々は自身のルーツを振り返る余裕や時間がないのでしょうか？

A：ああ、そのとおりさ。最近の多くの人にとっては、同胞とともに生きるよりも金を儲けることのほうが重要になっていると俺は思うんだ。人々は以前より利己的になってきている。プライオリティが変わってしまったんだ。これは種族の共存や交流を害するから残念だよ。もちろん、テクノロジーや科学も古代神話の終焉の一因ではあるのだけど、これらの物語にはまだ多くの叡智があるんだ。人類がこれらを忘れ去ってしまわないといいのだけどね。

Q：この質問は一つ前の質問と関連があるかもしれません。音楽性や歌詞の観点から、Black Messiahをスカンジナビアの（訳注：同ジャンルの）バンドと差別化するにあたり、心がけていることはありますでしょうか？

A：俺たちは多くの曲をドイツ語で歌っているよ。それ以外は俺たちは自分たちがやりたいことをやるだけさ。スカンジナビアのバンドの音楽とは違ったものを作らなければならないなんて、別に俺たちは腰を据えてそんなこと言ってないからな。ただただ曲を書き、気に入ればレパートリーに加え、気に入らなければ忘れるだけさ。

Q：アルバム『The Final Journey』の3曲に渡る物語「ナグルファー・サーガ」（訳注：素行の悪いヴァイキングがヴァルハラに行かせてもらえず、死者を運ぶ船ナグルファーの船頭として働くことになる物語）はとてもユニークで興味深いと感じました。神話や歴史以外で歌詞を書くにあたってインスピレーションを掻き立てるものはありますでしょうか？

A：俺は大仰で長い物語を紡ぐのを楽しんでるんだ。北欧の神々の間での巨大な戦争についての物語を紡ごうというアイデアが浮かんだときにこの話は始まったんだ。そのアイデアからアルバム『First War of the World』を制作したのさ。このアルバムは

多くの人に好意的に受け入れられたんだ。それにこのコンセプトアルバムの作曲作業がすごく楽しくてね。だからもうちょっと長めの物語として続編アルバムを、少なくとも一部でも作りたかったんだ。その時に北欧の死者の船ナグルファーについての物語が思い浮かんだってわけさ。もちろん、全体として前よりも暗くて恐怖を掻き立てるようなものにしなくちゃならなかったんだけど、よくできたと俺は思ってるよ。それはそうと君があの物語を気に入ってくれてとても嬉しいよ。

Q：みなさんはこれまでにDschinghis KhanとCandlemassのカバーを発表しましたよね。これらのバンドを選んだのはなぜでしょうか？　また、今後カバーしてみたいアーティストや楽曲はございますでしょうか？

A：Dschinghis Khanはお祭り気分のときに作ったジョークのつもりだったんだ。この曲をライブでやったら、みんな大盛りあがりでね。だから何年もライブでやったんだよ。もうこの曲を耳にすることはなくなったから、今ではもうやらないけどね。

Candlemassのカバーバージョンは純粋なインスト曲だね。この曲の速弾きのギターソロをヴァイオリンで演奏するのがチャレンジングだと思ってね。しばらくの間、ライブでもやってたんだよ。いつもめちゃくちゃ疲れるんだけど、楽しかったのさ。

きっとまた何かしらカバーするだろうね。現時点ではオールドスクールな楽曲に取り組んでいて、Bathoryの曲をレパートリーに加えるアイデアがあるんだ。

初期の頃にはいつもアンコールでVenomの「Witching Hour」をやってたな。あれはいつだってすごく良いんだ。

Q：みなさんはこれまでにMVをいくつか発表されてますよね。もし次にMVを制作するとしたら、チャレンジしてみたいことはございますでしょうか？

A：それはビデオを作る曲のテーマが何に基づいているかによるな。バトルシーンを含めたら面白くなるだろうな、とは思ってるんだけどね。でも誰がそういうのにお金を払ってくれるのかって問題が出てくるわけさ。アイデアはいくつかあるんだけど、大半はうまくいきそうもないんだよね。

ビデオは見た目がよくないといけない。映像が安っぽくてアマチュアクオリティのMVを見るといつもひどいなぁって思うんだ。そんなのを発表するぐらいならビデオなしのほうがマシだと思う。低品質の映像だと失うものは多いと思うよ。

Q：みなさんは多くの国々をツアーでまわられて来ましたよね。これまで行ったことがなくて行ってみたい国はありますでしょうか？もちろん、日本にも来てくれることを願っております。

A：ああ、俺たちはいろいろな国でライブをしてきたし、一度はライブをやってみたい国もたくさんあるよ。日本は間違いなくその中の一つさ。すでに日本でのライブを検討したこともあるしね。あいにく、俺は日本へのツテがそんなにないんだよ。もし日本で演奏する機会があれば、それは大変光栄だし、またとない喜びだよ。もしかしたら可能性はあるかもしれない。残念ながら、ドイツから日本への渡航はすごく金がかかるんだ。日本でどれだけの人が俺たちのことを知ってくれていて、どれだけの人が俺たちを見たいのか、正直なところ、俺にはわからない。なんにせよ、日本に行くことを嫌がってるわけじゃないんだ。日本で見たいものもたくさんあると思うしね。日本の文化や人々に関心があるんだ。ヨーロッパ人が日本で適切に振る舞うことはそんなに簡単ではないのはわかっているんだけど、やってみたいんだよね。それはきっと俺たちにとって面白い冒険になるだろうね。

Q：もし日本に来たとしたら、やってみたいことはございますでしょうか？

A：あるともさ。日本に関して大好きなものがたくさんあるんだ。日本食にとても好奇心をそそられてるよ。日本には素晴らしい魚や

シーフード料理があるんだろ？　俺はそういうのが大好きだから、すごく興奮しているよ。あと俺は古い建物も好きなんだ。日本の寺院や庭園に関心があるよ。文化はいつだって俺の興味を惹くから、日本文化についてたくさん学びたいね。それからもちろん日本の音楽にも興味津々さ。ミュージシャンとして、新しい音楽を聴いたり学んだりするのは常々とても興味深いことだからね。
また、俺は大のサッカーファンなんだ。俺はゲルゼンキルヒェンという都市出身で、今もそこに住んでいる。ここにはシャルケ04っていう総合スポーツクラブがあるんだ。幸運にも内田篤人選手が俺の憧れのそのクラブに数年間所属してくれてね。彼からもらったジャージは今も持っているよ。そういうわけで日本に行った際にはサッカーの試合を観戦したいな。あまりにもたくさん興味のあることがあって、ここに全部は書けないよ。

Q：最後になりますが忘れてはならないことで、日本のファンや読者に何かメッセージをお願いします。

A：日本のみんなの前で演奏する機会があればとても嬉しいよ。日本にはすごく大きいメタルシーンがあると聞いてるよ。だから日本でのライブが実現してほしいんだ。万が一本当にみんなと一緒になることがあれば、一大パーティが開けるよう願ってるよ。
メタルとともにあれ、そしてテンション高くあれ!!

面白ミュージックビデオその1

ハマザキカク執筆

TURISAS - Ten More Miles (OFFICIAL VIDEO)
ウォーペイントしている戦士達が原っぱを駆け抜ける……と思ったら、オフィスの会議で白昼夢。

EQUILIBRIUM - Wirtshaus Gaudi (OFFICIAL MUSIC VIDEO)
南ドイツの居酒屋でオヤジたちと飲み比べ。馬に乗って草原を駆け抜けたらそこにもビールが。やがて居酒屋には女たちも参加、楽しい宴が始まる。

ALESTORM - Treasure Chest Party Quest (Official Video) ¦ Napalm Records
ヒゲ面の男が出産。そこで出てきたのは既にヒゲが生えている赤ちゃん。ヒップスター風のファッションで演奏し、美女と戯れ、金をばらまく。

Claim The Throne - Zephyrus (2013 - Official Music Video)
現代文明から隔絶された場所で暮らす集団。川でビール瓶を発見するものの、それが何かわからない。

HADES《ハデス（ノルウェー語）》
(HADES《ヘイディーズ》 ALMIGHTY《オールマイティ（英語）》)

Burzum と一緒に教会放火して有罪、民謡リフ・詠唱コーラス！

ノルウェー ホルダラン県 ベルゲン　1992 ～ 1998, 1998 ～ (as Hades Almighty)
Remi Andersen (Dr, Vo), Jørn Inge Tunsberg (Gt, Key), Janto Garmanslund (Vo, Ba, Key), Stig Hagenes (Gt)

Hades はノルウェーの都市ベルゲンで、1992 年にドラムの Remi と、Immortal や Old Funeral に在籍したギターの Jørn により結成されたブラックメタルバンドだ。バンド名はギリシャ神話の冥府の神の名である。ベースの Janto とセカンドギタリストの Nagel が加入して、93 年には 3 曲入りデモ『Alone Walkyng』を発表した。なお、Jørn は 92 年のクリスマスイブに Burzum の Count Grishnackh とともに、教会に放火した罪で有罪判決を受けている。デモの発表後、アメリカの Full Moon Productions と契約、1st アルバム『...Again Shall Be』を制作、94 年 12 月に発売する。本作の制作前後の時期に Nagel が Stig に入れ替わっている。96 年には 2 作目『The Dawn of the Dying Sun』をレコーディング、翌年発売してヨーロッパやメキシコ、アメリカでツアーを実施した。

アメリカに 78 年から活動する同名のヘヴィ / スラッシュメタルバンドがおり、88 年頃に解散したのだが、その後にメンバーが結成した Non-Fiction が 96 年頃に解散すると、Hades を再結成、ノルウェーの Hades に改名を求めた。これにより 98 年に彼らは Hades Almighty に改名、以降音楽性をプログレッシヴブラックへ変遷させせつつ活動を続けている。

...Again Shall Be
Full Moon Productions　1994

デビュー作。ペイガニズムや魔女、ギリシャ神話の冥府の女神ヘカテーなどをテーマにしており、メンバー自身ヴァイキングメタルではないと語っている。しかし、ヴァイキングメタル黎明期のノルウェーの作品で、民謡リフ、詠唱めいたコーラス、エピックなシンセ、ゆったりとした勇壮なサウンド、アコースティックギターといった要素があったからか、ヴァイキングメタルの先駆けと考えられている。何度か再発されており、比較的入手しやすいのは 2017 年の Hammerheart Records からのデジパック仕様での再発だろう。

HELHEIM《ヘルヘイム》

レーベル不遇見舞われた死者の国から来たフェンリルと霜の巨人！

ノルウェー ホルダラン県 ベルゲン　1992～
V'gandr (Ba, Vo), Hrymr (Dr), H'grimnir (Vo, Gt), Reichborn (Gt)

Einherjer と同一人物？

Helheim はベース及びボーカルの Vanargandr（後に V'gandr）と、ギター及びボーカルの Hrimgrimnir（後に H'grimnir）を中心にドラムの Hrymr を加える形で、ノルウェーの港町ベルゲンにて 1992 年に結成されたブラック / ヴァイキングメタルバンドである。中心人物二人は 6 歳からの友人らしい。バンド名は、北欧神話に登場する 9 つの世界のうちのひとつで、世界樹ユグドラシルの地下にあるといわれる死者の国だ。ちなみに、メンバー名の Vanargandr は終末の狼フェンリルの別名、Hrimgrimnir と Hrymr は霜の巨人の名前だ。

彼らは技術的に未熟だった頃から怖気づくこともなく、経験を積むために地元でライブ活動に精を出した。結成翌年にはギタリスト Nidhogg が加入、最初のデモテープ『Helheim』をノルウェー国内限定で発表した。自国限定だったのは、彼ら自身質が充分ではないと感じていたからだという。この発売後、Nidhogg は脱退したのだが、彼は Einherjer の Nidhogg と同一人物なのではないかと考えられている。

94 年には 2 本目のデモ『Niðr ok Norðr liggr Helvegr』（ヘルヘイムは北方の地の地下にある）を発表し、ドイツの Solistitium Records とアルバム 2 枚の契約に至る。翌 95 年、デビュー作『Jormundgand』（ヨルムンガンド）をリリース、これを引っさげヨーロッパツアーを行った。ツアー完了後には 2 枚目の『Av norrøn ætt』（北欧の一族について）を制作、契約満了となった。バンドは新たなレーベルとの契約がないまま、その後 2 年の活動をすることになったが、99 年にドイツの Ars Metalli とアルバム 1 枚の契約を交わす。この契約後、キーボードに Lindheim、リードギターに Thorbjørn が加入した。このレーベルからは 99 年に 3 曲入り EP『Terrorveldet』、そして 2000 年に 3rd アルバム『Blod & Ild』（血と火）を発表し、これはアンダーグラウンドのメタルシーンで世界的に高評価を獲得した。

所属レーベルがやり取りをやめてしまった

続いてバンドは EP『Helsviti』（ヘルの懲罰）を発表しようとするが、どういうわけか所属レーベルがバンドとのやり取りをやめてしまい、発売が無期限延期となる。このような問題もあり、バンドはドイツの Massacre Records へと移籍、2003 年に 4 枚目のフルレングス『Yersinia Pestis』（ペスト菌）を発表する。これもまた評論家やファンの間で高い評価を得たが、レーベルのプロモーション不足により、残念ながらノルウェー国外のファンにはあまり届かなかった。また、同レーベルは無期限延期となっていた EP の発売に同意していたが、これも結局実現しなかった。

05 年には Lindheim が脱退してしまうが、バンドは自国の Karisma Records との契約に成功し、翌年 5th アルバム『The Journeys and the Experiences of Death』をリリースした。長年凍結されていた EP『Helsviti』も、このアルバムの初回盤のボーナスディスクという形でついに日の目を見ることとなった。08 年には 6 枚目『Kaoskult』（混沌崇拝）を発表するが、この作品を最後にリードギターの Thorbjørn が脱退してしまう。バンドは後任に Reichborn を迎えて、以降は同じ布陣で 10 年に EP『Åsgards fall』（アスガルドの陥落）、11 年に 7 枚目『Heiðindómr ok mótgangr』（異教徒たちとその抵抗運動）、15 年に『raunijaR』、17 年に『landawarijaR』、19 年に『Rignir』（雨）と順調にリリースを重ねている。

このように彼らはベテランバンドで、カルトなファンや評論家からの評価は高いのだが、幾多のレーベルトラブルに見舞われたことも災いして、他のノルウェー出身のヴァイキングメタルバンドと比較すると、残念ながら知名度が高いとは言えない。V'gandr は今の状況は快適だと述べているが、多くの人に届くことを願ってやまない。

Jormundgand
Solistitium Records 1995

デビュー作。1 曲目の表題曲の冒頭から、耳をつんざくような高音絶叫ボーカルのブラックメタルが展開され、意表を突かれる。Raw なブラックメタルではあるが、展開は意外としっかりしており、ボーカルスタイルも中音のがなり声などが使い分けられ、クリーンボーカルのコーラスなどヴァイキングメタルらしいところも垣間見られる。マイナーコードの疾走パートなどには、フレンチブラックファンにも訴求しそうな一面も。ピアノやトランペットが使用されているのも特徴か。2011 年に Karisma Records から再発されている。

raunijaR
Dark Essence Records 2015

8 枚目。10 年の EP『Åsgards fall』の続編 2 曲を含む 5 曲 41 分。タイトルはノルウェーの墓で発見された槍の穂先に刻まれた文字で、「挑む者」のような意味ではないかと考えられている。ジャケットも槍の先端だろう。本作に収録の「Helheim 9」は、1999 年の EP『Terrorveldet』（恐怖の領域）収録の「Helheim（Part 1）」から続く 9 部作のラストを飾る、シャーマニックなアコースティック曲だ。これが 9 部作なのは、ヘルヘイムが 9 つの階層から成ることに因んでいるのだろう。

landawarijaR
Dark Essence Records 2017

9 作目。Karisma Records のサブレーベルからの発売。バンドからの熱烈なプッシュにより、Zero Dimensional Records から初の国内盤も邦題『保護する者』のもとにリリースされた。タイトルはノルウェーで見つかったルーン石碑に刻まれた文字で、「国を守る者」を意味するらしい。表題曲にはイタリアのプログレッシヴ・ロックバンド PFM の「Impressioni di settembre」のキーボードのオマージュが取り入れられた。音質はブラックメタルとしては良好で、憂いを帯びたドラマティックな楽曲が並ぶ。

Helheim インタビュー

回答者：V'gandr

Q：まず最初に、インタビューに時間を取って回答していただいてありがとうございます。
みなさんはヴァイキングメタルの先駆者たるバンドの一つだと思います。しかし、残念なことに、みなさんは過去に契約を交わしていたレーベルと何度かトラブルに見舞われ、恐れながらそのせいで広く知られるに至っていないと思います。ですが、Dark Essence Records と契約してからは、万事順調なように窺えます。今みなさんを取り巻く状況についてはどのように感じていますか？

A：やあ、インタビューに答えるのは嬉しいことだよ。その昔レーベルとの揉め事が何度かあったというのは確かだけど、10 年以上 Dark Essence Records に所属して、今や俺たちはレーベルと良好で実りある関係を築いたよ。ここ数年に自分たちが成し遂げてきたものに俺たちはとても満足しているから、Helheim 陣営はこれまで以上に活気づいているね。実際俺たちは今次のアルバムに向けた新曲の練習をしていて、すごくいい感触を感じているんだ。

Q：これまでみなさんはあまりブランクを空けることなく、10 枚のフルアルバムを発表してきました。初期はエピックでいて Raw なブラックメタルをプレイされていて、それからもっと洗練された音へと舵を切り替えて、最近はよりプログレッシヴなブラックメタルあるいはダークメタルへと傾倒されていますよね。この音楽性の変遷についてお聞かせ願えますか？

A：そうだな、俺は Helheim を 3 つの段階を持ったバンドだと捉えているんだ。つまり、幼少期、青年期、そして今が最終期。俺たちは常々実験に入れ込んできたし、これからもずっと実験していくだろうよ。そうは言っても今や俺たちは以前より丈夫な音楽の土台に着地したんだ。気づけばそこは俺たちにとってどんでん返しや大胆な実験を必要としない聖域なんだ。

Q：もしかしたら前の質問と関連するかもしれませんが、私が知る限り、みなさんはバンドロゴを 2 回変更しましたよね。この変更の背景についてご説明いただけますでしょうか？　音楽性の変化によるものでしょうかね？

A：今のロゴは実際には 4 つめで、これがようやく最後のロゴなんだ。まったくそのとおりで、ロゴは音楽とともに変化してきたのさ。Helheim のこの最終章はきっと今までで一番長いだろう。俺たちがどれだけ長く続くかは誰にもわからないだろうけどね。

Q：みなさんの作品には何人ものゲストボーカルが参加していることに気が付きました。その中の一人にチェコの Root の Big Boss がいますよね。どういった経緯でこれが実現したかお話いただけますでしょうか？ Helheim と Root に関連があったなんてとても驚きました。

A：うーん、以前 Root の大ファンだったから基本的には彼にただ連絡しただけさ。難なく実現したよ。彼はクールにも OK と言ってくれて、ずばり俺たちが求めていたものを提供してくれたんだ。

Q：「landawarijaR」には PFM の「Impressioni di settembre」のオマージュが見受けられます。このタイトルはノルウェーのルーン石碑から取られたもので、国を守る者を意味すると思われます。そこでなぜこの曲にイタリアのプログレッシヴ・ロックバンドを選んだのかご説明いただけますでしょうか？

A：このアイデアは何年も前から俺が温めていたもので、他のメンバーも気に入ってくれたんだ。エレキギターで再現したらどれだけ素晴らしいだろうかと心に描いていて、実際そうなった。タイトルとは直接的な関連はまったくないよ。このオマージュは別に重要じゃないからね。いつだって歌詞は曲の手助けなしにその中身を伝えることができるし、

逆もまた然り。でも時には両者が合わさると魔法が起こるんだけどね。

Q：それからみなさんはプログレッシヴロックをよく聴かれるのでしょうか？　みなさんの音楽的な背景と他の音楽からの影響についてお聞かせ願えますか？　メタルでもメタルでなくても構いません。

A：俺は昔はよくプログレッシヴロックを聴いていて、King Crimsonがオールタイムのお気に入りなのさ。たとえメディアが俺たちの音楽にはプログレッシヴロックの要素がたくさんあると言っても、それはまったく意図したものじゃないんだ。一例としてH'grimnirはプログレッシヴロックを一切聴かないしね。俺個人としては心地よいものであればどんな音楽でも聴くよ。俺は兄とともに育ったんだけど、ごく小さな頃から彼がヘヴィメタルを教えてくれてね。俺はよりエクストリームな音楽的趣向へと進んで、それからもっと実験的な音楽の形へと進んでいったんだ。あまり音楽をカテゴライズせずに聴いていると最近は大体言うようにしているよ。

Q：『raunijaR』で「Heiheim」シリーズを「Heiheim 9」で締めくくられましたよね。これは北欧神話で死者の国ヘルヘイムが9つの階層から成るからだと思います。同様に「Åsgards fall I」と「Åsgards fall II」を2010年のEPで発表して、『raunijaR』で「Åsgards fall 3」と「Åsgards fall 4」を披露されました。こういうシリーズものの楽曲は、その最初の部分を作曲された時に、全体の少なくともコンセプトは念頭に置いているのでしょうか？　それとも後から続編を思いついたのでしょうか？

A：「Helheim」のアイデアは最初からあったよ。でも「Åsgards fall」の場合はそうじゃなかった。もっとこのテーマについて語るべきことがあると感じて、あとから二つの追加パートを作ったんだ。

Q：おそらく自分の無知によるもので申し訳ないのですが、ノルウェーに関して冬と寒い気候の固定観念を持っていました。しかし当然ながらノルウェーにも四季があります。ですので『Rignir』は雪ではなく雨についての作品なので、とてもユニークで斬新だと感じました。今後もブラックメタルやヴァイキングメタルで歌われる典型的なノルウェー像以外のノルウェーをみなさんが紹介してくれたらありがたいです。他のノルウェーのバンドの歌詞と比較してみなさんは自身の歌詞についてどう思われますでしょうか？

A：ベルゲンの天気はほとんどいつも荒れていて雨ばっかりで冬は雪ばっかりだって？　そんなイメージは忘れてくれ。そんな日々は過ぎ去った。これに回答している今（2019/12/25）だって、実際2度あるし晴れてるよ。俺は他のバンドと歌詞の比較はしたくないんだ。だってそんな必要ないと思うからね。ただ一つ言えるのは、歌詞に関しては俺はすごく内向的だということ。自己と北欧の神秘主義について常に増えていく知識について書いている。どちらかと言えば、歌詞を書けば書くほど学んでいると言えるかな。自己学習だと考えてくれ。

Q：『Rignir』にはどちらも登場しませんが、フレンチホルンとピアノはHelheimの音楽の特徴の一つとなっていると思います。特にHelheimの楽曲のピアノはとても美しいと個人的に感じます。ブラックメタルにこれらの楽器を導入するアイデアはどのようにして思いついたのでしょうか？

A：Hrymrがピアノを弾くので、当初からそれをアイデアとして使ったんだ。ティンパニーとホルンはCeltic FrostとMaster's Hammerにオマージュを捧げたかったから形になったのさ。最初は「Innocence and Wrath」という曲（訳注：これはCeltic Frostの曲なのでHelheimがどこかでカバーしたのだと思われる）で使って。これらの楽器は今後も使い続けるつもりさ。俺たちが常々音楽に織り込みたいと思っているだけのドラマティックさと荘厳さをもたらしてくれるからね。

『Rignir』ではホルンを使う余地がなかったんだけど。ホルンは自然な音に感じられるべきで、使うという目的のためだけに使われるべきではないからね。

Q：みなさんは北欧神話やヴァイキングの信仰を、感情や感覚、哲学的な物事を表すための比喩として使っているのですよね？　日常生活においても北欧神話は深く根付いていますでしょうか？

A：ノルウェーらしいものだと自分が考えるものの多くは俺の生活に根付いていると思うけど、もうはっきり意識はできないレベルでだね。自分が自分たる一部にはなっている。俺は剣を振り回したり、ヴァイキングを演じたりはしない。俺はなりきり演技する頭のおかしいやつじゃないからな。もっと哲学的なレベルで根付いていて、いろいろな行動においていつもはっきりと認識するのは簡単ではないんだ。

Q：最後になりますが大切なこととして、日本のファンや読者に何かメッセージをお願いします。

A：ついに日本のシーンに向けてインタビューを受けられるのはとてもクールなことだよ。これが初めてだと思うからね。俺は日本に３度行ったことがあって、かなり多くの面で日本が大好きなんだ。Helheimとして一度はぜひそこで演奏したいから、その機会が実現するのを期待してくれ。もしこれまでにHelheimを聴いたことがあって気に入ってくれたなら、これからもそうあり続けてほしい。あるいはHelheimはまだこれからという場合でも、聴き始めるに遅すぎるってことはまったくないよ。インタビューありがとう、そしてこの言葉を忘れないでくれ。「異教徒であり続けることは抵抗することだ！」

コラム　ヴァイキングの実態

ヴァイキングといえば、航海をして海賊行為を働き、キリスト教徒を虐殺した暴徒のようなイメージが強いように思われる。事実、ヴァイキングメタルでクローズアップされるのはそうした面が主である。ただ、実際には彼らは農業や放牧、漁業などを生業とし、それらで手に入らないものは交易によって入手していたとの説が近年は有力となっている。ヴァイキングが略奪をしていたのは事実であるが、それはスカンジナビアの厳しい自然環境において、作物が不作だったりした際や、交易のための遠征などで食料や水が尽きた際に、沿岸部を襲撃していたのだという。当時、修道院や教会は儀式用の祭器などの奢侈的な物が多く、軍事力や防衛力が低いため、格好の的とされたがゆえ、キリスト教から見たヴァイキング像が強く後世に伝えられているのかもしれない。

スカンジナビアにいたノース人（ノルウェー人）は、ブリテン諸島、フェロー諸島、アイスランド、グリーンランド、カナダのニューファンドランド、北米のニューイングランド（ヴィンランドと呼んだ）へ入植を試み、デーン人（デンマーク人）は西ヨーロッパのフリースランド（オランダ）、イングランド、北フランスを略奪・植民し、スヴェア人（スウェーデン人）はバルト海から東に向かいノヴゴロド（ロシア）から、黒海に出てコンスタンティノープル（トルコ）、あるいはカスピ海経由でバグダッドまで行って交易を行った。このヴァイキング進出の理由も諸説あり、改宗を迫るキリスト教徒への反撃、人口増加による土地不足、一夫多妻制による女性不足、周辺地域の弱体化につけ込んだ、などが考えられているようだ。

MITHOTYN《ミソティン》

知る人ぞ知る後の Falconer や King of Asgard の母体となった伝説！

スウェーデン エステルイェータランド県 ミェルビュー　1992 〜 1993 (as Cerberus), 1993 〜 1999
Karsten Larsson (Dr), Stefan Weinerhall (Gt), Rickard Martinsson (Ba, Vo), Karl "Kalle" Beckmann (Gt, Key)

邪悪な魔法使い

1992 年 8 月、スウェーデン南部の都市ミェルビューで、ギタリスト兼ベーシストの Stefan Weinerhall とボーカル、キーボード、ドラムなどのマルチプレイヤー Christian "Christer" Schütz、そしてギタリスト Johan が Cerberus というバンドを立ち上げた。このバンドの音楽性はブラック寄りのデスメタルで、同年『Cursed Flesh』という 4 曲入りのデモテープをレコーディングしている。この時点ではドラムセットも自身のものを持っていなかったため、レンタルで済ますなど、まだまだ駆け出しのバンドだったようだ。

その後、Johan が早々にバンドを脱退し、93 年 2 月に Mithotyn へと改名した。改名後は音楽性を民謡要素の強いヴァイキング / ブラックメタルへと変えている。Mithotyn とは北欧神話に登場する邪悪な魔法使いの名前であり、諸説あるようだが、オーディンが追放された際にその座に取って代わったらしく、ロキと同一視されることもあるそうだ。

東北地方太平洋沖地震を経験

同年 5 月には改名後初となる 3 曲入りのデモテープ『Behold the Shields of Gold』をリリース、夏にはキーボードとギターを担う Karl "Kalle" Beckmann、ドラマーの Karsten Larsson が加入した。Karsten はこの当時、同郷のメロディック・ブラックメタルバンド Dawn でも並行して、ドラマーとして活動していたことでも知られている。翌 94 年 5 月にはキーボードと女声ボーカルを担当する Heléne Blad が加入、7 月には 2 本目となるデモテープ『Meadow in Silence』を発表する。その後、11 月には創立メンバーであった Christian Schütz が脱退してしまうが、後任に Rickard Martinsson を迎えて、95 年 5 月には 3 本目のデモテープ『Nidhogg』（北欧神話に登場する蛇の名）をリリースした。このデモのリリース後、Heléne は音楽性の違いにより脱退した。彼女は後述のバンド Falconer のボーカリスト Mathias Blad と兄弟の関係（どちらが年上なのかは不明）に

あり、Falconer にもゲスト参加しているほか、ソロシンガーとしてもフルアルバム『En annan väg』（もう一つの道）を発表している。また、Christian Schütz は、後に Johan Christher Schutz の名で、ポップスやボサノヴァなど多彩なジャンルの作曲をする音楽プロデューサーとして活躍している。日本人アーティストへの楽曲提供も行い、マルチプレイヤーとして日本でツアーを実施、一時期は日本に住んでいたそうで、2011 年の東北地方太平洋沖地震を東京で経験するなど意外な活動をしている。

『Nidhogg』の発表により、幾つかのレコードレーベルから契約の話を受けたが、いずれも条件が良くなかったため、バンドはそれらのオファーを断り、96 年に 4 本目のデモテープ『Promo '96』を発表する。Stefan が言うには、デモを発表する度に周囲からの反応はどんどん良くなり、デモとしては異例のセールスを上げていたそうである。「Cerberus の頃の音楽性と比較すると、激しさや重さを失って、デス / ブラックメタルとしてはメロディックになり過ぎていたかもしれないが、その代わりにオリジナリティを手に入れたのだ」と、彼は語っている。

解散後の動向も気になるバンド

これにより、ドイツのレーベル Invasion Records からのオファーを獲得して、彼らはこのレーベルと契約を結ぶことを選んだ。この頃、Stefan と Karl はそれぞれ L. V. Managarmr と Mournlord という名前で、Indungeon というメロディックデス / スラッシュメタルバンドも並行して開始、特に Karl はそちらではボーカルとドラムという Mithotyn とはまったく異なるパートを担当する器用さを見せている。Mithotyn は 1997 年 4 月にデモを除いては初作品にしてフルアルバム『In the Sign of the Ravens』でデビューを果たした。バンドは翌 98 年 10 月には 2 枚目のフルアルバム『King of the Distant Forest』、99 年に 3 枚目『Gathered Around the Oaken Table』と、コンスタントに作品をリリースしたのだが、突如として所属レーベルであった Invasion Records が閉鎖してしまう。どうやらレーベルのオーナーの奥さんが彼のもとを去り、このオーナーが所属バンドたちに告げずに運営を放棄、レーベルが破産するに至ったらしい。

Falconer として有名に

当時 Stefan は Mithotyn がやっていたような音楽への情熱をやや失っていたということもあり、レーベルの閉鎖も手伝って、バンドは解散を選ぶこととなった。ちなみに解散までにライブは 4 回しか行わなかったとのこと。Mithotyn の解散後、すぐ Stefan と Karsten はフォーク / パワーメタルバンド Falconer を結成しており、この背景としては Stefan はフォーク要素のあるメタルを引き続きやりたかったのだが、Mithotyn とは異なり、クリーンボーカルのバンドをやりたかったとのことだ。彼は Helloween や Gamma Ray といったパワーメタルバンドや、ロックにフルートを導入したことで知られるイギリスのプログレッシヴ・ロックバンド Jethro Tull に影響を受けて、デス / ブラックメタルから身を引きたくなったらしい。

この Falconer は、2001 年の『Falconer』を皮切りに順調にリリースを重ねていったが、20 年にそれまでの集大成となる 9th アルバム『From a Dying Ember』を発表し、その活動に幕を閉じた。理由としてはバンドが十分に成熟して、Falconer 用の曲作りに慣れ過ぎてしまい、何か違うことをやる時期が来たからだそうだ。そちらは本書では紹介していないが、あわせてチェックされたい。

一方 Karl は 2002 年に Infernal Vengeance というヘヴィメタルバンドを結成して、ボーカリスト兼ギタリストとして活躍するが、08 年に同バンドは解散する。同年 Karsten とともに再び Mithotyn に比較的近い音楽性のヴァイキング / メロディック・デスメタルバンド King of Asgard を結成、ここでもボーカルとギターを担当している。なお、Karsten は 15 年に同バンドを脱退している。

解散後にレーベルたちから注目される

ところで、04 年にオランダの Karmageddon Media から、Mithotyn の残した 3 枚のアルバムはジャケット変更の上で再発された。13 年には、その親レーベルの Hammerheart Records から 3 枚のフルアルバムを一つの作品にまとめた 3 枚組のコンピレーション作品『Carved in Stone - The Discography』が発売されているが、Stefan いわく、おそらくこれは Invasion Records から作品の権利を買い取ったのではないかということで、メンバーに何の相談もなく勝手にひどいジャケットでリリースされたとのことだ。

Invasion Records の閉鎖後、アメリカの大手 Metal Blade Records が、バンドが解散したことを知らずに契約に関心を持っていたそうで、もし解散していなければ、もっと世界的な人気になっていたかもしれないのが悔やまれる。

In the Sign of the Ravens

Invasion Records/Black Diamond Productions 1997

デモ『Nidhogg』と『Promo '96』からの再録曲を多数含むデビュー作。土着的なメロディが大々的に織り込まれた、キーボード入りのアトモスフェリックなブラックメタルといった感じの音楽性。以降の作品と比較すると、流石にクオリティは落ちるが、哀愁と勇壮さが同居するヴァイキングメタルはこの時点でも十分堪能することができる。サウンドプロダクションの悪さを含めて洗練されていない部分も、この手の音楽性では逆に味があるとも言える。「Tills dagen gryr」（日が昇るまで）を除いて歌詞は英語。

King of the Distant Forest

Invasion Records 1998

2 枚目のフルアルバム。前作と比べて、さらにメロディックで聴きやすい方向に進んでおり、キャッチーでスピーディながら、緩急がついて練られた印象を受ける楽曲が増えている。音質も向上し、昨今の同ジャンルの作品と並べても遜色ないレベルの品質ではなかろうか。デジパック仕様の限定盤には未発表曲「Ragnarokk」とデモ『Meadow in Silence』がまるまる追加収録されている。3rd から遡って発売された国内盤にはそれらの一部をボーナスに収録、残りは同じく後から発売された 1st の国内盤に入っている。

Gathered Around the Oaken Table

Invasion Records 1999

ラストアルバムとなった本作は、Soundholic の HIDDEN MANIACS SERIES の一つとして、国内盤デビューを飾ることとなった。国内盤には『Promo '96』からの再録曲が、1 曲ボーナストラックに追加されている。前作の方向性を推し進めた本作は、どこを切り取っても印象的なメロディに溢れた 90 年代ヴァイキングメタルの名盤の一つである。ブラックメタルの要素はがなりボーカルに残れど、Stefan の嗜好の変化のためか、かなりパワーメタルの要素も見られ、多くの人に訴求できる内容となっている。

MAYHEMIC《メイヘミック》 TRUTH《トゥルース》 (MORRIGAN《モリガン》)

ケルトやゲルマン神話をモチーフのジャーマンブラック先駆け！

ドイツ バーデン＝ヴュルテンベルク州 グロースベットリンゲン 1992 ～ 2000, 2000 ～ 2010 (as Morrigan), 2012 ～ 2013 (as Morrigan), 2014 ～ (as Morrigan) Balor (Dr, Key), Beliar (Gt, Vo, Ba)

ボーカルとギターを担当する Beliar と、ドラマー兼キーボーディストの Balor を中心として、1992 年に南ドイツの都市グロースベットリンゲンで Mayhemic Truth というブラックメタルバンドが結成された。ただ、彼らはサタンやオカルトには関心がなく、自身の音楽をブラックメタルとは呼ばなかった。彼らはヴァイキングメタル期の Bathory に多大な影響を受けており、ケルトやゲルマンの神話をテーマにした音楽をやっていた。一方で、初期の Bathory にも傾倒していたのが彼らの音楽性の特徴だ。

彼らの活動はアンダーグラウンド中心で、デモテープや 7" のリリースのみで、97 年に個人的な理由により活動を休止した。しかし、2 年間の休止を経て Mayhemic Truth の曲名にもなったケルト神話の女神に因んで、Morrigan と改名して活動を再開した。活動休止中の 99 年にコンピレーション作品『In Memoriam』が Iron Pegasus Records からリリースされた。これで初めて彼らは広く知られるようになり、ジャーマン・ブラックメタルの先駆けとして高く評価された。ドイツのメタル雑誌『Rock Hard』の 2009 年 10 月号のブラックメタル特集で、知っておくべき 250 枚のブラックメタル作品の一枚に同作は挙げられている。改名後は 7 枚のフルアルバムを発表している。

In Memoriam
Iron Pegasus Records 1999

『Demo '96』の 6 曲（曲目に載っていないイントロを含めて 7 曲）と 7"『Cythraw』（ケルト神話の混沌）の 3 曲をまとめて CD 化したもの。ジャーマンブラックというと、玄人好みのいぶし銀的な印象を持たれがちだが、これは初期とヴァイキングメタル期の Bathory を、ブレンドしたような音楽性で聴きやすい。なお、収録曲の「Bluot Era Hathu」は「血、名誉、戦い」の意だと思われる。2005 年に、I Hate Records から『Promotape '94』の 4 曲を追加して再発された。そちらも廃盤で、ややプレミアが付いているのが惜しまれる。

DARKWOODS《ダークウッズ》 MY BETROTHED《マイビトローズド》

「ヨーロッパで一番冒涜的」触れ込みで韓国のレーベルからデビュー！

フィンランド 北カルヤラ県 キテー　1993 ～ 1994 (as Virgin's Cunt), 1994 ～ 1998, 2000, 2004 ～ 2005, 2020 ～
Emperor Nattasett (Vo), Hexenmeister (Ba), Hallgrim (Gt), Tuomas Holopainen (Key)

1992 年に Virgin's Cunt の名でギタリスト Jouni、ボーカリスト Pasi、ベーシスト / キーボーディストの Teemu、ドラマーの Tero らが、ヨーロッパで一番冒涜的なブラックメタルバンドという冗談めいた触れ込みでバンドを結成した。2 本のデモを制作した後に、もっと真剣にバンドをやろうと、改名した結果誕生したのが Darkwoods My Betrothed である。

94 年には最初のデモ『Dark Aureoles Gathering』を発表、当初の音楽性はプリミティヴ・ブラックメタルであった。翌 95 年には韓国の Hammerheart Productions と契約してデビュー作『Heirs of the Northstar』をリリース。本作で大きく音楽性を変えて、ゆったりとしたメロディックなヴァイキングメタルへと舵を切り出した。あわせて歌詞のテーマも従来のサタニックなものから、北欧の神々といったものへと転換している。続く 2 枚目もその延長線上であったが、その発売後に作詞を担当していた Teemu が脱退、その影響もあってか、98 年の 3 枚目『Witch-Hunts』では、再びサタニックなブラックメタルへと回帰している。バンドはその後解散、2000 年にデモ音源集のリリースにあわせて復活したが、再度解散した。04 年に再始動したが、翌年解散、20 年に 1st アルバムの頃の面子に Nightwish の Tuomas を加えて復活している。

Heirs of the Northstar
Hammerheart Productions　1995
デモから大きく音楽性を変えたデビュー作。寒々しいリフに高音絶叫を乗せて疾走する、王道北欧ブラックメタル的な曲も依然健在だが、アトモスフェリックで壮大なミドルテンポの曲が見られるようになった。酒ヤケしたクリーンボイスによる、やや調子っぱずれな歌唱も世界観を演出している。Nightwish のリーダー Tuomas Holopainen がキーボードでゲスト参加しており、アウトロのインストパートは、彼の作曲で初めて CD になったものらしい。2011 年に No Sign of Life Records から再発された。

EINHERJER《エインヘリヤル》

ヴァイキング黎明期築いたミドルテンポ古ノルド語「孤独な戦士」！

● ノルウェー ローガラン県 ハウゲスン　1993 ～ 2004, 2008 ～
Gerhard Storesund (Dr, Key), Frode Glesnes (Vo, Ba), Tom Enge (Gt), Ole Sønstabø (Gt)

Bathory が最重要

Einherjer は、ギター担当の Frode Glesnes（当時は Grimar）と、ドラム担当の Gerhard Storesund（同じく Ulvar）を中心に、1993 年にノルウェーの西海岸の小さな港町ハウゲスンで結成された。Einherjer とは、古ノルド語の Einherjar の現代ノルウェー語での綴りであり、もともとは「孤独な戦士」といった意味合いだ。ヴァイキングたちの間では、勇敢に戦って死ぬことこそが栄誉とされる。北欧神話では、戦死した戦士はヴァルキュリヤによりヴァルハラへと導かれ、やがて来たる終末の戦いラグナロクにおいて、オーディンら神々とともに巨人たちと戦うために、日々互いに殺し合うことで腕を磨く、とされている。この戦死者の魂が Einherjer である。Einherjer は、ヴァイキングメタルの黎明期を支えたバンドとして、同郷の Enslaved と並んで重要なバンドだ。Bathory はキリスト教への反発のためのモチーフとして、サタンに代わって自身のルーツである土着の文化や歴史を持ち出した。一方、彼らは単に北欧神話やヴァイキングへの関心から、それらをバンドのモチーフとしており、反キリスト教の意志はない。

彼らがバンドを結成した時期は、北欧ではちょうど Darkthrone や Burzum といった第二世代ブラックメタルバンド勢が重要な作品をリリースしたり、教会への放火や殺人事件で世間を騒がせていた。Grimar は Immortal の『Pure Holocaust』からの音楽的影響を認めているが、彼らにとって最重要だったのは Bathory であり、とりわけ『Hammerheart』と『Twilight of the Gods』の 2 枚から強く影響を受けたとのことだ。それゆえ、音楽性としては、今日「ヴァイキングメタル」というジャンル名で想起されるフォーキーでノリの良い楽曲とは異なる。ミドルテンポ主体で、シンフォニックとまではいかないまでも、アトモスフェリックなブラックメタルや正統派ヘヴィメタルに近い。

ちなみに Grimar は Thyrfing の Patrik

Lindgren や、Primordial の A.A. Nemtheanga といった面子とともに、Bathory の作品名そのものである Twilight of the Gods というバンドもやっており、そちらでは当初は Bathory のカバーをプレイしていたが、後に雄々しいコーラス入りのヘヴィメタルに音楽性を変えて、2013 年に『Fire on the Mountain』という作品を発表している。

迷走からの解散、そして復活

Grimar、Ulvar、およびベースに Thonar（Audun Wold）、ボーカルに Nidhogg（Rune Bjelland）というラインナップで、1994 年 1 月に初のデモテープ『Aurora Borealis』（北のオーロラ）を発表した。この際の宣伝文句には「北半球の荒地から、もっともエピックかつアトモスフェリックなヴァイキングメタル参上。ミョルニルの力を帯び、最果ての地の神秘に祝福されて」と、自らがヴァイキングメタルであることを示す力強い文言が書かれていた。同年 3 月には、同郷の Enslaved の 1st アルバム『Vikingligr veldi』のリリースパーティのサポートアクトとして初ライブを行う。95 年には 7"EP『Leve vikingånden』（ヴァイキング魂万歳）をリリースし、翌 96 年にオーストリアの名門メタルレーベル Napalm Records と契約を交わす。ベーシスト Stein Sund が加入、Thonar がギタリストに転向して、同年 12 月に発表された初のフルレングス『Dragons of the North』はヴァイキングメタルの名盤として高い評価を獲得した。次いで Century Media Records からリリースされた EP『Far Far North』も、引き続き高い評価を得た。

しかしながら、同 EP のリリース後にボーカル Nidhogg が脱退してしまい、後任に Ragnar Vikse を迎えて 98 年に発表した 2 枚目のフルレングス『Odin Owns Ye All』は全編に渡って大胆にクリーンボーカルを取り入れ、民謡要素を強めた結果、メタルとしての攻撃性が弱まったためか、不評を買ってしまう。これで彼らは Century Media を離れることとなった。母国の Native North Records からリリースした 2000 年の 3 枚目『Norwegian Native Art』では、ギター担当だった Grimar がハーシュボーカルも担当することで、以前の音楽性に近づき、無骨で勇ましいヴァイキングメタルを披露するも、彼ら自身、自分たちの音楽に真に満足するには至らなかった。02 年に Ragnar が脱退、Grimar がメインボーカルも兼任、Tabu Recordings と契約して発表した 03 年の 4 枚目『Blot』を最後に、も

う十分やり尽くしたとのことで解散してしまう。解散時のメンバーは Grimar と Ulvar、および 1999 年に加入したギタリスト Aksel Herløe の3人だった。彼らは解散後すぐ、まったく異なることをやりたいと Battered というスラッシュメタルバンドを結成し、2004 年にデモ、06 年にフルレングスを発表する。

それで十分気分転換ができたのか、Einherjer が恋しくなったらしく、08 年には Wacken などいくつかのフェスでライブを行うために、再結成を宣言した上で活動を再開した。Indie Recordings と契約して、11 年に『Norrøn』、14 年に『Av oss, for oss』という 2 枚のフルレングスを発表。16 年にはギタリスト Ole Sønstabø が加入、初期の名盤のリリース 20 周年を記念して再録アルバム『Dragons of the North XX』をリリース、18 年には『Norrøne spor』をドロップした。19 年に古巣の Napalm Records と再契約を交わし、Pagan Metal Horde vol.4 で初来日も実現した。20 年には長年活動をともにした Aksel の脱退が発表されたが、後任に Tom Enge を迎えて活動を続けている。そして 21 年に 9 枚目のアルバムとなる『North Star』を発売した。

Dragons of the North
Napalm Records 1996
記念すべき彼らの初のフルアルバムにして、最高傑作との声も聞かれる作品。ジャケットに描かれているのはヴァイキング船の舳先である。ミドルテンポ主体で、勇壮なリフにトラッド由来のメロディ、だみ声での歌唱に時折挟み込まれるクリーンボイスによる詠唱、とヴァイキングメタルに特徴的な要素はすべてここにある。2 曲目「Dreamstorm」はキャッチーで比較的疾走感もあり、転調が非常に格好いい名曲である。2021 年に『North Star』の発売とあわせて、本作もリマスタリングの上で再プレスされた。

Far Far North
Century Media Records 1997
タイトル曲に、95 年にリリースされた 7"『Leve vikingånden』の 2 曲の再録を加えて、3 曲入りのデジパック仕様の CD でリリースされた EP。ジャケットには北欧神話に登場する神トールが持つ鎚ミョルニルが描かれている。7" の 2 曲はノルウェー語だが、タイトル曲は歌詞も英語であるため内容もわかりやすく、勇敢に突き進む戦士を思い浮かべられる名曲である。残念ながら本作は現在廃盤で、かつタイトル曲はこの作品でしか聴くことができないが、Apple Music などでデジタル版が購入可能である。

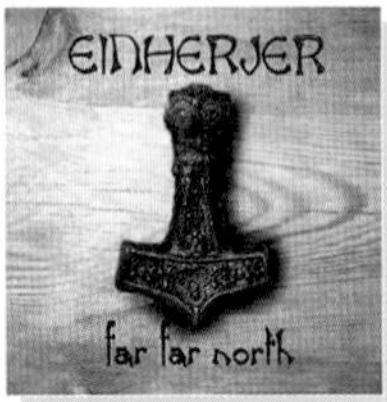

Odin Owns Ye All
Century Media Records 1998
デビュー作の「Slaget ved Hafrsfjord」(ハフルスフィヨルドの戦い) は、おとぎ話を想起させるような音色のシンセが用いられ、若干浮いた雰囲気も感じられた。本作はそれに近い音像で、Einherjer の持つ民謡要素が凝縮されたかのような作風で、新ボーカル Ragnar のクリーンボイスが大々的に取り入れられている。本人たち的にも、もっとハーシュボーカル主体の作品にすべきだったと失敗を認めている。しかし、フォークメタルファンならむしろこの作風のほうが気に入るかもしれない。残念ながら廃盤。

Norwegian Native Art
Native North Records 2000
1st アルバムと並んで名盤扱いされることが多い 3 枚目。前作の反動もあり、過去作よりもダークでシリアスな作風となった。彼らはノルウェー人であることに誇りを抱いており、そんな自分たちが生み出す芸術作品ということでこのタイトルにしたのだとか。ユグドラシルに吊るされるオーディンなどの北欧神話が綴られており、ラスト 3 曲は竜殺しの英雄シグルズの神話を扱う三部作になっている。2005 年に Tabu Recordings からジャケット差し替え、ボーナストラック追加、『Blot』収録曲の PV 収録の再発盤も出ている。

Blot

Tabu Recordings　2003

『Ethics of the Spear』という仮タイトルだったが、古ノルド語の「生贄」に改題された 4 枚目のフルレングス。2004 年の解散前の最後の作品。制作に苦労したという点で、自分たちを生贄にしたとの意味合いもあるらしく、12 曲 60 分の大作となった。ヒロイックでわかりやすい民謡調のメロディの楽曲が多く、シンフォニックでエピックな作風となっている。昨今のヴァイキングメタルに一番近い作品が本作だと思われるので、このバンドを未聴なら、このアルバムを最初に聴くのが良いだろう。

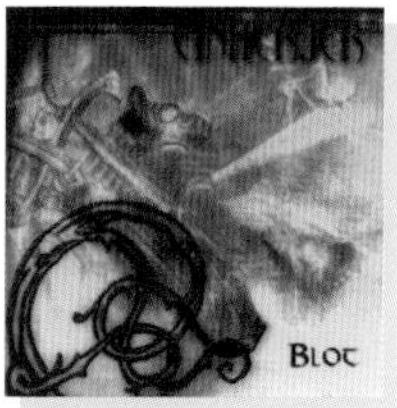

Norrøn

Indie Recordings　2011

再結成を経て実に前作から 8 年ぶりに届けられた 5 枚目のアルバム。タイトルもずばり「古代ノルウェーの」である。ジャケットは世界樹ユグドラシルを含め、様々な解釈が可能とのこと。活動休止中に、シーンにお祭り的なエンターテインメント要素が強まったが、彼らは流行に興味がなく、前作より地味なオールドスクールなヴァイキングメタルをプレイしている。メンバー 3 人全員が制作に携わり、個々のメンバーの音楽的バックグラウンドや嗜好が反映されているらしい。休止中にスラッシュメタルバンドをやっていた影響は特に感じられない。

Av oss, for oss

Indie Recordings　2014

ノルウェーのグラミー賞にあたる Spellemann 賞にノミネートされた「我々による、我々のための」を意味する 6 枚目のアルバム。通常盤は 8 曲入りで、限定盤デジパックにはボーナストラックが 1 曲追加収録されている。大仰でシネマティックな SE「Fremad」（前へ）に続くのは、どっしりとしたミドルテンポの楽曲群ということで、じっくり腰を据えて聴き込む必要のある作品となっている。タイトルトラックは 11 分近い大曲で、アトモスフェリックなシンセに彩られた、メタリックで勇ましい楽曲である。

Dragons of the North XX

Indie Recordings　2016

デビュー作の発売 20 周年を記念した再録アルバム。一般に再録というと、バンドが成熟して過去の作品に納得できなくなった際に行われることが多い。だが、彼らの場合は、今でもオリジナルも気に入っており、この再録はほんの少し手を加えただけの別バージョン的な位置づけの作品とのこと。実際、「ラーララー」とクリーンで歌い上げるパートがなくなっていたりする一方で、ギターソロが追加された楽曲があるなど、どちらにもそれぞれの良さがある。どちらのバージョンを気に入るのもリスナーの自由だ、との見解を本人たちも示している。

Norrøne spor

Indie Recordings　2018

再録を挟んでリリースされた 8 枚目のアルバム。3 枚のシングルと Motörhead の「Deaf Forever」のカバーを含む 11 曲入りでデジパック仕様。タイトルは「古代ノルウェーの軌跡」。2014 年の『Av oss, for oss』を踏襲したミドルテンポ主体の内容だが、これまで Gerhard と Frode が別々に曲作りをしていたのに対して、本作では共同作業を増やしたのが違いとのこと。リフの節々に北欧民謡の要素は感じとれるが、即効性のあるものではない。骨太な正統派メタルからの影響も感じさせる音楽性だ。

North Star

Napalm Records　2021

古巣のレーベルに戻って発売された 9th アルバム。デジパック仕様。レーベルによるとタイトルの「北極星」には、ヴァイキングが航海の道標としたように、コロナ禍の激動の時代にバンドが進む手がかりとなる意図が込められているとのこと。ミドルテンポ主体の勇壮なデス / ブラックメタルに、ほんのりとフォーキーなメロディを織り交ぜたサウンドはもはや安定の域に達している。メンバーが Iron Maiden などの影響を公言しているように、正統派ヘヴィメタルの要素も従来どおり散見される。ここ数作のファンであれば手堅い作品。

NORDEN《ノルデン》

ファンクラブ限定作品をリリースし、物悲しげにクリーンで歌う！

ポーランド ポモージェ県 グディニャ　1993～　Northflame (Vo, Gt, Key)

Norden は 1993 年に Northflame なる人物が立ち上げたヴァイキングメタル・プロジェクトで、当初は彼のソロプロジェクトだった。この名は北を意味する。94 年になると、ベーシスト Surtr とギタリスト Aanduril が加入、95 年にリハーサルデモ『The Golden Way to Valhalla』、97 年にスタジオデモ『Blood on the Sky - Blue of My Sword』を制作した。後者は Ceremony Records から正式に販売された。そしてバンドはライブ活動も開始、1st アルバム『Glory in Flames』のレコーディングを 97 年 10 月に完了させた。

しかし、おそらく知名度の低さゆえ、これを発売するレーベルが見つからなかったのであろう、彼らは 2 年間に及ぶプロモーション活動に精を出す。結局、Seven Gates of Hell からこのアルバムが日の目を見たのは 2000 年のことだった。同年、Dragonpride というファンクラブも発足し、そのメンバー向けに「Smocze łodzie」（竜頭船）という 7" シングルが制作された。なお、この頃ソロに戻ったと思われる。以降、06 年にデモが CD 化再発されたことを除けば、表立った動きがなかったが、18 年に実に 18 年ぶりの新作『Z popiołów i krwi...』（焼跡と血から……）を発表した。

Glory in Flames
Seven Gates of Hell　2000

500 枚限定のデジパック仕様でリリースされたデビュー作。6 曲 36 分。ミドルテンポ中心のヴァイキングメタルで、派手さはないが楽曲は粒揃い。ボーカルはがなり声とクリーンを使い分けるタイプ。どちらかと言えば勇ましさより、物悲しさを感じさせるダークな作風となっており、とりわけ全編クリーンボーカルで歌われる「Golden Gates of Valhalla」の、終盤のアコースティック・ギターパートは感動ものだ。ラストの曲に Part 2 とあるが、Part 1 はデモに収録されているのであわせてチェックされたい。

SCALD《スカルド》

ソ連崩壊間もない頃から地方都市でエピックドゥームを奏でる！

ロシア ヤロスラヴリ州 ヤロスラヴリ　1993～1997, 2019～
Velingor (Ba), Ottar (Dr), Harald (Gt), Karry (Gt), Felipe Plaza Kutzbach (Vo)

Candlemass のようなドゥームメタルをプレイしていたベーシスト Valingor とギタリスト Herald、Bathory や Manowar スタイルのエピックメタルをやっていたドラマー Ottar とボーカル Agyl が、1993 年に結成したのがエピックドゥーム / ヴァイキングメタルバンド Scald だ。モスクワから北東に約 250km ほどの位置、ヴォルガ川ほとりの都市ヤロスラヴリのバンドで、バンド名はヴァイキング時代～中世のスカンジナビアの詩人である。余談だが、Agyl は Herald のいとこらしい。

セカンドギタリスト Karry の加入後、94 年にデモテープ『North Winds』を Wroth Prod.（後の Wroth Emitter Productions）から発表、96 年にアルバム『Will of Gods Is a Great Power』を MetalAgen からリリースした。しかし、翌 97 年 9 月に Agyl が鉄道事故で命を落としてしまう。これによりバンドは解散、残ったメンバーは埋葬塚を意味するフォークメタルバンド Tumulus を結成する。なお、Scald は Hammer of Doom Festival に出演するために、Nifelheim や Deströyer 666 でも活躍する Felipe Plaza Kutzbach をボーカルに迎えて 2019 年に再結成している。21 年には再結成後初となるシングル「There Flies Our Wail!」を発売した。

Will of Gods Is a Great Power
MetalAgen　1996
唯一のアルバム。『Hammerheart』や『Twilight of the Gods』期の Bathory をよりスローにしたような音楽性で、彼ら自身はエインシェント・ドゥームメタルと称する。Agyl の歌はマイルドな中音から、伸びやかな高音に至るまで非常に上手い。もとはテープだが、03 年に『Will of the Gods Is Great Power』と若干の改題の上で、Wroth Emitter Productions から CD 化、19 年には Hammerheart Records から前身バンド Pocc の音源などを追加して、スリップケース仕様の 2 枚組で再発された。

STORM《ストルム》

ノルウェー大御所勢揃いするも反キリストで女性ボーカル後悔！

ノルウェー オスロ　1993 〜 1995　S. Wongraven (Gt, Ba, Key, Vo), Herr Nagell (Dr, Vo), Kari Rueslåtten (Vo)

Darkthrone、Satyricon、The 3rd and the Mortal

Storm はノルウェーの大御所ブラックメタルバンド Satyricon のボーカル、ギター、キーボード、ベースをこなす Satyr が 1993 年に企画したスタジオプロジェクトだ。彼は同郷の同じく大御所ブラックメタルバンド Darkthrone のドラマー Fenriz に、ノルウェーの民族音楽への造詣が深いとのことで声をかけた。Fenriz が当時フォーク / ブラックメタルバンド Isengard を掛け持ちしていたからだ。その後、ドゥーム / ゴシックメタルバンド The 3rd and the Mortal を脱退した Kari Rueslåtten に、その美しい声と音楽的才能を評価して加入を呼びかけて、ここに 3 人体制が完成した。ちなみに Storm では Satyr と Fenriz の二人はそれぞれ S. Wongraven、Herr Nagell の名で参加している。このバンド名は、音楽的な大旋風を巻き起こすという意味合いと、ノルウェーの荒天とのダブルミーニングとなっている。

Satyricon と言えば、その 3 枚目のアルバム『Nemesis Divina』で提示したファストでメロディックなメジャークオリティのブラックメタルで広く知られているが、それ以前の 2 枚のアルバム『Dark Medieval Times』と『The Shadowthrone』では、中世を主題にしたアトモスフェリックでフォーキーなブラックメタルをやっていた。Storm は Satyricon の持つそうした側面からの派生とも考えられよう。なお、Satyricon は近年はヴィンテージロックのような作風だったり、音楽性を変えている。

Satyr はノルウェーの空気感を作り出し、自分と Fenriz がともに持つ音楽的ルーツへの想いを表現する場として Storm を捉えており、そのためにノルウェーに伝わる民族音楽のメタルバージョンをやりたかったそうだ。そういうわけで、このバンドは最初のヴァイキングメタルバンドの一つと考えられ、後続のバンドに大きな影響を与えた。彼らは 95 年 2 月に 1st フルアルバムにして最初で最後の作品『Nordavind』を、Satyr が運営するレーベル Moonfog Productions からリリースして、ほどなくして解散してしまう。4 月に EP をリリース予定だったらしいが、実際に発売されることはなく、収録予定だった曲は 96 年のオムニバスアルバム『Crusade from the North』に収録された。

真相は闇の中

Kari Rueslåtten は、このプロジェクトの歌詞に過激な内容が存在しないことを条件に参加したのだが、参加後に Satyr によって、彼女が歌うパートが存在しない収録曲『Oppi fjellet』に歌詞が書き加えられた。「父なる大地に敬礼しないすべての者に恐ろしい死を」という国粋主義的な内容や、「キリスト教徒の血の匂いを感じたら、斧を手に取り切り落とせ」という反キリスト教的な内容が加わったため、自分は他の二人に騙され、裏切られたと彼女は述べている。歌詞が変更されたことを知って強く反対したが、No と言えるほど自分は強くなかった、このプロジェクトに参加したことを後悔しているとのことだ。

対して Satyr は、歌詞は追記されておらず、彼女はこの曲の内容を初めからすべて知っていた、The 3rd and the Mortal を脱退してソロ活動を始める大事な時期だったから、怖気づいただけなのだと主張している。Satyr いわく、そもそもこの曲はレイシズム的な受け取り方もできてしまうが、そういう意図はなく、キリスト教はノルウェーに押し付けられた物であるから敵視するが、キリスト教徒を蔑視するものではないとのことだ。Kari はアルバムリリースの 2 週間前に完成した CD を受け取って、「ブックレットがとても美しく自分は大変満足している」と話していた、とも Satyr は述べている。

真相は定かではないが、参加メンバーが大御所なのも相まって、このアルバムがフォーク / ヴァイキングメタルの先駆けとして、重要な作品なのは揺るぎない事実だ。

Dark Medieval Times
Moonfog Productions　1994
Satyricon のデビュー作。アコースティックギターや民謡メロディがふんだんに取り入れられ、キーボードによる色付けに加えて、フルートまで登場するフォーキーなミドルテンポ主体のアトモスフェリック・ブラックメタル。なので後の作品で聴けるような Frost の超速ドラミングはこの作品には登場しない。「暗い中世の時代」のタイトル通り、薄暗く寒々しい不気味な世界観が凝縮された作品となっている。全体的に展開がやや唐突で、アヴァンギャルドな感じがするのも特徴である。2021 年に Napalm Records から再販され、国内盤も発売される予定。

Høstmørke
Moonfog Productions　1995
Isengard の初のオリジナルアルバム。バンド名は J・R・R・トールキンの小説『指輪物語』に登場する要塞の名で、タイトルはノルウェー語で「秋の暗闇」の意。本作はブラックメタル曲と北欧民謡曲から成り、前者は Satyricon の Frost に、後者は Satyr に捧ぐ曲らしい。このプロジェクトでは Fenriz はドラムのみならず、すべてのパートを一人でこなしている。「Landet og havet」（大地と海）はなんとアカペラである。2010 年に Peaceville Records から再販された。

Nordavind
Moonfog Productions　1995
「北の風」を意味するバンドの唯一の作品。インスト 2 曲を含む全 10 曲 33 分。ノルウェーの伝統音楽をメタルアレンジして歌詞を付けたもののほか、オリジナルの楽曲も収録されている。民族楽器の使用こそないものの、いずれも民謡メロディ、力強く朗々とした漢くさいクリーンボーカル、時折入る女声ボーカル、「ヘイ！」の掛け声と近年のフォーク / ヴァイキングメタルに通ずる音楽をいち早くやっていた作品。ノルウェー愛溢れる作品のため、当然ながら歌詞はすべてノルウェー語。Storm も英語と同じ綴りなだけだろう。残念ながら廃盤。

VINTERSORG《ヴィンタソリ》

数学までテーマにし脳出血・聴覚喪失に見舞われた「冬の悲しみ」！

スウェーデン ヴェステルボッテン県 シェレフテオ　1994 ～ 1996 (as Vargatron), 1996 ～
Andreas Hedlund (Vo, Gt, Ba, Key), Mattias Marklund (Gt, Vo), Simon Lundström (Ba, Vo)

北欧神話から数学まで

Vintersorg はスウェーデンのヴェステルボッテン県の都市シェレフテオで、Andreas Hedlund（彼自身 Vintersorg と名乗っている）らによって結成されたフォーク / ヴァイキング / プログレッシヴメタルバンドだ。1994 年の結成当時は、スウェーデン語で「狼の玉座」を意味する Vargatron というバンド名で、ノルウェーの Borknagar（彼は後にこちらにも一時加入）と同様、ブラックメタルの枠組みを広げるべく始まったプロジェクトだった。このバンドは当時のブラックメタルとしては珍しく、クリーンボーカルやアコースティックギターを大体的に取り入れていたが、数度のメンバーチェンジの末に 96 年夏に解散してしまう。しかし、彼はこのバンドのために制作した楽曲を活用したかったので、ソロプロジェクトという形でレコーディングすることにした。この時、「冬の悲しみ」を表す Vintersorg に改名して、このバンドが誕生した。この名は『Sagan om Isfolket』（氷の民の伝説）という小説に登場する異教徒の主導者の息子の名から取ったものだ。当時彼はフォークメタルバンド Otyg を並行活動させており、そちらで大手レーベル Napalm Records と契約していたため、Vintersorg としてレコーディングした作品は 98 年 7 月に EP『Hedniskhjärtad』（異教徒の心を持った）の名のもとに、同レーベルから日の目を見ることとなった。

同作の成功に満足して彼は、フルアルバムの制作に取り掛かり、12 月には早くも 1st フル『Till fjälls』（山々へ）を発表する。さらにその翌年 11 月には 2 枚目『Ödemarkens son』をリリースする。この作品まではフォークの要素が色濃く出ていたのだが、彼はさらに新しい音楽性を追求して 3 作目に取り掛かる。この追求に伴い、自然と新メンバーが必要となり、Otyg でともに活動していたギタリスト Mattias Marklund が加入した。そして 2000 年 11 月に、プログレッシヴな方向へ歩みだした『Cosmic Genesis』をリリースした。音楽性のみならず、歌詞のテーマも異教信仰や自然から、数学や科学へとシフトして、スウェーデン語だけでなく、英語も多用されている。01年にはヨーロッパツアーを含め精力的にライブを実施。その後、彼はますますプログレッシヴな方向を推し進めたため、Borknagarのドラマー Asgeirやex.DeathのベーシストSteve Di Giorgioの力を借りてレコーディングに着手、02年6月に『Visions from the Spiral Generator』を発表した。04年2月には、この方向性でのひとつの完成形となった5枚目のフルアルバム『The Focusing Blur』を世に送り出した。この翌年のフェスへの出演を最後に、多忙を理由にライブ活動は停止する。

溢れる創作意欲

2007年4月には原点回帰的にフォーク要素を前面に押し出した作品『Solens rötter』をリリース、四大元素をテーマにした4部作の制作を予告して、11年に土の『Jordpuls』(大地の鼓動)、12年に風の『Orkan』(ハリケーン)、14年に火の『Naturbål』(自然の焚き火)と着実にリリースを重ねた。しかし、14年11月に転倒事故により骨折、脳出血、左耳の聴覚喪失と大怪我を負ってしまう。活動が危ぶまれたが、前作でのゲストベーシストだったSimon Lundströmを、15年に正式メンバーに迎えてトリオ編成になり、17年6月には四部作のラストを飾る水をテーマにしたアルバムではなく、1stアルバムの続編となる『Till fjälls, del II』を発表した。また、事故の後遺症で大変だったようだが、同年3月には12年ぶりのライブを母国で敢行している。

Hedlundは02年に解散したOtygを12年に再始動させており、その他にもプログレッシヴメタルのCronianやプログレッシヴロックのWaterclime、メロディック・デスメタルのFission、過去にはゴシックメタルのHavayothや前述のBorknagarにも在籍と、その創造性はとどまるところを知らない。

Ödemarkens son

Napalm Records 1999

「荒野の息子」と題された2枚目のアルバム。一部ゲストミュージシャンを起用しているものの、Andreas Hedlundのソロプロジェクトだった頃の作品。ブラストビートやトレモロリフ、時折使用されるがなり声といったブラックメタル的な要素は残ってはいるが、朗々と歌い上げるクリーンボーカル、アコースティックギター、女声ボーカルの一部導入と、どちらかといえばフォークメタル的な要素が強い。歌詞はすべてスウェーデン語で、人間と自然の関わりをテーマにしている。ドラムは打ち込み。2017年にはLPも発売された。

Solens rötter

Napalm Records 2007

「Nordic Folk Metal」(北欧のフォークメタル)の宣伝シールを包装に貼られてリリースされた6枚目のアルバム。タイトルは「太陽の起源」を意味する。大半を英語で歌っていたプログレッシヴなアルバム3枚を経て、そのフィードバックを反映させつつも、再びスウェーデン語による原点回帰的なフォーク/ブラックメタルとなっている。ある意味この時点での集大成的な作品と言えよう。初期の作品よりどことなく暖かみが感じられる。歌詞についても自然だけではなく、物質から精神へといった哲学的なテーマも扱っている。

Till fjälls, del II

Napalm Records 2017

2枚組のデジパック仕様でのリリースとなった10枚目のアルバム。1枚目がアルバム本編で、2枚目は『Tillbaka till källorna』(ルーツに戻る)と題されたボーナスディスク扱いのEPとなっており、2枚目の4曲はVintersorgが改名前のVargatronだった頃に制作された楽曲群である。前3枚のアルバムが自然をテーマにしていたがために、初期のようなフォークの要素を帯びた楽曲を制作しているうちに、これは1stアルバムの続編となるべき作品だと感じて、この作品が生まれたとのことだ。

WINDIR《ウィンディル》

ソグン地方の農園を歌い、弱冠 25 歳で猛吹雪遭難死した伝説！

ノルウェー ソグン・オ・フィヨーラネ県 ソグンダール　1994 ～ 2004
Valfar (Vo, Accordion), Hvåll (Ba), Steingrim (Dr), Strom (Gt), Sture (Gt, Vo), Righ (Key)

マイナーコードでありさえすれば十分

ノルウェー南部に位置する人口 6,000 人程度の小さな自治体ソグンダール（ソンダルとも表記される）で、1994 年冬にマルチプレイヤーの Valfar（Terje Bakken）が開始したソロプロジェクトが Windir であり、後に正式なバンド編成となって活動した。バンド名は Sognamål（ソグン・オ・フィヨーラネ県に伝わる方言）で「戦士」を意味するとのこと。詳細は後述するが、Windir は Valfar の死に起因して 2004 年に解散し、半ば伝説的な扱いを受けている。

彼らの音はフォーク / ヴァイキングメタルであるとともに、ボーカルのスタイルを含め、メロディック・ブラックメタルにも分類される音楽性だ。実際、後続の多数のブラックメタルバンドに影響を与えたのだが、ブラックメタルというジャンルはとかく偏見の目で見られがちということもあり、Valfar は自身の音楽性をブラックメタルとは関連付けせず、「Sognametal」（ソグンのメタル）と称している。

彼は生まれの地ソグンダールを誇りに思っているため、バンドの歌詞は主として地元の歴史や伝承をテーマとしており、ソグンダールでも農村部で育ったそうで、農園に伝わる物語なども扱っているようだ。彼は二人の兄の影響で、主としてジャーマンメタルを聴いて育ったそうだが、Windir を結成する 15 歳の頃にはデス / ブラックメタルやクラシックを聴いていたらしく、一方 12 歳からアコーディオンを演奏していたとのことで、そのあたりが Windir の音楽性のベースになっているのではないかと思われる。ちなみに、彼はありとあらゆるジャンルの音楽を聴くらしく、マイナーコードでありさえすれば十分だとまで語っている。

誰にも邪魔されたくなかった

Valfar は名も知られてないようなデス / ブラックメタルバンドいくつかで演奏していたが、これらのバンドがつまらないと感じて、自らのバンドを結成することを決意、一人プロジェクトとしてWindirを開始した。当時のオフィシャルサイトのバイオグラフィーには、自分の音楽の方向性を誰にも邪魔されたくなかったためだと記載されていたが、後のインタビューを参照するに、田舎だったがために当時は良いメンバーが集まらなかったというのが実情のようだ。

結成年に初のデモテープ『Sogneriket』（ソグンの王国）を、翌95年には2本目のデモテープ『Det gamle riket』（古の王国）を発表した。これらの作品でギターを演奏したSorgなる人物は、各種メディアでは正式メンバーだったと見なされているようなのだが、Windirは一人プロジェクトとしてスタートしたはずで、この人物の位置づけは残念ながらはっきりしない。後に加入するギタリストStromがデモで演奏していたとValfarがインタビューで答えていることから、Stromと実は同一人物なのかもしれない。2ndデモは他にも、後にメンバーに加入するドラマーSteingrimなどの、セッションメンバーの協力のもと制作されている。

これらのデモはアンダーグラウンドなブラックメタルシーンで好評を博し、ノルウェー国内外の数多のレーベルがWindirとの契約を申し出た結果、バンドは自国のレーベルHead Not Foundと契約を交わすこととなった。

強いプレッシャーを感じた

そして1997年4月の『Sóknardalr』でデビューを飾り、99年の2ndアルバム『Arntor』で人気を決定的なものとしたのだが、これがあまりにも高評価を得たためにValfarは強いプレッシャーを感じたという。そのため、次作の制作に当たり、新たな作曲者としてベーシストHvåll（Jarle Kvåle）を加入させ、あわせて彼がやっていたシンフォニック・ブラックメタルバンドUlcus（潰瘍）の他のメンバー全員を受け入れた。

当時Valfarは大学生だったのだが、このUlcusは大学のクラスメートたちのバンドであり、これまでセッションドラマーとしてレコーディングに参加していたSteingrim（Jørn Holen）もその一員であった。また、95年から97年に数回のライブを実施した際のセッションメンバーもUlcusがやっていたとのことで、もともと気心の知れた仲だったようだ。ベースとドラム以外のメンバーは、リズムギターにSture Dingsøyr、リードギターにStrom（Stian Bakketeig）、キーボードにRigh（Gaute Refsnes）という布陣で、Valfarはボーカルとアコーディオンに専念、6人編成の正式バンド構成となった。Ulcusのメンバーの演奏技術が高かったために、Valfarは演奏の技術面を気にせずに曲作りに打ち込めるようになったという。

そして2001年に3枚目の『1184』をリリース、バンド体制でのリリースは大成功し、評論家やファン双方から絶大な支持を受けた。03年には同ラインナップで4作目『Likferd』を発表し、12月にはTabu Recordingsとの契約を交わしたのだが、その翌年悲劇が彼らを襲う。

受け継がれるソグンのメタル

2004年1月14日、Valfarが出かけたまま帰ってこなかったため、心配した家族が警察に通報するも、3日後遺体で発見されてしまったのだ。どうやら家族が所有する小屋に向かう途中に、猛吹雪に見舞われて到達することができず、引き返すことも叶わず、低体温症で亡くなったようである。弱冠25歳の若さだった。5月から7月にかけて次のアルバムのレコーディングが予定されていたのだが、バンドは代わりのフロントマンを立てることはせず、3月にWindirは公式に解散を発表した。

しかしながら、未発表曲、再録曲、ライブ音源、トリビュート曲などを収録した追悼アルバム『Valfar, ein Windir』が、Valfarの26歳の誕生日になるはずだった9月3日にリリース（この作品の売上は遺族に届けられた）され、また、残されたメンバーたちにより Enslaved や Finntroll といったゲストバンドを迎えて、同日 Windir のラストライブが開催された。このライブを収録した DVD も翌年リリースされている。

Windir の残されたメンバーたちはその後、Vreid や Cor Scorpii、Mistur といったバンドを結成し、Valfar が提唱した「Sognametal」を引き継いでいる。14 年には Vreid が Windir と Ulcus の結成 20 周年を記念して、「Sognametal 20 Years Tour」と称したツアーを実施、Valfar の兄である Vegard Bakken をボーカルに迎えて、Windir の楽曲のカバー数曲を披露した。

不謹慎と思われる向きもあるだろうが、壮絶な死が Valfar、そして Windir をより一層伝説的存在たらしめているように思われる。もし Valfar が亡くなっておらず、Windir が続いていれば、と考えると非常に惜しいバンドである。

Sóknardalr
Head Not Found　1997

わずか 4 日間でレコーディングされたデビュー作。デモの再録やリメイクを含む 8 曲入り。タイトルは Valfar の生まれの地ソグンダール（Sogndal）の方言表記で、地名の由来としては「道を探す川の流れる谷」のような意味らしい。ブラックメタル、クラシック、スカンジナビア民謡の融合により、高い作曲能力とオリジナリティが提示され、何度も再プレスされるほどの好セールスとなった。Valfar が全作詞作曲、ドラムを除く全パートを手がけており、彼自身マイナーコード好きということで、物悲しいメロディが詰まっている。

Arntor
Head Not Found　1999

Emperor、Burzum、Mayhem、Immortal など、錚々たるバンドが使用した伝説的スタジオ Grieghallen でレコーディングされた 2nd アルバム。タイトルはソグンダールの歴史上の戦士の名前で、後にバンドに加入する Hvåll の遠い祖先にあたるらしい。前作よりさらにフォークの要素が強まり、実際「Arntor, ein Windir」（戦士 Arntor）は既存のスカンジナビア民謡をベースとした曲だ。Valfar の追悼作『Valfar, ein Windir』はこれに因んだもの。ジャケットは Harald Damsleth による第二次世界大戦中のプロパガンダポスターらしい。

1184
Head Not Found　2001

正式なバンド編成としては初となる 3 枚目のフルアルバム。重税を課すスヴェレ・シグルツソンに戦士 Arntor が、仲間とともに歯向かったことを契機に 1184 年に勃発した、ソグンダールの村フィムレイトでのマグヌス 5 世とスヴェレとの戦いに因んだタイトルだ。過去作の歌詞は現代ノルウェー語や Valfar の地元の方言で綴られていたが、本作ではより幅広いリスナーに届くように、そして母語とは違った雰囲気を作り出すことでバンドの可能性を広げるために、英語も大々的に用いられるようになった。一番とっつきやすい一枚。

Likferd
Head Not Found　2003

4 作目となる本作のタイトルは Sognamål で「埋葬」を意味する。前作よりもシンセやアコーディオンの使用が控えめになったが、根本は変わらず民謡要素のあるメロディック・ブラックメタルである。ソグンダール農村部では遺体が埋められる教会までフィヨルド地帯をボートで運ばれるらしく、「Dauden」（死）は死者の視点からこれについて歌ったもの。奇しくも本作を最後に Valfar も教会に埋葬されることになってしまった。「Martyrium」（殉教者廟）も死を扱ったもので、哀愁漂う中に勇ましさも感じられる名曲だ。

SUIDAKRA《スイダクラ》

実はリーダー名前を逆にしただけのケルト神話愛好するドイツ人！

ドイツ ノルトライン・ヴェストファーレン州 デュッセルドルフ　1994 (as Gloryfication), 1994 ～
Arkadius "Akki" Antonik (Vo, Gt, Key), Sebastian Jensen (Gt, Vo), Tim Siebrecht (Ba), Ken Jentzen (Dr)

体調不良のフリをして授業を抜け出して結成

1994 年にギタリスト / ボーカリストの Arkadius Antonik と、ドラマー Stefan Möller が Gloryfication というバンドを結成した。この二人は同じ学校の生徒で、ある日 Stefan が授業中にバンドの結成を思い立ち、体調不良のフリをして授業を抜け出して Arkadius にその話を持ちかけらしい。当初の音楽性はデス / スラッシュメタルだったという。このバンド名のもとでは『XIII』というデモを制作している。幾度もラインナップチェンジを繰り返すうちに、彼らはキーボードを導入したり、もっとメロディックな音楽性へと方向性を変化させたため、バンド名を変更して生まれ変わることとした。そして 94 年後半に創設メンバーに加えて、キーボードと女声ボーカルを担う Daniela Voigt、セカンドギタリストでクリーンボーカルもこなす Marcel Schoenen、ベーシストの Christoph Zacharowski という 5 人体制で Suidakra（しばしば SuidAkrA と表記される）が誕生した。このバンド名は中心人物 Arkadius の名を逆に綴ったもので、響きが良くユニークだから採用したそうだ。

当時作詞を手がけていた Marcel はケルト神話に多大な関心を持っており、このバンドに加入前はアイリッシュフォークを演奏していた。彼の脱退後もケルト神話の雰囲気がバンドによくマッチするとのことで、引き続きバンドのモチーフはケルト神話のため、彼らはヴァイキングメタルではない。しかしその勇ましいメロディのためか、そう思われがちなバンドの一つだ。作を重ねるにつれてフォークメタル色が強くなるのだが、初期～中期は勇壮なメロディック・デスメタルの要素が色濃く、ヴァイキングメタルだと考える人がいるのも納得の音楽性だった。

今のサウンドが好きではないと言われた

95 年 12 月に 7 曲入りデモ『Dawn』を制作、97 年 6 月にフルアルバム『Lupine Essence』を自主制作により発表する。これ

が2,000枚を売り上げ、4つのレーベルからのオファーを獲得、バンドはドイツのレーベル Last Episode との契約に至る。そうして98年には早くも2作目『Auld Lang Syne』をリリースする。同作の発売後、ほどなくベーシストが Nils Bross へと入れ替わった。この頃には彼らは多くのライブに出演するようになっており、Wacken Open Air Festival への出場も果たしている。

99年に『Lays from Afar』、ベーシストが Nils から F.T. に入れ替わって、2000年に『The Arcanum』と立て続けにバンドはリリース、特に後者は初めてワールドワイドな流通を獲得した作品となった。だが、中心人物の Marcel がメンバーというポジションをやめて、楽曲提供やアドバイザー的な立ち位置へと移行する。彼らは Germano Sanna なるサポートギタリストを起用することでこれに対処した。01年2月に Vintersorg や Graveworm などとの Fear of the Dark Festival ツアーの後、F.T が脱退。さらに01年半ばには Daniela と Stefan が脱退してしまう。また、Last Episode は報酬の未払いを始めとして数々の問題があったため、バンドは契約更新はしなかった。

Century Media とサインするも決別

Century Media Records とサインした彼らに、ドラマーの Lars Wehner が加入して、バンドは次作の制作に取り掛かり、02年に『Emprise to Avalon』を発売。そしてベーシストの Marcus Riewaldt が加入、03年には Germano がサポートから離脱するが、楽曲提供を続けていた Marcel がその穴を埋めるべく、サポートの形で復帰した。そして03年に『Signs for the Fallen』を発売、さらに次作に着手するが、レーベルが作品のプロモーションをろくにせず、「バンドの今のサウンドが好きではない」と言われたとのことでバンドは Century Media Records と袂を分かつことになった。04年にセカンドギタリストかつクリーンボーカルのMatthias Kupkaが加入して、自費でアルバム制作を進めていたのだが、Armageddon Musicとの契約に至って『Command to Charge』が世に出たのは05年のことだった。Matthiasが自身の別バンドStill It Criesが忙しくなったために脱退、ArkadiusがMarcelに交渉して彼を正式に再加入させ、06年には8thアルバム『Caledonia』をドロップした。

コミックの世界の続きを綴る

07年8月には過去作からの楽曲の再録やリマスタリングを実施、これらは08年4月にベストアルバム『13 Years of Celtic Wartunes』としてリリースされた。07年11月にはUltima Ratio 3なるフェスに出場するが、その後Marcelが仕事に専念するために再び脱退してしまう。09年2月に『Crógacht』を発売、バンドはアメリカ、ヨーロッパ、中国をツアーでまわり、そのツアーでサポートメンバーだったギタリストSebastian Jensenが正式メンバーへと昇格した。ただ、彼は翌年脱退している。

11年に彼らはAFM Recordsと契約、10作目となる『Book of Dowth』を発表する。12年にベーシストがTim Siebrechtへと交代、セカンドギタリストMarius "Jussi" Peschが加入して13年5月に『Eternal Defiance』を発売する。同年、Arkadiusとベルギー人アーティストKris Verwimpのサイドプロジェクト Realms of Odoricが始動している。Krisは99年からSuidakraのアートワークを手掛けている。このプロジェクトは彼が96年に発表したコミック『Odoric: The Wall of Doom』の世界を表現し、物語の続きを綴るシンフォニックなサウンドトラック・プロジェクトだ。16年にはそれに関連して12枚目のアルバム『Realms of Odoric』を発売する。

その後、Timが脱退、Jan Jansohnが加入して17年にはPagan Metal Horde vol.1で初来日を果たすも、18年にLars、Marius、Janが脱退。ギタリストSebastian Jensenを再加入させ、さらにベーシストKen Jentzenを加えて同年『Cimbric Yarns』を発表した。19年に、ベーシストのTimがバンドに復帰、Kenがドラムに転向してベストアルバム的な14枚目『Echoes of Yore』をリリースしている。

Lupine Essence
Independent 1997

自主制作で発表されたデビュー作。Lupineは「狼の（ように獰猛な）」の意。この時点ではメロディック・ブラックメタルにフォークの要素を混ぜ合わせたような音楽性で、まだまだ洗練されていない印象を受けるが、そのメロディの質はすでに光るものを感じさせる。オリジナル盤は入手困難だが、『Lays from Afar』の2002年再発盤にまるごと収録されたほか、20年にMDD Recordsからリマスタリングおよび収録曲の別バージョン6曲をボーナストラックに追加して再発されたので、そちらを手にすると良いだろう。

Auld Lang Syne
Last Episode 1998

レーベル所属後初となる2枚目のフルアルバム。タイトルはスコットランド・ゲール語で「久しき昔」の意。ゲール語で暗い季節（転じて12月の意だがメンバーいわく秋）を意味し、生命の終わりや儚さを歌う「An Dùdlachd」や、ケルト神話に登場するダーナ神族を意味する「Tuatha dè Danaan」など、彼らの個性たるケルトモチーフの楽曲が登場するようになったのは本作から。音楽性は前作の延長上のアトモスフェリックなメロディック・ブラックメタルだが、ヴァイキングメタルに通ずる勇ましさも感じられる。

Lays from Afar
Last Episode　1999
初のコンセプトアルバムとなった 3rd アルバム。どこか異界の地に踏み入った英雄が、元の世界に戻るまでの冒険譚が綴られた。ケルト神話には同種の物語がしばしば登場し、これに触発された作品とのこと。ブラックメタル色はトレモロリフやハーシュボーカルに残ってはいるが、前作以上にケルティックフォークからの影響が色濃く出ており、ヴァイキングメタル的な勇猛なメロディもそこかしこに登場するため、非常に聴きやすい一枚。後に蜜月関係となる Kris Verwimp が、彼らのジャケットデザインを手がけた最初の作品でもある。

The Arcanum
Last Episode　2000
4th アルバム。初のカバー曲を含む 9 曲入り。Marcel と Nils が Skyclad の大ファンで、楽屋で「The One Piece Puzzle」を演奏していたのを他のメンバーが聴いて気に入ったため、この曲をカバーしたそうだ。タイトルは世界の物質的・精神的な秘密を指す単語で、錬金術師が探求しているとされる。メロディック・デスメタル色が強まり、Pro Tools の導入により音質も向上した。2011 年に Amorphis などのカバー 3 曲を追加、リマスタリングの上、ジャケットを洗練して AFM Records から再発された。

Emprise to Avalon
Century Media Records　2002
レーベルを移籍し、再びコンセプト作となった 5 枚目のアルバム。M&I カンパニーから初の国内盤も発売された。「アヴァロンへの冒険」を意味する本作は、アーサー王の伝説をベースに独自の創作を交えた作品となっている。アヴァロンとは同伝説に登場する異世界の島だ。ラストに収録された「Still the Pipes Are Calling」はデビュー作『Lupine Essence』に収録の「Warpipes Call Me」のリメイク。本作以降使用されている大文字小文字混じりのバンドロゴは Nils によるもの。2014 年に前作同様の変更の上で AFM Records から再発された。

Signs for the Fallen
Century Media Records　2003
メンバー全員が作曲に携わるという初の試みがなされた 6 枚目。ところどころに配されたクリーンボーカルによる歌唱や、勇ましいリフなどヴァイキングメタルの要素は健在だが、フォークの要素が減退し、ストレートなメロディック・デスメタルに歩み寄った音楽性となった。新ドラマーの Lars が非常に上手いこともあって、バンド史上最長の 9 分近い「Bound in Changes」などこれまでより凝った展開の楽曲も見られる。歌詞は Marcel の個人的な内省からテロリズムといった世の中の諸問題まで幅広く扱っているとのこと。

Command to Charge
Armageddon Music　2005
レーベルを再移籍して発表された 7 作目。フォークメタル調のリフやメロディにマンネリ感を覚えたがため、あえてその要素を減らしてヘヴィでモダンなメロディック・デスメタル寄りのサウンドにしたとメンバーは語るが、メディアからの評価は低い。とは言え、スコットランドの伝統音楽を取り入れたインスト曲「Dead Man's Reel」やクリーンボーカルとアコースティックギターによる美しい「Gathered in Fear」など一聴の価値あり。本作以降の 6 作にはプロバグパイプ奏者 Axel Römer がゲスト参加。

Caledonia
Armageddon Music　2006
8th アルバム。前作で新しい試みをしたことで、またアイデアが浮かんできたらしく、再びフォークの要素が強まった。タイトルはほぼ現在のスコットランドに当たる地域を指す言葉で、そこのピクト人と侵略してきたローマ帝国の戦いをテーマとしたコンセプト作。その背景には、まったく異なる文化の衝突や両者の共生などがあるという。ピクト人は体に色を塗っていたらしく、「The IXth Legion」の MV のメンバーのボディペイントはそのイメージだろうか。『Emprise to Avalon』と並び評価が高い佳作だ。

Crógacht
Wacken Records　2009

Armageddon Music が改名した Wacken Records から発売された 9th アルバム。タイトルはアイルランド・ゲール語で「勇気」の意。アイルランド神話「オイフェの一人息子の最期」をテーマとしたコンセプトアルバム。英雄クー・フーリンは女戦士スカアハから武術を学び、彼女と対立していたオイフェを打ち破り、子供を産ませる。が、諸事情によりクー・フーリンはその子供コンラを息子だとわからずに殺してしまう。本作以降、Kris Verwimp がアートワークのみならず、作詞も手掛けるようになった。

Book of Dowth
AFM Records　2011

再度レーベルを移籍してリリースされた 10 作目。デジパック盤には既発曲のリアレンジ 2 曲を追加収録。さらにボーナストラック追加の上、Red Rivet Records から国内盤も発売された。Dowth とはアイルランドの墳墓で、そこで考古学者が本を見つける。その本にはフォモール族というアイルランド神話に登場する種族の邪悪な魂が封じられており、それらが解き放たれて人類を滅ぼすというストーリー。アーサー王やクー・フーリンの英雄譚から離れ、アイルランド神話のダークサイドにスポットを当てたコンセプト作。

Eternal Defiance
AFM Records　2013

11th アルバム。デジパック盤にはアイルランド民謡のカバーを追加収録。前作同様、国内盤も発売。ウェールズに伝わる「マクセン・ウレディクの夢」という物語に基づくコンセプトアルバム。西ローマ帝国皇帝マグヌス・マクシムスが夢で見たエレン姫に恋焦がれる。夢で見たとおりにウェールズに向かうと彼女は事実そこにおり、両者は惹かれ合い結婚する。しかし彼が長年ウェールズで暮らして戻らなかったため、ローマでは新皇帝が立てられていた。マクシムスはイタリアとガリアに攻め入ってローマの王座を取り戻す、というストーリーだ。

Realms of Odoric
AFM Records　2015

12 枚目のアルバム。ケルト神話ではなく、Kris Verwimp による 1996 年発表のコミック『Odoric: The Wall of Doom』に基づくコンセプトアルバム。もともと彼は『Auld Lang Syne』を聴いて、Suidakra の次作のカバーを描かせてほしいとレーベルにコンタクトを取ったらしいので、自分の作品が Suidakra のアルバムになって歓喜したという。同名のサイドプロジェクトの影響か、やや映画音楽的で、メロディック・デスメタルとしての盛り上がりに欠け、今ひとつの印象の作品。

Cimbric Yarns
AFM Records　2018

13th アルバムは初のアコースティックアルバムとなった。デジパック仕様での発売。アコースティックギター以外にフルートやヴァイオリン、バンジョーやハーモニカなど多彩な楽器が用いられている。前作に続き、Kris によるファンタジー作品がテーマ。その昔、宇宙の大変動で滅んだ高度文明の神話を再構築するものらしい。久々に旧メンバーの Marcel がクリーンボーカルで参加している。依然としてややサウンドトラック的な印象は受けるが、アコースティックフォークのため、雰囲気ものの作品として捉えれば前作よりはオススメ。

Echoes of Yore
AFM Records　2019

活動 25 周年を記念して制作された、最初の 5 作品からの 10 曲の再録アルバム。選曲はクラウドファンディングの出資者による人気投票で選ばれた。ここ数作品はメタルのアグレッシヴさよりも、フォークの要素の比重が強くなってしまっていたため、彼らの作品への入門盤としてはこれが適切だろう。全体的にプロダクションが大幅に改善しており、特にブラックメタル色が強かった初期の曲「Havoc」などは表現力の向上も相まって、完成度が上がっている。一方、ボーカルの迫力の低下を感じる曲もあるため、曲ごとに好みが分かれるだろう。

コラム　極右政党のテーマソングに用いられたヴァイキングロック

本書ではヴァイキングメタルを、ヴァイキングの歴史や北欧神話をモチーフとし、しばしば民族楽器を導入したり民謡メロディを織り込んだメタルとして紹介している。メタル以外でもそうした背景や特色を持つ音楽は存在し、例えばEnslaved の項目で少し触れた Wardruna や、ノルウェーの Skáld（スカルド詩）などのネオフォークやペイガンフォークは、メンバーの出自からの自然な帰結ではあるが北欧神話をテーマとしたものだ。また、カナダの Les Bâtards du Nord（北の野郎ども）も北欧神話に基づいたフォークミュージックをプレイしている。

ここでは他の例で、ヴァイキングメタルと親和性が高いものとしてヴァイキングロックについて触れたい。これはパンクロックのサブジャンルで、ヴァイキングメタルが産声を上げたのとほぼ同時期の 1990 年代前半にスウェーデンで誕生したものだ。スウェーデン語表記では Vikingarock で、この単語は 94 年に Ragnarock Records から発売されたコンピレーション・アルバムのタイトルで初出だと考えられている。Oi! の影響を受けており、ヴァイキングメタル以上に人種差別的な思想との結びつきが強いと見なされている。というのも、このジャンルのパイオニアであるバンド Ultima Thule（世界の最果て）は 80 年代に頻繁に国粋主義者向けの雑誌で特集されたり、インタビューを受けており、初代ボーカルの Bruno Hansen はネオナチ政党だった北欧帝国党のニュヒェーピング（セーデルマンランド県の県都）における活動グループのリーダーだったからだ。彼らの 1st EP『Sverige, Sverige fosterland』（スウェーデン、母なる大地スウェーデン）は極右団体 Bevara Sverige Svenskt（スウェーデンをスウェーデンたらしめ続けよ）にスポンサーされ、極右政党スウェーデン党のテーマソングに用いられた。また、収録曲のいくつかはイギリスの極右 RAC/Oi! パンクバンド Skrewdriver らとのコンピレーションにも採用された。ただ、Ultima Thule 自身はファシズムや人種差別主義に反対しており、愛国的なだけだと断言しているそうだ。彼らは 84 年に結成し、92 年の『För fäderneslandet』（祖国に捧ぐ）で 10 万枚以上のセールスを記録して商業的な成功を収めた。93 年の『Vikingabalk』（ヴァイキングの掟）も 8 万枚以上のヒットとなった。どちらも思想云々は別として、キャッチーな曲や哀愁漂うメロディが堪能できる好盤なので聴いてみると良いだろう。後に彼らは Ultima Thule Records を設立、二人の女性ボーカルを擁するヴァイキングロックとして有名な Hel や、本書でも取り上げた Glittertind らと契約を交わした。

Glittertind がヴァイキングロック系のレーベルと契約して初期のデモアルバムをリリースしていたことから窺えるように、ヴァイキングメタル・シーンにもヴァイキングロックと接点があったり、そちら寄りの音楽性のバンドが散見される。スウェーデンの Enhärjarna（エインヘリヤルの活用形の模様）もパンクの影響が色濃いヴァイキングメタルだし、本書でレビューしたフィンランドの Seppä Ilmarinen の Arska は Vikingarock France Records からも作品をリリースしている。

CHAPTER 2

THE RISING PERIOD

ヴァイキングメタル興隆期

1995 ～ 2004

第二章では、1995 ～ 2004 年をヴァイキングメタル興隆期と位置づけて、この期間に結成されたバンドを紹介する。黎明期のバンドの影響が広がり、フォロワーバンドが大量に出現したのは、この時期である。ジャンルが多様化して、正当な歴史・文化的背景がなくてもヴァイキングメタルだと考えられるようになった。また、フォークメタルがブームとなり、エンターテインメント的なバンドが増えたのもこの時期だ。

BORKNAGAR《ボルクナガル》

ブラックメタル界スーパースター 大集合でもプログレッシヴ風！

ノルウェー ホルダラン県 ベルゲン　1995～　Øystein Garnes Brun (Gt), ICS Vortex (Vo, Ba), Lars "Lazare" Nedland (Key, Vo), Bjørn Dugstad Rønnow (Dr), Jostein Thomassen (Gt)

ブラックメタルの枠組みを広げる

ノルウェー南西部の都市ベルゲンで活動していたデスメタルバンド、Molested のボーカルとギター担当だった Øystein Garnes Brun は、そのブルータルな音楽に疲れを感じた。もっとメロディックな音楽をやろうと、当時ノルウェーで急成長していたブラックメタルに触発され、伝統的なブラックメタルの境界を広げるべく 1995 年に始動したのが Borknagar だ。この名は特に意味のない造語らしいが、スコットランドのロッホナガール山（Lochnagar）に着想を得たそうだ。当初はアトモスフェリックでフォーキーなヴァイキング / ブラックメタルだったが、年々プログレッシヴな作風を強め、近年は Enslaved や Vintersorg と同様、ヴァイキングや北欧神話をテーマにしつつも、ほぼプログレッシヴ・ブラックメタルとなっている。

始動後すぐ、彼はほぼすべてを一人で作詞作曲し、Gorgoroth のベース Infernus、Immortal と Gorgoroth のドラム Grim、Enslaved のキーボード Ivar Bjørnson、そして Ulver や Arcturus のボーカル Garm という、ノルウェーブラックメタル界のスーパースターたちをメンバーに揃えた。錚々たる面子となったため、デモ音源を作らずとも彼らは大きな話題を呼び、Malicious Records からオファーを受け、96 年にアルバム『Borknagar』でデビューを飾った。その後、Infernus が脱退して Kai K. Lie に入れ替わる。同作の成功で、大手 Century Media Records との契約に至り、翌年にはプログレッシヴな方向に舵を切り出した 2 作目『The Olden Domain』を発表。ファンやメディアから絶大な支持を受け、98 年には大御所メロディック・デスメタルバンド In Flames のサポートアクトという形でヨーロッパツアーに乗り出した。

火の渦と氷の渦

なお、97 年にはギタリスト Jens F. Ryland が加入、ボーカルが Garm から後に Dimmu

Borgir でも活躍する ICS Vortex（Simen Hestnæs）へと交代している。Garm は 2 作目で Fiery G. Maelstrom 名義でクレジットされていたが、Fiery の対義語の Icy（氷の）から IC、Garm の頭文字 G に対して Simen の S、Maelstrom と Vortex はどちらも「渦」なので、ICS Vortex とは Garm に因んだ名前らしい。そして 3 枚目『The Archaic Course』を 98 年に発売、Wacken Open Air への出場を果たす。その後 Grim、Kai、Ivar が脱退、ドラムに Justin Greaves が加入、Vortex がベースを兼任することとなった。99 年にはドラムが Nicholas Barker に交代、Solefald の Lars "Lazare" Nedland がクリーンボーカルもこなすキーボーディストに加入して、Emperor らと北米ツアー Kings of Terror を実施。2000 年にはドラムが Asgeir Mickelson に交代、4 枚目『Quintessence』をドロップした。Vortex が Dimmu Borgir の活動に専念するため Vintersorg と交代、ベースに Erik "Tyr" Tiwaz が加入して、彼らのキャリアでも特によく売れた『Empiricism』を 01 年に発表した。Jens と Tyr の脱退を経て 04 年に『Epic』、06 年に『Origin』を発表、Indie Recordings に移籍後、Jens と Tyr が復帰、ドラムが David Kinkade に交代して『Universal』、Tyr が再度脱退、Dimmu Borgir を脱退した Vortex が復帰、Century Media Records と再契約して『Urd』、ドラムが Baard Kolstad に交代して『Winter Thrice』とリリース。18 年にドラムが Bjørn Dugstad Rønnow に交代、Jens が再度離脱。19 年には長年ボーカルを務めた Vintersorg が個人的な理由で脱退して、Vortex がハーシュボーカルを兼任するようになった。同年、ギターの Jostein Thomassen が加入し、11 枚目となる『True North』を発表した。

Borknagar
Malicious Records 1996
プログレ方向に進む前のデビュー作。ブラックメタル色が強いとは言え、アコースティックギターやクリーンボーカルといったフォーク / ヴァイキングメタル的な要素が時折織り込まれ、10 曲中 5 曲がインスト曲であるなど、エピックな作風となっている。これ以降の作品では英語詞だが、本作は唯一全編に渡ってノルウェー語で歌われている。2004 年に Displeased Records から、2012 年に Hammerheart Records から再発（後者はリマスタリング含む）されているので、そちらを手にすると良いであろう。

Origin
Century Media Records 2006
原点回帰的な意味合いが込められた 7 枚目。と言っても本作で提示されたのは 1st のようなブラックメタルではなく、完全アコースティック・フォーク。1st 以前に Øystein は最初にアコースティックギターで、Borknagar の曲作りを始めたらしく、フォークミュージックの持つエネルギーや神秘的な側面にインスパイアされたとのことである。3rd アルバム収録曲『Oceans Rise』のアコースティックバージョンを含む全 9 曲入り。フルートやオルガン、マイルドな歌声などプログレファンにも訴求する内容である。

Winter Thrice
Century Media Records 2016
10 枚目のアルバムであると同時に、1st アルバムから 20 年の節目のリリースとなった作品。記念として本作には、Ulver の Garm が 2 曲目「Winter Thrice」と 8 曲目「Terminus」でゲストボーカルとして参加している。タイトルの「三度の冬」は、北欧神話においてラグナロクの前に、厳しい冬が 3 回続くという物語に因んだものだ。音楽性としてはブラックメタル要素が弱まり、雄大なプログレッシヴ・フォークメタルのようになった。デジパック仕様の限定盤には、ボーナストラックが 1 曲追加で収録されている。

ENSIFERUM《エンシフェルム》

こぐま座の星にも命名された ヒロイック・フォークメタル！

フィンランド ウーシマー県 ヘルシンキ　1995～　Markus Toivonen (Gt, Vo, Percussion, Banjo, Dulcimer, Bouzouki), Sami Hinkka (Ba, Vo, Dulcimer, Percussion), Petri Lindroos (Vo, Gt, Banjo, Percussion), Janne Parviainen (Dr, Bodhrán), Pekka Montin (Key, Vo)

帯剣する者

Ensiferum は 1995 年にフィンランドの首都ヘルシンキで、ギタリストの Markus Toivonen、ベーシストの Sauli Savolainen、ドラマーの Kimmo Miettinen の 3 人によって結成されたフォーク・メロディック・デスメタルバンドだ。もともと Markus は Dark Reflections というバンドで、Megadeth や Pantera といったバンドのカバーをやっていたらしい。だが、このバンドではあまり刺激が得られず、もっと違った音楽を演奏したいと思うようになった。彼はノルウェーの Storm や Folque など、民謡や民族音楽に強く影響を受けており、その一方で Amorphis や Dark Tranquility のようなメロディック・デスメタルバンドに魅力を感じていたとのこと。そうして Kimmo にフォーク・メロディック・デスメタルを一緒にやらないかと持ちかけ、次いで友人だった Sauli を誘い、ここに 3 ピースのバンドが誕生した。

バンド名はその時点では決まっていなかったのだが、Markus が Sauli の家を訪ねた際に、ラテン語の辞書を見つけ、適当にページを開いて目についた Ensiferum という単語が、その綴りや音の響きのためか魅力的に思われ、さらにその「帯剣する者」という意味を知って興奮して、このバンド名となった。ちなみにフィンランド国内では Enska という愛称でも呼ばれている。

彼らは自らの音楽性を「ヒロイック・フォークメタル」と称しており、現ベーシストの Sami は Ensiferum とヴァイキングメタルには何の関係もない、と明言している。しかし、ヒロイックなものの一つとしてヴァイキングがあり、実際ヴァイキングをテーマにした楽曲も存在するため、彼らをヴァイキングメタルバンドだと考えている向きも少なからず存在する。

バンドコンテスト出場からのレーベル獲得へ

結成の翌年には、当時 Immemorial なるバンドに在籍し、ソロアーティストとして

も活躍していたJari Mäenpääを説得して、ボーカリスト兼セカンドギタリストとして加入してもらい、同年12月にはPasila Youth Centreで初ライブを実施した。Jariは97年1月から兵役に出るが、その間に残りのメンバーは練習に励み、秋に彼が帰還すると1stデモの制作に取り掛かった。こうして完成した3曲入りの『Demo I』は300本近く売れたらしい。しかし98年には、Sauliが仕事と学業に専念するため、そしてKimmoがメロディック・ブラックメタルバンドArthemesiaに加入するために脱退してしまう。後任のベーシストにはKimmoの弟で当時弱冠14歳だったJukka-Pekka Miettinenを迎え入れ、ドラマーにはArthemesiaを脱退したOliver Fokinが加入した。なお、Jukka-PekkaとJariもEnsiferumと並行してArthemesiaに加入しており、余談となるが、同バンドの『Devs - Iratvs』は名盤なのでぜひ一聴されたい。

バンドは99年1月に4曲入りの『Demo II』を発表、地元のバンドコンテストに出場するなどスキルアップに取り組み、11月にはボーナストラック1曲を含めて5曲入りの『Hero in a Dream』という3作目のデモを発表した。特に3rdデモはメディアの間でかなりの好評を博し、フィンランドのレーベルSpinefarm Recordsとの契約に至った。

3度の来日

そうして2001年にはデビューアルバム『Ensiferum』のお披露目となった。その後キーボーディストMeiju Enhoが加入し、04年には出世作となった2枚目のフルアルバム『Iron』を発表した。

しかし、Jariは03年にソロプロジェクトWintersunを始動しており、そちらのレコーディングとEnsiferumのツアーの日程がバッティングしてしまった。そして、彼はWintersunに専念するためにバンドを脱退してしまう。ライブではその穴を埋めるため、同郷のメロディック・デスメタルバンドNortherのPetri Lindroosにサポートに入ってもらったのだが、バンドを掛け持ちしてもらう交渉の末、彼は正式メンバーに加入する。04年にはJukka-Pekka Miettinenも脱退、後任にSami Hinkkaが加入、翌年にはOliver Fokinが脱退、WaltariやBarathrumといったバンドに所属していたことでも知られるJanne Parviainenが入れ替わりで加入した。Finnish Music Daysで初来日を果たしたのも05年のことである。

この新ラインナップで06年にEP『Dragonheads』と10周年記念ライブDVDを発表した。ちなみに同年、Ensiferumのロシアのファン集団が、こぐま座の星の一つにEnsiferumと命名したらしい。これがどの程度の実効性があるのか不明である（少なくともこぐま座の Wikipedia には載っていない）が、バンドは悠久の星々に名を連ねることになった。

07 年には 3 枚目のフルアルバム『Victory Songs』を発表し、キーボーディストの Emmi Silvennoinen への入れ替わりを経て、09 年には 4 枚目『From Afar』をドロップ。さらに 12 年には 5 枚目『Unsung Heroes』を発表する。14 年には Pagan Metal Alliance で 9 年ぶり 2 度目の来日公演を成し遂げている。15 年にはアメリカの大手レーベル Metal Blade と契約して、6 枚目のフルアルバム『One Man Army』を発表、16 年には再びキーボーディストが脱退するが、代わりに同郷の Turisas で活動していたアコーディオン奏者 Netta Skog が加入、活動 20 周年を記念したベストアルバム『Two Decades of Greatest Sword Hits』が発売された。

17 年には 7 枚目のフルレングス『Two Paths』をリリースした。その後 Netta が残念ながら脱退してしまったが、18 年には Pagan Metal Horde vol.2 で 3 度目の来日も実現させ、20 年にはキーボードとクリーンボーカルをこなす Pekka Montin を迎え入れ、8th アルバム『Thalassic』をドロップした。

Ensiferum
Spinefarm Records 2001

デモの再録 7 曲を含むデビュー作。ヒロイックで土着的なメロディック・デスメタルを聴かせる。Markus は Iron Maiden や Judas Priest なども好んで聴くらしく、「Guardians of Fate」はその影響が垣間見える名曲である。Moonsorrow や Finntroll で活躍するキーボーディスト Trollhorn がゲスト参加。ジャケットは Dark Funeral や Dissection のカバーアートで知られる Necrolord によるもの。何度か再プレスされ、ボーナストラック違いのものが数パターン存在している。

Iron
Spinefarm Records 2004

国内盤デビューした 2 作目。前作からの流れにある音楽性。Metallica の『Master of Puppets』を手がけた Flemming Rasmussen によるプロデュースで、デンマークの Sweet Silence スタジオで制作された。ライブで盛り上がる定番曲「LAI LAI HEI」が収録されている。Markus のお気に入りの同郷のフォークロックバンド Tarujen Saari のボーカル Kaisa Saari が、女声ボーカルやティン・ホイッスルでゲスト参加。まずは本作か前作を聴かれたい。なお、国内盤には Metallica の「Battery」のカバーが追加収録されている。

1997-1999
Independent 2005

3 作のデモをまとめて 1 枚の CD にしたコンピレーション作品。ライブ会場物販と通販によって販売された。イントロも省かず、時系列に沿って 3 作をそのまま収録したような作品で、音質もデモクオリティのままである。しかし、「Frost」や「Knighthood」など、デモでしか聴けない曲や、後のアルバムで再録される曲の原曲を耳にすることができる。自主制作で販売経路が限られていたのと、現在の Ensiferum の人気のために入手困難で、中古市場ではかなりの高額で取引されているのだが、ファンであれば入手したい作品だ。

Dragonheads
Spinefarm Records 2006

バンド初となるミニアルバム。このタイトルはジャケットのイラスト通り、ヴァイキング船の舳先を指す。ミドルテンポでひたすら勇壮に突き進むヴァイキングメタル・チューンであるタイトル曲では、戦地を目指して大海原を行くヴァイキングたちが歌われている。その他『Demo II』から「Warrior's Quest」と「White Storm」の再録、Amorphis の「Into Hiding」のカバー、フィンランド民謡 3 曲のメタルアレンジ版メドレー曲「Finnish Medley」などを収録した 6 曲入り。

Victory Songs

Spinefarm Records 2007

Jari が脱退してからフルアルバムとしては初となる 3 作目。彼に代わって作詞の大半を Sami が担当している。これまでの作品よりさらに多数のゲスト / セッションプレイヤーを迎えて、スウェーデンの民族楽器ニッケルハルパなど、これまで以上に多彩な楽器が使用されたことで、フォークメタル色が強まった。本作は次作と並んで評価の高い一枚である。先行シングル「One More Magic Portion」を含む 9 曲入りで、国内盤には同シングルのカップリングだった Uriah Heep のカバーをボーナストラックに収録。

From Afar

Spinefarm Records 2009

4 枚目となる本作は、これまでの音楽性を突き詰めて、彼らのディスコグラフィーの中で最高傑作とも名高い一枚だ。従来のメロディック・デスメタルに、オーケストレーションをふんだんに取り入れたような作風。「Twilight Tavern」のような民謡リフの疾走曲から、「Heathen Throne」のような長尺だが凝った構成で飽きさせない一大フォークメタル絵巻まで、バランスのとれた内容だ。デジブック仕様の限定盤には、スウェーデンのフォークロックデュオ Nordman の「Vandraren」のカバーを追加収録。

Unsung Heroes

Spinefarm Records 2012

5 枚目のフルアルバム。10 曲 61 分。音楽性が大きく変わり、ミドルテンポで雰囲気重視の曲が主体で、映画音楽的な側面の強い作品となったため、初期のメロディック・デスメタル・スタイルを期待するファンからの評判は芳しくない。ただ、これまでと別物と考えれば、内容はそれなりに高品質だ。歴史上でも現在でも、その功績を認知されない「謳われることなき英雄」が多数いる、というのがこのタイトルの背景とのこと。「In My Sword I Trust」のサビのヒロイックな合唱パートは、ライブで盛り上がること必至である。

One Man Army

Metal Blade Records 2015

古巣を離れて初となる 6 枚目のアルバム。前作が不評だったためか、アップテンポでメタリックな曲が多めとなったが、以前ほどメロディに扇情性は感じられない。Turisas の女性アコーディオニスト Netta がボーカルを取る、メタル色皆無のフォークソング「Neito Pohjolan」（北の国ポホヨラの娘）や、フィンランドのディスコ / ポップシンガーの Frederik とのコラボによる軽快なナンバー「Two of Spades」など、音楽性の模索をしているようにも感じられる。2 枚組デジブック仕様の限定盤もあり。

Two Paths

Metal Blade Records 2017

生き生きとしたライブ感のあるアルバムを目指したとのことで、原点回帰が幾分進んだ印象を受ける 7 枚目のアルバム。アコーディオン奏者 Netta の正式加入の影響か、フォークメタル色も強まった。「二つの道」を意味するタイトルは、人生において何かを決断する際には、それをするかしないか、など常に二つの道の選択を迫られ、何かしらの代償も伴うものだということを示唆しているらしい。ヴィヒタ（白樺の葉の束）で体を叩くフィンランドのサウナをフィーチャーした「Way of the Warrior」の MV は一見の価値あり。

Thalassic

Metal Blade Records 2020

8th アルバム。タイトルは「海に関連する」の意で、海をテーマとしたコンセプト作。この語がギリシャ語由来ということもあり、海に関するギリシャ神話を題材にした曲も 2 曲収録された。ジャケットはその 1 曲に関して、セイレーンを描いたものだろう。Netta に代わり加入したキーボーディスト Pekka Montin の、伸びやかなクリーンボーカルが存分に活かされ、パワーメタル色が強い作風となった。「Cold Northland」はデビュー作に収録されたワイナミョイネン（『カレワラ』の登場人物）を巡る曲の第三段。

GWYDION《グイディオン》

イスラム支配下ポルトガルへの
ヴァイキング侵略について熱唱！

ポルトガル リスボン　1995 ～ 2014, 2016 ～
Daniel César (Key), Miguel Kaveirinha (Gt), Bruno Ezz (Ba), Pedro Dias (Vo), Marta Brissos (Dr)

Gwydion は、1995 年にメタルとケルト文化への情熱を共有する友人たちによって、結成されたフォーク / ヴァイキングメタルバンドである。この名はウェールズの神話に登場する魔術師の名前らしい。1998 年～ 2001 年にかけて 3 枚のデモを制作して地元でライブ活動をしていたが、当時は世界的にはほぼ無名の存在であった。

彼らが一躍知名度を上げげたのは、ドイツのフォーク / ヴァイキングメタル系レーベル Trollzorn Records と契約して 08 年にリリースした 1st アルバム『Ŷnys Mön』（ウェールズのアングルシー島を指す）であった。本作ではケルト神話のみならず、北欧神話からもモチーフを拝借しており、ヴァイキングメタルへの変遷が窺える。このリリース後、Alestorm や Týr といったメジャーなバンドとヨーロッパツアーを実施するに至り、その後 10 年に『Horn Triskelion』（オーディンのシンボルであるトリプルホーン）、13 年に『Veteran』と順調にリリースを重ねる。

14 年には活動 20 年の節目で、メンバーの方向性にずれが生じ始めたことを理由に無期限活動休止を決めたが、16 年に若干のラインナップチェンジを経て復帰する。クラウドファンディングで資金を調達して、18 年にアルバム『Thirteen』を発表した。さらに、20 年には5作目『Gwydion』をドロップしている。

Thirteen
Ultraje　2018

活動休止を経て、5 年ぶりにリリースされた 4 枚目のフルアルバム。ヴァイキングそのものを歴史を交えて紹介する楽曲群と、ヴァイキングのポルトガルへの侵略についての楽曲群の 2 部構成となっている。キリスト教布教の基地となっていたイングランド北部のリンディスファーン島を、793 年にヴァイキングが襲撃した事件や、844 年に当時イスラム勢力の支配下にあったポルトガルのリスボンを襲撃して、抵抗軍に追い出されるまで 13 日間に渡り占拠した史実をテーマにした曲が収録されている。タイトルはこの 13 日間にちなんだものだ。

MÅNEGARM《モーネガルム》

「月を追いかけ、呑み込む狼」、ライブしに日本まで来てしまう！

スウェーデン ストックホルム県 ノルテリエ　1995 (as Antikrist), 1995 ～
Erik Grawsiö (Vo, Ba), Markus Andé (Gt), Jacob Hallegren (Dr)

可能な限り速くてプリミティヴなスウェーデン語のメタル

もともと旧知の仲だったベーシストの Pierre Wilhelmsson、ギタリストの Jonas Almquist、ボーカリストの Svenne Rosendal の 3 人が、1995 年にスウェーデンのストックホルム北東に位置するノルテリエで、新しいプロジェクトを開始した。そのコンセプトは、「可能な限り速くてプリミティヴなメタルをスウェーデン語の歌詞でやる」というもので、これを実現するために彼らは二人目のギタリストとドラマー探しを始めた。このコンセプトに興味を持ったギタリスト Mårten Matsson が程なくして加入、次いで Mårten の知り合いであったドラマーの Erik Grawsiö も加わり、最初のラインナップが完成した。

当初のバンド名は Antikrist（反キリスト）であったが、これは仮で付けられただけのものであった。それゆえ、1 ～ 2 ヶ月の短期間で改名、ここにフォーク / ブラック / ヴァイキングメタルバンド Månegarm が正式に誕生した。こちらの方が響きも良く、当時彼らの中で北欧神話への関心が強まっていたこともあり、彼らの音楽にフィットするとのことだった。Månegarm とは『スノッリのエッダ』に登場する鉄の森に住む狼で、フェンリルの息子である。名前の原義としては「月の猟犬」のような意味で、月を追いかけ続け、ラグナロクが訪れた際には月を呑み込むと言われている。

モチベーション低下による解雇、回復のための休止

96 年 5 月には 4 曲入り 1st デモテープ『Vargaresa』を発表、本人たちいわくデモとしては平均以上の出来とのことだが、残念ながらごく少数のレーベルや雑誌しか、このデモを受け取らなかったようである。同年夏頃に Svenne と Mårten が興味の喪失により脱退するが、Pierre と Jonas が過去に在籍していたバンドのボーカリスト Jonny Wranning と、Grawsiö の旧友 Markus Andé

を後任に迎えた。そして、97年2月には2ndデモテープ『Ur nattvindar』を発表、今回は複数のレーベルやメディアから好反応を得て、バンドはオランダのメタルレーベルDispleased Recordsとの契約に成功する。

ところが、Jonnyがデモの発表前後（オフィシャル・バイオグラフィーやインタビューで食い違いがあり、正確な時期は不明）に脱退してしまう。バンドは新ボーカリストを探して、最終的にViktor Hemgrenが後任に選ばれた。そうしてデビュー作『Nordstjärnans tidsålder』のレコーディングを開始、10月には完了させ、98年6月に同作は世に出る運びとなった。

99年夏には2ndアルバム『Havets vargar』のレコーディングを開始するが、レコーディングスタジオのオーナーとレーベル間の不和により、制作途上で5ヶ月間のペンディングとなってしまう。この期間にViktorがモチベーション低下のために解雇となり、Erikがボーカルを兼任することを決意する。バンドはアルバムの残りを、別のスタジオで収録して完成させ、2000年9月に同作は日の目を見ることとなった。このリリース後、バンドは原動力やアイデアを見つけるために数ヶ月の休止期間を挟み、熱意が湧いたところで次作の制作に取り掛かり、03年8月に3枚目のフルアルバム『Dödsfärd』が発売された。この作品でバンドの人気は大きく上昇することとなった。2ndデモ以降、ゲストミュージシャンとしてヴァイオリンやフルートを演奏していたJanne Liljeqvistが、この頃に正式メンバーとして加入する。彼女はフォークミュージック・グループTvå fisk och en fläskのメンバーでもある。

05年9月には4thアルバム『Vredens tid』をドロップ、この作品も前作に続いて大ヒットとなり、様々なメディアから高評価を獲得した。同年にはヴァイキング/ペイガンメタル系フェスのRagnarök Festivalへの出場も果たしている。06年6月には初のアコースティック・ミニアルバム『Urminnes hävd - The Forest Sessions』を発表、これをもってバンドは長年連れ添ったDispleased Recordsを離れた。この年には初のヨーロッパツアーを実施している。バンドは母国のBlack Lodge Recordsと新たに契約を交わして、07年5月にはスタジオ・フルアルバムとしては5枚目の『Vargstenen』を発表した。だが、このレーベルは悪くはないが期待していたほどではなかったそうで、本作のみで契約を終了する。

彼らは08年頃にはライブバンドとして人気を博しており、Erikをボーカルに専念させるために、ライブではセッションドラマーJacob Hallegrenを起用するようになる。ちなみに、同年にはロシアのペイガン/フォークメタルバンドAlkonostとArkonaとのライブを収録した初の映像作品『Live in Moscow』も発売されている。バンドは同じく母国のRegain Recordsとサインして、09年11月には6thアルバム『Nattväsen』を発表する。

オリジナルメンバーがいなくなってしまう

順調にリリースを重ねていた彼らだが、10年末には結成メンバーの一人であったPierreが、何かしらの事情で脱退を余儀なくされてしまう。Erikがベースを兼任することで、この穴を埋めることとなった。なお、11年8月にはドラマーのJacobが正式メンバーとなっている。この頃、Regain Recordsのオーナーの身に何かあったのか、所属バンドと数々の問題を起こしたようで、Månegarmもご多分に漏れず、レーベルを離れることとなった。

悪いことは続くもので、次作の制作中に、ヴァイオリニストJanneが突如脱退してしまう。バンドは制作を優先するため、正式な新メンバーを探すことはせず、友人の力を借りてレコーディングを続ける。一方でレーベル探しをしていた彼らであったが、幸運にもオーストリアの名門レーベルNapalm Recordsとの契約に成功する。そして13年

6月には7枚目のフルアルバム『Legions of the North』を発表、15年11月にはセルフタイトルの8枚目『Månegarm』をリリースした。

翌16年1月にはPagan Metal Alliance vol.2で初来日が実現し、ロシアのArkona、フィンランドのFinntrollらとともに日本のステージに立つこととなった。だが、同年末には唯一のオリジナルメンバーとして、長年バンドを支えてきたAlmquistが健康上の問題から脱退してしまう。バンドはサポートメンバーを加えてツアーを実施、以後も後任は迎えないまま活動を続け、19年4月に『Fornaldarsagor』を発表した。

Nordstjärnans tidsålder
Displeased Records 1998
スウェーデン語で「北極星の時代」を意味するデビュー作。デモからの再録1曲を含む11曲入り。タイトルの意味するところは、ヴァイキングの航海の際に、道を照らした北極星が導く時代である。キリスト教に北欧の精神や古の慣習が蹂躙される以前のように、逞しく誇らしい民として彼らが再び立ち上がれる時代、という意味が込められている。2ndデモで見せたフォークの要素がさらに大々的に導入され、メロディもさらに牧歌的になった。2015年にBlack Lodge Recordsからリマスタリングの上、再発された。

Havets vargar
Displeased Records 2000
2枚目のアルバム。タイトルは「海の狼たち」の意で、これは無論ヴァイキングを例えた言葉である。前作に続いてTvå fisk och en fläskのUmer Mossige-Norheimが女声ボーカルで参加しており、ヴァイオリンやフルートが過度になり過ぎない程度に添えられた、エピックでドラマティックなブラックメタル作品となっている。静謐なアコースティック・フォークパートの挿入により、暴虐ブラックメタルパートがより一層引き立てられており、メロディック・ブラックメタルファンにもアピールできる一枚。

Dödsfärd
Displeased Records 2003
小休止を経て届けられた3作目は「死出の旅」の意のタイトルで、11曲32分とコンパクトな作品となった。表題曲はその名の通り、亡くなったヴァイキング戦士が船ごと焼かれる舟葬を扱った内容で、虹の架け橋を渡ってオーディンの宮殿へと向かう最期の旅だと綴られている。悲哀のメロディが涙を誘う「Ägirs vrede」(海神エイギルの怒り)に歌われているように、当時は嵐で命を落とすことが多かったのだろう。ラストの「Gillesvisan」(同胞の歌)は俗に言うドリンキングソングだが、コマーシャルなものではない。

Vargaresa - The Beginning
Displeased Records 2004
2本のデモ『Vargaresa』(狼の旅路)と、『Ur nattvindar』(夜風から)をリマスタリングの上、CD化したコンピレーション作品。1stデモのほうは当初のバンドコンセプトどおりのRawでファストなブラックメタルを聴かせるが、クリーンボイスによる雄々しいコーラスが入るなど、通常のブラックメタルとは一線を画していた。アコースティックギターによるイントロから始まる2ndデモには、女声ボーカルやヴァイオリンが取り入れられ、メロディックなフォーク/ヴァイキングメタルへの変化の兆しが見られる。

Vredens tid
Displeased Records 2005
「憤怒の時代」と題された4作目。「Kolöga trolltand」(チャコールの目·トロールの歯)はカバーに描かれた曲で、鐘がうるさくて眠れず怒ったトロールが教会を破壊する物語だ。古の風習や文化を再構築する重要性が本作のテーマ。「Frekastein」は「狼の岩山」のような意の『古エッダ』に登場する地名だが、ここでは何者かが封印されたルーン文字が刻まれた狼の石碑という設定のようで、次作への伏線となっている。「Sigrblot」(勝利を願いオーディンに生贄を捧ぐ初夏の儀式)はPVが制作された。

Urminnes hävd - The Forest Sessions
Displeased Records 2006
様々な民族楽器と男女クリーンボーカルのみで制作されたアコースティック・ミニアルバム。イントロ含む7曲26分。タイトルは「はるか昔からの伝統」の意。この手にありがちな、ゆったりとした癒やしの音楽集というわけではなく、しっかり緩急のついた楽曲群は、メタルの重さこそ皆無だが、フォークメタルのファンであれば充分楽しめるだろう。とりわけ「Utfärd」（遠征）はトライバルなパーカッションが心地よい良曲だ。女声ボーカルUmer Mossige-Norheimの美声が堪能できるのでその手のファンにもオススメ。

Vargstenen
Black Lodge Records 2007
「狼の石碑」を意味する5枚目のフルアルバム。『Vredens tid』に収録の「Frekastein」に続く物語を扱う初のコンセプトアルバム。魂の死から蘇った戦士が「古き者」の助言に従い9つの世界を旅する物語で、旅をするうちに記憶を取り戻し、冥府の蛇がミッドガルドに破壊と混乱を生じさせていることに気づく。かつて二つに引き裂かれた彼の魂だが、狼の石碑を訪れることで、その片割れの狼の魂と一体化すると同時に、神々や祖先の力を手にする。最後は浄化の炎がすべての悪を焼き尽くし、ミッドガルドに平和が訪れる。

Nattväsen
Regain Records 2009
6枚目のアルバムとなる本作は「夜のあやかし」という意味で、夢や空想に現れて精神を追い立てる、夜に住まう恐ろしい妖怪について歌われている。ダークな歌詞を反映するかのようなジャケットは、メンバーの手によるもの。発売元の休止に伴い入手困難となっていたが、2016年にジャケット差し替え、リマスタリング、「Bergatagen」（神隠し）追加の上でBlack Lodge Recordsから再販されている。この追加曲がシアトリカルかつスリリングな大作なので、オリジナル盤所有者でも買い直しの価値あり。

Legions of the North
Napalm Records 2013
作詞を一手に引き受けていたPierre脱退の影響によるものか、初の英語タイトルとなった7枚目。ラストに配された男女ツインボーカルによる、アコースティック・フォークソング「Raadh」（助言）を除いて歌詞も英語になった。コンセプトアルバムではないが、北欧神話をモチーフに死や戦争を扱った曲が並ぶ。ペイガン色が後退してメジャー感のある聴きやすい曲が増えて、Napalm Recordsのカラーを感じさせる内容となった。デジパック仕様の限定盤にはキャッチーなサビの佳曲「Wake the Gods」を追加収録。

Månegarm
Napalm Records 2015
結成20周年の記念盤の意味も込めて、バンド名を冠した8枚目。『月喰狼』の邦題のもと、Rubicon Musicから国内盤デビューも果たした。歌詞の大半がスウェーデン語に戻ったことを除けば、前作の方向性を踏襲する作風で、キャッチーでわかりやすい曲がメイン。ヴァイオリンが乱舞し、雄々しいコーラスがそこかしこに盛り込まれた楽曲は、ライブで盛り上がること必至だ。ラストのBathoryのカバーにはEreb AltorやPrimordialのメンバーのほか、なんとQuorthonの妹がゲストボーカルで参加。

Fornaldarsagor
Napalm Records 2019
久々にリリースされた9枚目のアルバム。タイトルは「古の物語」を意味する北欧の伝承の一ジャンルで、しばしば超自然的な内容を含むらしい。様々な物語を曲にしたとのことだが、元になったのはすべてそれらの伝承だという意味でコンセプトアルバムとなっている。よくある北欧神話ではなく、実際にスカンジナビアでヴァイキング時代に話されていた物語を、リスナーに届けたかったとのこと。ややダークになり聴かせる曲が増えた印象だが、音楽性は前作と大きくは変わらない。ボックス仕様の限定盤には、2曲収録のボーナスディスクが付属。

MOONSORROW《ムーンソロウ》

長尺の曲が多くヴァイキング扱い拒むエピック・ヒーゼンメタル！

フィンランド ウーシマー県 ヘルシンキ　1995～　Ville Seponpoika Sorvali (Dr, Vo, Ba), Henri Urponpoika Sorvali (Gt, Key, Vo, Accordion, Banjo etc), Marko "Baron" Tarvonen (Dr, Vo, Gt, Mandolin), Mitja Harvilahti (Gt, Mouth harp, Vo etc), Markus Eurén (Key, Vo)

一日が 24 時間しかないと気づいた

フィンランドの首都ヘルシンキに 1978 年に生まれた Henri Sorvali と、80 年生まれの Ville Sorvali の従兄弟は、95 年頃、いろいろなプロジェクトバンドを遊びでやっており、Meat Hook Productions というレーベルを作ってデモ音源を発表したりしていた。それらのプロジェクトの一つが Moonsorrow であり、ペイガン思想とメタルへの愛を表現する場として始まった。他にもフィンランド民謡のカバーをやっていた Ahti（フィンランドの海の神）というバンドがあるのだが、これは多かれ少なかれ Moonsorrow の前身とも考えられている。一日が 24 時間しかないと気づいて、これら多数のプロジェクトは収束していった。

Moonsorrow の名はブラックメタルやデスメタル、スラッシュメタルなどのエクストリームメタルのパイオニア的存在である、スイスのバンド Celtic Frost の楽曲「Sorrow of the Moon」にインスパイアされたそうで、特に深い意味があるわけではないらしい。既存のいかなるジャンルにも属したくないという思いから、当初彼らは自らの音楽性を「エピック・ヒーゼンメタル」と呼称したが、現在では単に「ペイガンメタル」と呼んでいる。なお、ヒーゼンとペイガンはどちらも「異教徒の」といった意味合いであるが、ヒーゼンの方が「未開・野蛮」のニュアンスが強いとの説もある。

そういうわけで彼らはヴァイキングメタルと分類されることを嫌っているのだが、北欧神話を扱っているという点ではそう言えなくもなく、日本でもしばしばそう考えられている。

Emperor といった 90 年代のブラックメタルや、元祖ヴァイキングメタルバンドである Bathory の影響を受けているらしく、作品によってそれぞれの割合は異なるが、ブラックメタル（ただしサタニックな要素はない）をベースに、フィンランドの民謡を取り入れた感じの音楽性となっている。ただ、ペイガニズムに基づく宗教・思想的なものであるため、昨今の陽気なフォークメタル勢とは距離を置いている。また、彼らの楽曲は大作志向で、時に難解でリスナーも試されるようなスタイルである。ちなみにMoonsorrowの楽曲には直接はあまり感じ取ることはできないが、メンバーはデスメタルも好んで聴くとのこと。

マスタリングの事故で半分が消失

結成翌年の1996年には初のデモテープ『Thorns of Ice』を制作したのだが、マスタリングの際の事故で半分が消失してしまったため、発表はされず（残った半分は2014年に日の目を見た）、97年のデモ『Metsä』（森）が世に出た最初の作品となる。この当時のメンバーは従兄弟同士の二人だけで、メロディックなブラックメタルといった音楽性であった。同年プロモテープをもう一本制作、こちらには「Battlehymn」というフォークメタル・チューンが収録された。同作はレコーディング過程の問題により、劣悪な音質となったため、お蔵入りとなった。そして98年3月にデモ『Tämä ikuinen talvi』を制作開始、今回も数々のトラブルに見舞われ、99年1月までかかったが、2本目となるデモを発表した。これまではHenriが英語で歌詞を書いていたが、本作ではVilleが歌詞を書くに当たり、母語のほうが馴染むとのことでフィンランド語が採用された。これ以降、バンドはフィンランド語の歌詞にこだわるようになった。ただ、厳密にはごく一部例外的に、スウェーデン語も使用されているらしい。なお、このデモのリリース前にHenriはTrollhorn名義でFinntrollにも加入する。

デモテープをいろいろなレーベルに送付した結果、99年4月にスウェーデンのPlasmatica Recordsとの契約に漕ぎ着け、バンドはより真剣に活動を見据えるようになった。このデモはドラムマシンでレコーディングされたのだが、このデモを気に入っていたドラマーのMarko Tarvonen（当時はBaron Tarwonen名義）が、バンドの手助けに名乗りを上げて加入に至る。そうして彼らはデビューアルバムの制作に着手、2000年2月にはレコーディングを終えた。しかし、レーベルの経営状況が悪く、実際に『Suden uni』がリリースされたのは01年4月のことであった。00年3月には初のライブを成し遂げ、その際のサポートギタリストMitja Harvilahtiと、そして4月の2度目のライブのサポート・キーボーディストMarkus Eurénが、同年中には正式メンバーとなり、バンドは5人体制となった。

レーベルが無断で再プレス、報酬を払わなかった

リリースの遅れのためにバンドは当然Plasmatica Recordsとの契約は更新せず、2001年7月に地元のSpikefarm Recordsとの契約に成功した。デビュー作のリリースが延期されている間に、持ち曲のストックを増やしていた彼らは、すぐさまレコーディングに取り掛かれたため、12月には2枚目のアルバム『Voimasta ja kunniasta』を早くも発表した。翌02年には1stアルバム1,000枚が完売したのだが、バンド側が言うには、Plasmatica Recordsは無断で再プレス、報酬を払わなかったため、揉めることとなった。

同年4月には、彼らはフィンランドのテレビに初出演を果たすぐらいの人気になっていたようで、11月には3枚目のアルバムのレコーディングを開始、翌03年3月に『Kivenkantaja』がリリースされた。この作品はフィンランドの売上チャートに初めてランクインし、彼らの人気を確固たるものとした。同年にはクロアチアやハンガリー、ノルウェーなど初のフィンランド国外でのライブも実施している。05年2月には『Verisäkeet』をリリース、06年には初の北米でのライブを実施、順調に活動を進める。07年1月には『V: Hävitetty』を発表して、実に年間56本ものライブをこなした。翌年バンドのキャリア初のミニアルバム『Tulimyrsky

EP』、11年に『Varjoina kuljemme kuolleiden maassa』と発表、同年初来日を果たしている。バンドは12年から次のアルバムの制作に取り掛かるが、難産となり『Jumalten aika』がリリースされたのは16年のことだった。

このように周囲を気にかけずに、自分たちの作りたいものを妥協せずに作るスタイルで、今後も質の高い作品のリリースが期待されるバンドである。

Tämä ikuinen talvi

Meat Hook Productions 1999

500本限定で制作されたデモテープ。タイトルは「この永遠の冬」の意。デモながら5曲42分の大作で、凝った展開の長尺な曲という彼らのスタイルは、この時点ですでに片鱗が見える。2001年にSagitarius Productionsから、リマスタリングを施し、ボーカルの再録や新加入のメンバー3人によるクワイアを追加の上でCD化された。本作ではまだブラックメタルの要素が強いが、全体的にメロディックで、土着的なシンセが大々的に取り入れられた音楽性は、ブラックメタルが苦手な人でも楽しめるのではなかろうか。

Suden uni

Plasmatica Records 2001

「狼の夢」と題されたデビュー作。ゆったりした曲が増え、勇ましくも哀愁漂う叙情的な楽曲群は、聴く者の胸を熱くすること請け合いだ。アコーディオンや口琴の導入などフォークの要素も強まり、「Pakanajuhla」(異教徒の饗宴) のようなお祭りソングも収録された。2003年に権利を買い取ったSpikefarm Recordsからジャケット差し替え、スウェーデン民謡「Kom nu gubbar」(来いよお前ら) のフィンランド語カバーを追加、リマスタリング、PVやライブ映像収録のDVD付属仕様で再販された。

Voimasta ja kunniasta

Spikefarm Records 2001

「力と名誉について」というタイトルの2ndアルバム。富のために実の兄弟を裏切り、敵に自分たちの村の情報を横流しした男と、それにより敵襲された村を守るために戦って死んでいったその兄弟の話が綴られたコンセプトアルバム。「すべての者は死にゆくが、偉業を成し遂げた者の名声は死なない」と「Hávamál」からの抜粋が歌詞にあるように、名誉ある戦士を称える内容となっている。イントロに続く「Sankarihauta」(戦士の墓) は珠玉の名曲だ。ジャケットはFinntrollのギタリストSkrymerによるもの。

Kivenkantaja

Spikefarm Records 2003

今なお彼らの最高傑作との声も名高い3rdフルレングス。これまでで最も穏やかでゆったりとした、フォーク色が強くメロディックな作品となった。タイトルは「石を運ぶ者」の意。ジャケットのルーン石碑は業者に依頼して、わざわざ実物を製造してもらったらしく、写真を撮るためトラックに載せて森へ運んだ。しかし、写真映えする場所に移動させようにも、重すぎて手押し車が大破した。「石を運ぶ者」とはまさに自分たちだと彼らは冗談混じりに語る。同郷のKorpiklaaniのヴァイオリニストHittavainenがゲスト参加。

Verisäkeet

Spikefarm Records 2005

「血塗られた詩」を意味する4枚目のアルバム。5曲で70分と長尺の曲が並ぶ。このタイトルが暗示する通り、前作までのエピックな雰囲気に代わって、ダークでブラックメタル色が強い作品となった。様々な暴力についての曲が収録されている。ちなみに本作はオフィシャルサイトの事前告知で、「『Raah Raah Blääh』というタイトルのグラインドコア・スタイルのアルバムになる」と発表してメディアを驚かせた。その後Lakupaavi(リコリス法王。リコリスは黒いお菓子で人種差別用語にも使われる) というバンド名義でそちらも実現させた。限定盤は黒のカラーケース仕様。

V: Hävitetty
Spikefarm Records 2007
30分と26分の2曲構成の大作志向が極まった5作目。タイトルは『Viides Luku: Hävitetty』の短縮で「第五章：破壊された」の意。世界の終わりがテーマで、1曲目はVilleの個人的な終末観、2曲目は危機的状況にある今の世の中を歌っている。2曲目の最後で世界が終わり、1曲目のイントロで新しい世界が誕生するループになっている。Thyrfingで06年までボーカルだったThomas Väänänenがゲスト参加。本作の仮タイトルは『Homosika』（ゲイの豚）という酷いものだった。オリジナル盤はスーパージュエルボックス仕様でリリースされた。

Tulimyrsky EP
Spikefarm Records 2008
「火災旋風」の意の5曲入りのEP。EPと言えど、30分弱の新曲にデモの再録を2曲、MetallicaとMercilessのカバーとで、トータルランニングタイムは70分弱に及ぶ。97年までAmorphisでボーカルを務めたTomi Koivusaariが、ゲストボーカルに参加した新曲は『Voimasta ja kunniasta』の続きで、裏切り者に襲われた村の民が復讐を成し遂げる物語が綴られる。カバーの選曲はあえて自分たちとはスタイルの異なる曲を、Moonsorrowらしいカバーに仕上げたいという思いからとのこと。

Varjoina kuljemme kuolleiden maassa
Spinefarm Records 2011
『我、死者の国を影のごとく彷徨う』の邦題で、ハウリング・ブルから国内盤デビューを果たした6thアルバム。Spikefarmの親レーベルSpinefarm Recordsからのリリース。終末を迎えた後の世界をテーマにしたコンセプトアルバムで、『V: Hävitetty』の続きとも言える作品。過酷な世界で人々は正気を失い、殺し合う。最後に残った者は、死者の地を影のように彷徨い、自分が犯した行為に気づき、自らも死を願う。どの道、一人残っても未来などないのだから……という非常にダークな内容となっている。

Jumalten aika
Century Media Records 2016
レーベルを移籍して発表された「神々の時代」の意の7thアルバム。2曲目を作るのに1年半かかるなど、制作に多大な時間を要して5年ぶりの作品となった。かなりブラックメタル色が強い作品。人間はその昔、自然など周囲の世界を説明するために神々を作り出し、神々が自分たちを創ったということにした。しかし実際には人間が神々を作ったので、ここに循環が生まれる。人間はいつしか文明を手にして神に頼らなくなり、人間の時代が来るが、それは争いの世の始まりで、Villeいわく、そこでまた神々の時代への循環が起こるとのこと。

Moonsorrow インタビュー

回答者：Mitja

Q：まずはじめに、インタビューに回答していただいてありがとうございます。これは最初の質問としては厄介かもしれませんが、Moonsorrowの活動初期にみなさんは自身の音楽を「エピック·ヒーゼンメタル」（Epic Heathen Metal）と呼んでいましたが、ある時から「フィンランドのペイガンメタル」（Finnish Pagan Metal）と呼ぶようになりましたよね。私たち日本人にとっては、「ヒーゼン」も「ペイガン」も「異教徒の」の意で、どのように異なるのかを理解するのは難しいです。これらの単語のニュアンスを、特にみなさんの音楽性の見地から説明していただけますでしょうか？

A：ありがとう！　インタビューしてもらえるのは嬉しいよ！　うーん、「エピック·ヒーゼンメタル」というのは単に自分たちの音楽スタイルを表すためのものでしかなかったんだよね。そう呼んでも間違いではないような呼び名でね。でもペイガンメタルというのは自分たちが属していると見なしているジャン

ルにおいて、もっと普遍的に受け入れられている名前なんだよね。
ヒーゼンというのはキリスト教に従わない者を指す昔の罵りの言葉の意味合いが強いんだ。もちろん、君たちがヒーゼンであればそれは誇れることだよ。でもペイガンのほうが宗教だけじゃなく伝統などを含めることができる、より正しい単語なんだ。そしてより土着的でもあるね。
Q：Moonsorrowの歌詞はノルウェーやアイスランドの神話にも登場するラグナロクやユグドラシルなどといった北欧神話に基づいていると思います。でもフィンランドには４つの神話の体系があって、みなさんはそのうちの３つから影響を受けているとMoonsorrowのどこかのインタビューで読みました。みなさんはMoonsorrowより前にAhtiというバンドでプレイしていて、Ahtiというのはフィンランドの神話に登場する海の神ですよね？　そういうフィンランド固有の神話についての歌詞を今後書く予定はありますか？
A：俺たちの歌詞は北欧神話の要素からなるけども、大半はかなり普遍的な歌詞なんだ。神話的な背景は常に存在しているけどね。ただそんなに直接的ではないってだけで。フィンランド固有の神話から素材を取ることは簡単だけど、語間にそれが隠されてたほうがもっと興味深いと思うんだよね。特定の神話や人物を強調したい場合、歌詞の大半で実際の神話からの名前や単語を直接的に使わないほうが、より強調されるってことさ。
言うなればロック音楽における罵りの言葉みたいなもんだね。つまりあちこちでその言葉を使ってばかりいたら、その言葉は力を失ってしまう。でもアルバムで一度だけ、もっと言えばバンドのキャリアで一度だけ使ったりしたら、その言葉はより強く響くだろ？
Q：神話は私たちの周りにある自然や物事を説明してくれる信念体系の役割を果たしますが、科学もまた同じ役割を果たすと思うのです。みなさんは科学にも関心はお有りでしょうか？
A：うーん、俺たちは現代社会に暮らしてるからね！　俺たちの生活は科学に支えられていて、それは良いことさ。信仰やおとぎ話の入り込む余地はあるけども、信仰ではロケットを飛ばしたり電車を走らせたりはできないからね。もちろん俺たちみんな科学には関心があるよ。俺自身はすごく若い頃から生物学に魅了されているよ。
Q：恐れながらみなさんはキリスト教がお嫌いかと思います。それはキリスト教が文化や宗教の多様性を破壊したからでしょうか？個人的には北欧神話や日本神話といった多神教のほうが一神教よりも、みんなが多様性を受け入れるキャパシティを育むのに良いと思っています。
A：ああ、そのとおりさ！
ある意味では歴史を非難するのは無駄だよね、だって過ぎ去ったものは過ぎ去ったものだもの。でも人々の目を俺たちの過去に向けさせるのは大切なことなんだ。フィンランドでは俺たちの文化のかなりの部分がキリスト教によって置き換えられてしまった。でも根っこの部分はまだ残っている。すごく重要なのは文化的アイデンティティなんだ。それがなくなってしまったら、歴史も物語も言葉も他の文化的側面も大部分が失われてしまう。
多様性を受け入れるキャパシティにしてもそのとおりだね。
Q：みなさんが異教徒の物事や北欧神話を好きなのはよく知っています。では他の文化や宗教の神話にも関心はありますでしょうか？
A：ああ、もちろんさ！
世界にはたくさんの豊かな逸話や神話があって、俺個人としては子供の頃からそれらに触れてきたよ。俺の親父はあまり知られていない文化の伝承を世界中から収集する仕事をしている人類学者でね。だから自然と親父の仕事の話をたくさん読んだり聴いたりしたってわけさ。

Q：異教徒の文化というのはみなさんの普段の暮らしにどのように関わっていますでしょうか？　自分が異教徒だと感じる瞬間はありますでしょうか？

A：俺にとっては自然に関係する部分が大きいかな。森や海、山に行ったらいつも、世界とのつながりをより強く感じるんだ。自然こそが異教徒の信念や宗教の核なんだ、俺はそう精神的に感じているよ。

残念ながら都会にいるときはあまりないかな。

Q：どこかでみなさんの主たる音楽的影響はEnslaved、Emperor、Bathoryだったと読みました。実際『Jumalten aika』はブラックメタルからの影響が色濃く感じられるアルバムでした。でもこのアルバムの限定盤ボーナストラック（訳注：デスメタルバンドGraveとRotting Christのカバー）が暗示するとおり、みなさんはデスメタルもお好きなんですよね。ではいつの日にかMoonsorrowがデスメタルの影響がもっと強く出たアルバムを発表することもあるのでしょうか？

A：俺たちはみんなブラックメタル、デスメタル、そしてスラッシュメタルを聴いて大きくなったんだ。そして今君が言った通り、Moonsorrowにもうちょっとデスメタルの影響を加えてみるのはとても面白そうだね。それは今までやったことがなかったことだよ!!　ナイスアイデアをありがとう！　もしかしたらちょうど今がそれをやってみる時期かもしれないね。

Q：どこかのインタビューでみなさんの音楽は精神的なもので、時にはリスナーを試すようなものでもあると読みました。みなさんの音楽をより楽しむにあたって、知っておいたほうが良い前提知識などはありますでしょうか？

A：いや、そんなのはないよ。でもあんまり気を散らすようなものがない場所にいることができれば、それは俺たちの音楽が提示する世界により深くのめり込む手助けになるかもしれないね。俺たちの音楽はすごく長くて没入感の強い曲から、ほぼ気楽に聴けるような曲までかなり幅広いからね、だから曲にもよるかな。あと自分の今の状況に一番フィットするアルバムを選んで聴くこともできるね。例えば『Kivenkantaja』は比較的聴きやすいし、『V: Hävitetty』はいくらか集中する必要があるか、周囲が静かである必要があるとかね。

Q：フィンランドは国連が実施している世界で最も幸せな国ランキングで2018年、2019年と一位に選ばれました。どういう時にみなさんは一番幸せを感じますでしょうか？

A：船に乗っているときかダイビングしてるときだね。それか森の中にいるとき。

俺は首都で幸せに暮らしているけど、本当の意味での喜びや幸せはいつだってもっと自然がある環境にいるときだね。

Q：みなさんは2度来日公演を行いました。日本の文化で何か興味深いものやインスピレーションを得られるものはありましたでしょうか？

A：俺たちみんな日本はとても興味深い国だと思ったよ。と同時に、俺たちの文化とは全然別物だとも思ったね。でもとても友好的でインスピレーションを掻き立てるものだったよ。習慣と伝統は素晴らしいし、調和と美学はとても興味深いよ。またすぐ日本に行けるよう願っているよ！

Q：最後だけど重要なことですが、日本の読者やファンに向けてメッセージをお願いします。

A：俺たちみんな日本でのライブは本当に楽しかったよ！

これまでのキャリアでも最高の経験の一つだよ。だからまた会えるのを願っているよ！

SOLEFALD《ソーレファル》

アヴァンギャルドでエクスペリメンタルなヴァイキングメタル！

ノルウェー オスロ　1995〜　Cornelius Jakhelln (Vo, Gt, Ba), Lars “Lazare” Nedland (Vo, Key, Dr)

Solefald は 1995 年 8 月にボーカル / キーボード / ドラム担当の Lars "Lazare" Nedland と、ボーカル / ギター / ベース担当の Cornelius Jakhelln の二人により結成されたアヴァンギャルド / プログレッシヴ・ブラックメタルバンドだ。ブラックメタルにピアノやクリーンボーカルをいち早く取り入れて、ブラックメタルの枠組みを押し広げた重要なバンドの一つである。バンド名は「日没」を意味する古デンマーク語で、Burzum のジャケット等でも有名なノルウェーの画家テオドール・キッテルセンの作品名から取られた。Lars いわく、この絵には存在の流転のコンセプトがあるらしい。

Lars は Borknagar や Ásmegin といったヴァイキング / フォーク / ブラックメタルバンドにも参加しており、その影響もあってかアイスランドに取材旅行して、2005 年に『Red for Fire』、06 年に『Black for Death』の二部作を発表した。当時の所属レーベルである Season of Mist は、エクスペリメンタル・ヴァイキングメタルという売り出し方をしていた。ヴァイキングメタルをやっていたのはこの時期だけだが、むしろ高品質なプログレッシヴ・ブラックとして知られるバンドであるため、これら以外も聴いてみると良いだろう。ちなみに、17 年には奇跡の来日も果たしている。

Red for Fire: An Icelandic Odyssey Part I
Season of Mist　2005

宮廷詩人 Bragi が王妃にたぶらかされて交わり、これがバレた際に彼女はレイプされたと偽ったことで彼は犯罪者にされてしまう。彼は殺されないようにアイスランドの荒野を当てもなく彷徨いつつ、再び首都レイキャヴィークに戻って復讐し、名誉を回復する日を夢見るのがこの前編。後編ではオーディンに勇気づけられ彼が復讐に舞い戻る話と、実は王妃を我が物にするべく Bragi を排除しようとしたロキが、自分が王を裏切ったか、Bragi にすべての罪を着せるかの二者択一を王妃に迫り、周囲に話したら殺すと脅した真相が綴られている。

SÓLSTAFIR《ソルスタフィル》

アイスランドから世界的に人気博したプログレ寄りポストメタル！

アイスランド レイキャヴィーク　1995～　Aðalbjörn Tryggvason (Gt, Vo), Svavar Austman (Ba), Sæþór Maríus Sæþórsson (Gt), Hallgrímur Jón Hallgrímsson (Dr, Vo)

長年の友人だったギタリスト兼ボーカリストの Aðalbjörn Tryggvason、ベーシストの Halldór Einarsson、ドラマーの Guðmundur Óli Pálmason によって 1995 年に結成された、当時としては珍しいアイスランドのブラック / ヴァイキングメタルバンドが Sólstafir だ。バンド名は現地語で「放射される太陽光」のような意。現在は方向性を変えて、メンバーがヘヴィメタル版 Pink Floyd だというプログレッシヴなポストメタルをやっている。

95 年 5 月にはデモ『Í Norðri』（北で）を発表、View Beyond Records から契約のオファーを受け、96 年 9 月に EP『Til Valhallar』（ヴァルハラへ）を発売した。同作は高い評判を呼び、彼らはアンダーグラウンドメタルの世界で知名度を上げた。しかし翌年、Halldór が脱退してしまう。2 年ほど二人で活動した後、新ベーシスト Svavar Austman を迎え、99 年に Ars Metalli と契約、2002 年に 1st フル『Í blóði og anda』をリリースした。この頃にはセカンドギタリスト Sæþór Maríus Sæþórsson が加入しており、4 人体制でデモ『Black Death』を制作。以降はプログレッシヴな音楽性にシフトし、歌詞も個人的な苦悩や薬物依存などを扱うようになる。

Í blóði og anda
Ars Metalli　2002
「（同じ）血と志のもとに」といった意味の 1st フルアルバム。このタイトル曲は、キリスト教に対するペイガニズムの抵抗を歌ったもの。アルバム通して歌詞以外に明確にヴァイキングメタルらしい要素は少なく、どちらかと言えばブラックメタルなのだが、高音絶叫のボーカルが非常にエモーショナルで素直に格好良い。本作の発売後はほどなくしてレーベルが閉鎖したため入手困難となっていたが、2013 年に Season of Mist から、デモバージョンやリハーサル音源をボーナスディスクに加えて、2 枚組で再発されている。

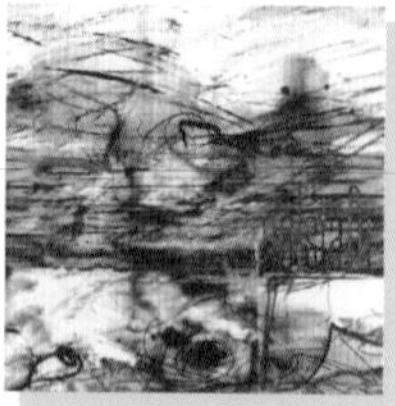

SPECTRAL《スペクトラル》

Tシャツづくりから始まり、発売元はレコーディングスタジオ！

ドイツ ラインラント＝プファルツ州 ミュレンボルン　1995～
Exkrementor (Ba), Destructor (Dr), Agressor (Gt), Teutonlord (Gt, Vo, Key), Vidar (Vo), Hendle (Gt)

Spectralは1995年にボーカリスト/ギタリストのTeutonlordと、ドラマーのDestructorによって結成されたヴァイキング/ブラック/スラッシュ/パワーメタルバンドである。結成後、バンドロゴTシャツを作ったりしていた一方で、楽器を用意する資金がなく、最初のデモ『Teutonic Symphony』（チュートン人の交響曲）が制作されたのは結成4年後のことであった。なお、チュートン人はドイツ人の祖先とされる。

制作途中でベーシストが興味を無くして、脱退するなどの苦難に見舞われながらも、コンピューターの使用で制作コストを抑えて資金不足を乗り越え、2001年にデビュー作『Barbaric Assault』をGernhart Recordsからリリースするに至った。この発売元は、レコーディングスタジオのレーベルだ。

04年には自主制作で2枚目の『Dawn of Gods』を発表、以後スラッシュメタル色を強めて07年に3枚目『Stormriders』を、比較的流通の良いCCP Recordsからドロップして知名度を上げる。09年の『Evil Iron Kingdom』も前作の流れにある作品だったが、12年にはキーボーディストを加えて『Gateway to Death』を発表、レーベルを移籍して17年にパワーメタル色も交えて『Arctic Sunrise』を発表している。

Arctic Sunrise
Boersma Records　2017

「北極の日の出」と題された6枚目。レーベルを移籍してリリースされた。民謡リフが印象的な「In Battle with Fire & Steel」やスラッシーな「Evil Takes Control」など、バラエティ豊かながら、根底にある熱いジャーマンメタルがそれらをまとめ上げている。Cannibal Corpse、Bathory、Deströyer 666、初期Running Wildなど幅広い影響を受けたそうだが、彼ら独自のサウンドに昇華させるのに成功していると言えよう。ラストが「Fuck Off and Die (Metal is Forever)」というのもメタル愛を感じさせる。

テュルフィング（スウェーデン語）　ザイアフィング（英語）

THYRFING

Naglfar の創設者も在籍する北欧神話の魔剣ティルヴィング！

スウェーデン ストックホルム県 ストックホルム　1995 ～
Joakim "Jocke" Kristensson (Ba), Patrik Lindgren (Gt), Jens Rydén (Vo), Fredrik Hernborg (Gt), Dennis Ekdahl (Dr)

最初は遊びだった

スウェーデンのブラックメタルバンド Pantheon でギター、キーボード、ボーカルを務めていた Joakim "Jocke" Kristensson と、ベース担当だった Patrik Lindgren らが、1995 年、スタジオでパートチェンジして遊んでいた結果誕生したのが、ヴァイキングメタルバンド Thyrfing だ。Jocke はこのバンドではボーカル兼ドラマーとなり、Patrik はギターを演奏、さらにベーシスト Kimmy Sjölund、キーボーディスト Peter Löf という布陣でバンドは活動を開始した。彼らのバンド名は北欧神話に登場する魔剣ティルヴィング（Tyrfing）に因んだもので、この剣は持ち主に強大な力を与えるが、最後には破滅をもたらす。綴りに h を追加したのは、他のバンドと名前がかぶらないようにするためと、その方が見栄えが良かったから、とのこと。

当時 16 ～ 17 歳だった彼らは、北欧ブラックメタルバンドのサタニックなところではなく、自然崇拝やペイガニズム的な部分や、同郷の Bathory の『Hammerheart』と『Twilight of the Gods』に大変な感銘を受けたらしい。彼らの音を特徴づけるのはなんといっても大々的に取り入れられたキーボードであろう。

ニュージーランドで半年を過ごして充電

結成年の 12 月には早くも最初のデモテープ『Solen svartnar』（太陽が黒くなる）を発表、翌年には Pantheon のドラマー Thomas Väänänen がボーカリストとして Thyrfing に加入、Jocke はドラムに専念することとなり、2 本目のデモ『Hednaland』（異教徒の地）をリリースした。このデモはスウェーデン国外を含む多くのレーベルに送付され、97 年に彼らはオランダの Hammerheart Records との契約に至る。同年アルバムのレコーディングを終え、98 年には同レーベルから『Thyrfing』のタイトルで発売された。このアルバムのリリース後、ブラックメタルバンド Funeral Mist の元ギタリスト Vintras が、二人目のギタリストとして加入するが、2ndアルバムのレコーディング開始前に短期間で脱退、レコーディング完了後に彼に代わるギタリストHenrik Svegsjöが新メンバーとなった。

この2作目『Valdr Galga』は99年にリリースされ、この頃には相応の人気となっていた彼らはスウェーデン国外での初ライブに続いて、EnslavedやNileといったバンドと初のツアーに乗り出した。なお、同年11月にはHammerheart Recordsのサブレーベル Unveiling the Wickedから2本のデモをまとめたコンピレーション作品『Hednaland』も発売された。次いで2000年にはバンドはPrimordialとのツアーを実施、同年秋には3枚目のアルバム『Urkraft』とコンスタントに作品を発表、01年には再びスタジオに入り、4作目の制作に取り掛かった。02年の春にはレコーディングが完了して『Vansinnesvisor』のタイトルのもとにリリース、これを引っさげてCruachanとツアーを実施した。続く03年もSkyforgerらとのフィンランドでのツアーや、レーベルが主催するGeneration Armageddon Festivalsツアーに Ancient Ritesなどとともに参加、Wacken Open Airへの出場など、バンドは精力的にライブ活動をこなす。

これまで歩みを止めずに活動してきたバンドであったが、04年はHenrikがニュージーランドで半年を過ごすなど若干の充電期間となり、05年初頭、長年所属していたHammerheart Recordsを離れて母国のレーベル Regain Recordsとの契約を結んだ。同年11月には5作目『Farsotstider』を発表し、06年にはMoonsorrowやPrimordialとともにHeathen Crusade Metalfestに出場し、バンド初となるアメリカでのライブを成し遂げた。

大御所からの加入劇

順調かに見えた活動だったが、2007年、ThomasとHenrikの二人がモチベーションの低下のために脱退してしまう。そして、同郷のメロディック・ブラックメタルバンドの大御所Naglfarの設立者にしてボーカリストであり、05年に同バンドを脱退したJens Rydénが、Thomasが抜けた穴を埋めることとなった。ギタリストに関しては当面はPatrik一人の構成で活動する道を選び、彼らは次の作品の制作に着手する。08年には新体制で初となるアルバム『Hels vite』を発表、そして新ギタリストFredrik Hernborgが加入してバンドは再びフルラインナップに戻った。

12年にはKimmyが脱退してしまうが、これまでドラムを担当していたJockeがベースに転向、代わりに新ドラマーDennis Ekdahlが加入することとなった。Regain Recordsの閉業(後に再開した模様)に伴い、NoiseArt Recordsに移籍して、13年にバンドは『De ödeslösa』を発表している。この作品以降、リトアニアやルーマニアで初ライブを行うなど、堅実な活動を続けている。

Thyrfing
Hammerheart Records 1998

バンド名を冠したデビュー作。この時点ではまだまだマイナーなバンドで、音質を含め、B級感は否めない。しかしながら、北欧民謡を織り込んだキーボードに彩られたメロディの扇情性は、当時からなかなかのものだった。ボーカルのスタイルはブラックメタル的な喚き声だ。歌詞は英語とスウェーデン語が半々ぐらいの比率で用いられており、内容は主に北欧神話を扱う。ただ、本人たちはこの作品の歌詞について、当時から十分に満足していなかったらしく、曲についても質にばらつきがあることを認めている。ボーナストラックを含む10曲入り。

Valdr Galga
Hammerheart Records 1999

前作からわずか 1 年で届けられた 2 枚目のアルバム。このタイトルは古ノルド語で、主神オーディンの数ある異名のうちの一つである「絞首台の支配者」を意味する。タイトル曲は、「オーディンが世界樹ユグドラシル（この名前自体に絞首台の意味もあるらしい）に 9 日昼夜吊るされ、槍グングニルで貫かれたが、生き抜いてルーンの叡智を手にした」という神話を歌ったもの。前作以上に大仰なシンセが前面に出て、スピーディでスリリングな楽曲も多数収録された。シネマティックでシアトリカルな、熱いヴァイキングメタル作品に仕上がっている。

Urkraft
Hammerheart Records 2000

またもハイペースで発表された 3 作目。本作は北欧神話に加えて、自然についても歌われており、「原始の力」を意味する表題曲は「Home Again」と並び、自然の美しさやその力についての賛歌となっている。音楽性は大きく変わっていないが、ギターとキーボードのバランスをとるため、前作よりもギターを中心に据えたとのことで、よりヘヴィな音になっている。本作はデジパック仕様の限定盤もリリースされ、そのボーナストラックにはゲイリー・ムーアの「Over the Hills and Far Away」のカバーが収録された。

Vansinnesvisor
Hammerheart Records 2002

「狂気の歌」を意味する 4 作目のアルバム。これは収録曲すべてを集約するタイトルとなっているとのこと。「メロディやテンポには大きな変化はないが、これまでよりダークでヘヴィな方向に進み、バンドにとって大きなステップとなった」と自ら語る一枚。「Draugs harg」は「死者のための生贄の場」のような意味で、生ける屍のごとき現代人が生活する大都市の風刺である。過去作の歌詞は、北欧神話をモチーフにしたフィクションの要素が強かった。今作以降は、人間や普段の暮らしのダークな側面を、神話になぞらえて綴っている。

Farsotstider
Regain Records 2005

レーベルを移籍してリリースされた 5th アルバム。スリップケース仕様。「疫病の時代」を意味する本作は、ジャケットの雰囲気どおり、さらにダークで重厚な内容となった。雰囲気重視の曲が増えたが、土着的なメロディは依然として健在である。本作では初めて歌詞がすべてスウェーデン語となった。これは前作で、Thomas が母語の歌のほうが扱いやすいと気づいたからとのこと。「Baldersbålet」（バルドルの火葬）ではスウェーデンの詩人ヴィクトル・リュードベリの作品を一部引用している。限定盤には Party.San Metal Open Air 2006 でのライブをフル収録した DVD が付属。

Hels vite
Regain Records 2008

Jens Rydén を迎えては初となる 6 枚目。7 曲 52 分の大作。タイトルはスウェーデン語で「ヘル（北欧神話の冥府の女神）の懲罰」の意。北欧神話になぞらえて死や没落、世界の破滅など何か不吉なことを予言するような歌詞が綴られている。タイトル曲は勇ましいコーラスが導入され、勇壮さと悲壮感が漂うヴァイキングメタルらしい良曲。アルバム通して全体的に重苦しく、ミドルテンポの長尺な曲が続くため、特に後半はやや地味で平坦な印象を受ける。Rydén は慟哭の咆哮はもちろんのこと、表情豊かなボーカルを披露している。

De ödeslösa
NoiseArt Records 2013

再びレーベルを移籍しての 7 枚目のアルバム。タイトルは「運命を持たぬ者たち」を意味するらしい。これは北欧神話において、神々に創造された最初の人間であるアスクとエムブラ（聖書で言うところのアダムとイブ的な存在）を指す。ジャケットのバンドロゴの後ろに描かれているのもこの二人だ。初期作ほどわかりやすいわけではないが、前作と比較すれば相対的に短かめで、スローではない曲が並んでいるので、耳に馴染みやすい。本人たちもこれに関して、決して前作が悪いわけではないが、今作のほうがより良くなっていると述べている。

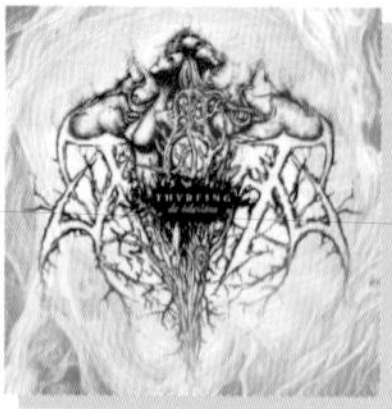

Thyrfing インタビュー

回答者：Patrik

Q：みなさんは1995年から活動しているので、20年以上が経過したことになります。今日のスウェーデンのメタルシーンは1995年と比較していかがでしょうか？　ヴァイキングメタルはスウェーデンで今でも人気なのでしょうか？

A：自分が考える限り、多くの意味で大きく違ってるね。付け加えておくべきなのは、俺たちが思うどんな「アンダーグラウンド・シーン」にも俺は本当のところ関与していないんだ。だからたぶん俺はこの質問に応える最適な人物ではないと思う。俺はThyrfingに影響を与える物事にはほぼ関わっているし、もちろん俺たちの「時代」から連なるバンドや、それより古いバンドも追いかけてきた。それは興味から来るところもあるし、コネクションを維持するためでもある。でも、音楽をレコーディングして流通させる実現可能性や、ライブの実施、ネットワーク全般といった実務的な物事の話になると、俺たちがバンドを始めた頃と比べて、明らかに大違いだよ。当然これは全部テクノロジーとインターネットによるものだ。実際の音楽や芸術の話だと、物事が良い方向に向かっているとは俺は言えないな。もちろん、時には優れた興味深い新しい物事もあるんだけど、俺が思うには、世に出てくる大半の新しいものはとても平凡に感じられたり聴こえたりする。ほとんどは既にあるテンプレートに当てはまるように作られたように聴こえるね。

あるいはもしかしたらおれが新しいものに深く感化されるには年を食いすぎているという事実のせいというだけかもしれないけど……。俺のキャパシティはもう溢れてしまってるのかもな。ヴァイキング/ペイガンの影響下の音楽に関しては、俺たち以外にもまだ活動しているバンドがいるね。Månegarm、Vintersorg、Ereb Altorとかさ。あともちろん新しいバンドも出てきてはいるんだけど、俺は最新情報を完全に追えているとは言えないんでね。

Q：みなさんは偉大なBathoryや、ブラックメタルのサタニックな要素ではなくペイガンあるいは自然崇拝的な要素に感銘を受けたとどこかで読みました。それ以外にThyrfing誕生に影響を与えたバンドや音楽はありますでしょうか？　メタルでなくても構いません。

A：ああ、バンドの黎明期には俺たちみんなスカンジナビアの伝統的な民族音楽とともに映画音楽にも大きく影響されたんだ。今でもバンドにその痕跡は残ってると俺は思うね。

Q：みなさんの1stアルバムはセルフタイトルでしたが、当時のThyrfingと今のThyrfingとでは大きく異なっています。もしまたセルフタイトルのアルバムを作るとしたら、どんな作品になると思われますでしょうか？

A：あのアルバムの曲を今再録したらどうなるかってこと？　それとも、今の俺たちがデビューアルバムを作るとしたらどうなるかってこと？　あれを再録するとしたら……、間違いなくもうちょっとうまく演奏できて、音質ももうちょっと良くて……、でもそうなるとあのアルバムの曲に実際それがフィットするかは疑わしいし、あの曲たちがどうにか良くなるかも疑わしいな。できあがるものは、その時の時世とその時点でのみんなの状態を掛け合わせたものだから。古典的なアルバムをとりまくどんな類の「魔法」も再録されると失われてしまうのが常だと俺は思うね。それは専門的な見地から見て、パフォーマンスや音やプロダクションといった「現実的な数値」がすべて改善されたとしてもね。

もしこれから俺たちがデビューアルバムを作るとしたら……？　なんとも言えないなぁ。このバンドのために曲を書くときの「影響」はこのバンドそのもの、つまりバンドの歴史だとか俺たちの経験だとかによるところがか

なり大きいと思うから……、だからそのデビューアルバムは俺たちが今度8枚目のアルバムを出すときの音とはきっと違うだろうね。

Q：質問が曖昧だったようですみません。みなさんのこれまでの歴史や経験はすべてそのままに、まったく新しいアルバムをセルフタイトルで制作するとしたら、どんなものになるでしょうか？　という意味でした。

A：この質問で君が意味するところがわかったよ。興味深い質問だね。バンドが異なれば「セルフタイトルのアルバム」の重要性への取り組み方も異なると俺は思うんだ。俺たちにとっては、デビューアルバムを作った時には、セルフタイトルの背景に深い考えはなかったよ。……他にもっといいタイトルが思い浮かばなかっただけで、単に『Thyrfing』と付けるのが適切だろうと思ったんだ。でもそうだね、セルフタイトルのアルバムは何かしら特別であるべきもの、そしてそのバンドをよく象徴するものだと捉える人もいるのは知ってるよ。もし俺たちが今セルフタイトルのアルバムを作ったとしたら、正直なところ、他のタイトルで作るアルバムと何ら変わらないだろうと思うね。最近このバンド向けに作曲するときの大きな影響は、やっぱりバンドそのもの、その歴史と経験に由来するものだからね。

Q：Jens Rydén が Thyrfing に加入したのはセンセーショナルでした。曲や歌詞のスタイルに関して、彼の加入により Thyrfing はどのように変わりましたでしょうか？

A：Jens がバンドに加入してから曲と歌詞の両方でバンドに寄与してきたとしても、実際のところ彼がバンドの方向性やスタイルを少しでも変えたとは思わないな。彼がメンバーになった頃には、バンドはすでに安定した軌道に乗っていて、そのアイデンティティやスタイルに馴染んでいたと思うよ。もちろんどんなバンドのどんなメンバーも、その作品に多かれ少なかれ痕跡を残すのが常だけど、著しい変化があったとは思わないな。

Q：恐れながらみなさんの音楽はダークになっていっていて、歌詞も以前と比べてフィクションではない問題を扱うことが増えているように思います。この変化の背景をご説明いただけますでしょうか？　また、この変化に関してファンやメディアの反応はいかがでしょうか？

A：歌詞とバンドのイメージは 2002 年にアルバム『Vansinnesvisor』で方向転換したんだ。それ以前の発表作品と比べて極端に異なるとは俺は思っていなくて、たぶん長年のうちにメディアでちょっと誇張されたんじゃないかな。ある意味、それは自然な進化と進歩だと俺は捉えているのだけど、でもそうだな……あのアルバム以降、ややそれが目立つのだな。

俺たちは今でもスカンジナビアの伝承と神話に深く根ざしているし、それらは今なおインスピレーションの重要な源だし、歌詞のテーマになっている。初期のアルバム群との主たる違いは、ヒロイックでファンタジックな雰囲気が欠けているのかもしれないな。初期の歌詞は私的な加筆が一切なく、純粋に物語や神話に基づいていたからね。

Q：Patrik、あなたは Twilight of the Gods にも参加していますよね。Thyrfing にそこからの影響はございますでしょうか？

A：実際には俺はもうあのバンドのメンバーではないし、あのバンドがまだ存続しているとも思わないよ。少なくとも活動休止状態だね。曲や歌詞に関して言うと、あのバンドが Thyrfing に大きな影響を与えたとは思わないな。言うまでもなくどちらのバンドもお互いある程度の影響はあるけども、曲を作る素材や制作した曲についてはあのバンドを切り離しておくのに何の支障もなかったよ。だから俺個人的にはもっと一般的なレベルでの影響はあったと言えるかな。バンドとしてどう動くか、物事にどう取り組んで行くかというアイデアだとか、一般的な作曲のアイデアだとか……だから両方のバンドに一般的なレベルでの影響があったとも言えるな。そう、

だから……そういう点で有益だったと思うね。

Q：みなさんの一つ前のアルバムは8年前に発表されました。これはアルバムごとのリリース間隔としてはこれまでで最長です。ですので、みなさんは新曲を生み出すのに苦労されているのでしょうか？　キーボードがこれまでThyrfingの音楽において重要な役割を担ってきたと思いますので、キーボーディストのPeterの脱退が一因かと思っておりますが。

A：Peterはバンド結成以来、メインコンポーザーの一人だったんだ。だからそうだね、実際数ある理由の一つなのは確かさ。2013年以降何かしらの形で制作中のThyrfingの曲とアイデアは常にあったんだ……ただ新しいアルバム向けにすべてをまとめ上げられていないってだけで。良い知らせなんだけど、Thyrfingの価値ある8枚目のアルバムに向けた素材の大半はもう揃ったから、2021年にはレコーディングしてリリースできるよう願っているよ。

Q：ヴァイオリン奏者やフルート奏者など民族楽器奏者を正式メンバーに起用しているヴァイキングメタルバンドもいますよね。Thyrfingにも初期の頃、フィドルを取り入れた曲があったと思いますが、そういった楽器をまた使用する予定はございますでしょうか？

A：ありえなくはないよ。適切な機会が訪れて、曲のアイデアとうまく協調するなら、俺たちはいつだってそういう案に対して柔軟だよ。

Q：みなさんの歌詞の大半はスウェーデン語で書かれていますが、英語の歌詞もありますよね。どちらの言語を使うかはどのように決めているのでしょうか？

A：バンドの初期には特に深く考えることもなくスウェーデン語と英語の両方を使っていたんだ……曲のアイデアにフィットしそうな言語を使っていたというだけで。アルバムによっては一貫性があるものもある（『Valdr Galga』はすべて英語だし、『Farsotstider』と『De ödeslösa』はすべてスウェーデン語）し、両方使っているアルバムもある。一番新しいアルバムではスウェーデン語の歌詞に偏重したのは、そのほうが曲と意図した雰囲気によくフィットすると思うからなんだ。それから今後は何か予期せぬ出来事が起こらない限りは、すべてスウェーデン語を使うだろうと思っている。

Q：日本でライブを行う予定はございますでしょうか？　もし日本に来るとしたら、ライブ以外に日本でやってみたいことはございますでしょうか？

A：具体的なプランはないけど、好機が訪れてすべてがうまく行けば、必ずややりたいと思っているよ。もちろん日本ではライブ以外にも山ほど見たいこともやりたいこともあるさ。……だから来日が実現するとしたら、それらをうまく片付ける手助けを誰かがしてくれるよう願っているよ。

Q：最後になりますが忘れてはならないこととして、日本のファンや読者に何かメッセージをいただけますでしょうか？

A：時間を取ってくれて、またThyrfingに興味を持って応援してくれてありがとう。俺たちはまだくたばらないから安心してくれ、いつの日か日本でライブができるよう願ってやまないよ！

MENHIR《メンヒア》

女性キーボーディスト擁す、テューリンゲン部族のプライド！

ドイツ テューリンゲン州 ブライトゥンゲン / ヴェラ　1995 〜
Fix (Gt), Heiko (Gt, Vo), Fritze (Ba), Erwin (Dr), Jennifer (Key)

ケルトとゲルマンの祖先に捧ぐ

Menhir は 1995 年初頭にドイツのテューリンゲン州でギタリスト / ボーカリストの Heiko、ドラマーの Fix、女性キーボーディストの Manuela の 3 人によって結成されたペイガンメタルバンドだ。この名は語源的にはケルト系言語のブルトン語の「長い石」で、特にアイルランドやイギリス、フランスなどに多く見られる単一で直立した巨石記念物を指す。新石器時代から青銅器時代にかけて、様々な儀式の場として使用された聖なる石らしい。バンド名が暗示するとおり、彼らのテーマはケルト / ゲルマンの祖先たちやその文化だ。

そういうわけで、同郷の XIV Dark Centuries と同様、彼らは厳密にはヴァイキングメタルバンドではないが、ゲルマン系のペイガンメタルとヴァイキングメタルの境界は極めて曖昧だ。実際、レビューサイトなどで、彼らをヴァイキングメタルだと見なす向きも見られる。

仲間の危機に脱退したメンバーが駆けつけた

96 年 3 月にデモテープ『Barditus』（チュートン人の鬨の声）を発表したが、その後、追加のメンバー探しが難航する。しかし、旧友であった Heinz がベーシストとして加入して、彼らは 1st アルバムの制作に着手する。96 〜 97 年にかけてレコーディングを実施、97 年 6 月に Ars Metalli から『Die ewigen Steine』（永遠の石）の発売に至った。

さらに Heiko と Fix のユニットという形で、サポートミュージシャンの助けを借りて 98 年春に EP『Bucovina』（テューリンゲン近傍のレーン山地周辺を指す Buchonia のラテン語名らしい）を制作・発表する。それから 2nd アルバムの制作を試みたが、Fix と Heinz が職業上の理由で脱退してしまう。同年秋にはこの二人がフォークメタルバンド Odrocrir を立ち上げているので、それが真の理由なのかもしれない。後任ベーシストに Karsten、サポートドラムに Desaster の Tormentor（後に Metalucifer や Sodom で活躍）を迎え、さらにセカンドギタリストに Roman が加入して、彼らは盤石の体制で『Thuringia』を制作、99 年 4 月にリリースした。

2000年に正式なドラマーSebastianが加入、バンドは初のライブを予定していたが、ここでRomanが脱退してしまう。セカンドギタリスト抜きには楽曲があるべき姿で演奏できないと困っていたところ、この危機を聞きつけたFixがドラムからギターにパートチェンジして再加入、ライブを無事に終わらせた。彼はOdroerirではボーカル、ギター、民族楽器、キーボードを担当、マルチな才能を見せている。

新作が出ないまま

その後、Karstenが脱退、3rdアルバム『Ziuwari』はOdroerirのベーシストRalphの助けのもと制作された。Ars Metalliが傾いていたこともあり、本作はFalkenbachのVratyasが立ち上げたSkaldic Art Productionsから2001年にリリースされた。その後バンドはドイツのPerverted Tasteと契約、過去4作はすべて同レーベルから再販された。

アルバムのリリース後、ベーシストFritzeとキーボーディストChristianが加入、バンドはこの布陣で数々のライブやフェスへの出演、ツアーに乗り出す。04年～05年頃にはバンドは新曲の制作も始め、レコーディングを開始する。その質にこだわった結果、何度もレコーディングを重ね、4枚目のアルバム『Hildebrandslied』が日の目を見たのは実に前作から6年が経過した07年4月のことだった。この頃には所属レーベルがあまり活発ではなかったためか、本作は新興のTrollzorn Recordsから発売された。

しかし、またもドラマーが脱退、バンドは再びメンバー探しに苦労する。以降何度かのメンバーの変遷を経て、ドラマーにはSebastianの後任で10年に脱退したErwinが18年に再加入、ベーシストはFritzeが一度脱退するも同じく18年に再加入、キーボーディストは女性であるJenniferが着任している。13年に新作が発売予定とのニュースがあったが、依然出ないままである。

Thuringia
Ars Metalli 1999
2ndフルアルバム。Bathoryのカバーを含む9曲入り。タイトルはバンドの故郷テューリンゲンのラテン語名。表題曲ではオーディンらが原初の巨人ユミルの血と肉から世界を創造し、そこに光に輝く一つの岩がそびえ立ち、誇りと名誉に溢れた勇敢な部族が生まれてテューリンゲンが誕生したと綴られている。音楽的にはシンセ入りのメロディックなペイガンブラックで、緩急織り交ぜドラマティックな仕上がりとなっている。要所要所で高らかにクリーンボーカルで歌われるメロディは、ほんのりと哀愁も帯びており、聴く者の胸を熱くする。

Ziuwari
Skaldic Art Productions 2001
EPを挟んで3枚目となる本作のタイトルは、強大なゲルマン部族として知られるスエビ族の古高ドイツ語での別名で、「テュールを信仰する者」を意味する。彼らのオフィシャルサイトのドメインにも、この単語が採用されている。オーディンが自らを9日9晩捧げてルーンの力を手にする「Wotans Runenlied」（オーディンのルーンの歌）や、テューリンゲン王ヘルマンフリートとフランク族との戦いを扱う「Die letzte Schlacht」（最後の戦い）を始めとして、より勇壮でメロディックな方向性に進んでいる。

Hildebrandslied
Trollzorn Records 2007
6年ぶりに発売された4thフルアルバム。A5サイズのデジパック仕様。タイトルはドイツに伝わる英雄詩「ヒルデブラントの歌」だ。4曲目、5曲目はこれに曲を付けたものだ。東ゴート族の王の臣下ヒルデブラントは、妻と幼い息子を残して、王とともに亡命したが、30年の時を経て故郷に戻れることになった。そこではハドゥブラントなる人物が領土を治めていて、ヒルデブラントを侵略者だとして戦うことになる。実は彼は息子なのだが、父は死んだと聞かされていたため、目の前の男は自分を騙そうとしていると考えたという悲劇の物語だ。

HIMINBJORG《ヒミンビョルグ》

母語フランス語を嫌い、先祖ゲルマン言い張り、ケルト文化も主張！

フランス オーヴェルニュ＝ローヌ＝アルプ地域圏 サヴォワ県 シャンベリ　1996 〜 1997 (as Himinbjørg), 1998 〜　Kahos (Dr), Zahaah (Vo, Ba, Gt, Key), Avgruun (Gt), Sven (Gt)

フランス在住だがノルウェー起源

Himinbjorg はフランス南東部の都市シャンベリで、1996 年に結成されたヴァイキング / ブラックメタルバンドである。当時のメンバーはボーカル、ベース、ギターを担当する Zahaah と、ボーカル、ドラム、キーボードをこなす Elvan（後に Corven に改名）の二人で、当初は Himinbjørg 表記だった。Elvan はブラックメタルバンド Nehëmah での活躍でも知られている。バンド名は彼の提案によるもので、北欧神話に登場する空にそびえ立つ山の名で、光の神ヘイムダルが住まうとされる。彼の家族にはノルウェー起源の人がいるらしく、彼自身北欧神話に多大な興味を持っていたらしい。彼は後に脱退するのだが、以降はフランスのバンドらしくケルト文化も扱うようになる。

結成翌年にはトラッドソングを含む『Hedning』（異教徒）、次いで『Where Ravens Fly』と 2 本のデモテープを発表した。アコースティック楽器とメタルサウンドを融合させ、神秘的でキャッチーなメロディを紡ぐ独特の楽曲は、多くのレーベルの関心を掴み、98 年にはアメリカの Red Stream Inc. との契約に至った。同年、リード / リズムギターを担当する Mathrien D. が加入している。Zahaah と Mathrien は、後に加入する Michael とともに同じ学校に通っていたそうで、16 歳のときに最初のメタルバンドを組んだ仲だったらしい。彼らはフルアルバム『Where Ravens Fly』でデビューを果たす。なお、本作からバンド名の表記が Himinbjorg となる。

ブラックメタルとは全く異なる高品質な作品

アルバムのリリースで、バンドはアンダーグラウンドで世界的に知られるようになった。翌 99 年には 2nd アルバム『In the Raven's Shadow』を発表し、2000 年にはライブバンドとしても高評価を得たが、創立メンバーの Corven が脱退してしまう。前作でブラックメタルに歩み寄った、ダークかつシャープな音楽を提示した彼らだが、後任に Michael を加えて同年ドロップした EP『Third』では、ミドルテンポでクリーンな音質の、楽曲重視の音楽性へと変化した。その自然な帰結として、01 年に発売された 3rd アルバム『Haunted Shores』は、当時のシーンにあふれる従来のブラックメタルとはまったく異なる高品質な作品で、「自身の作品の中でも主要な作品の一つになった」とバンド自ら評している。彼らはこの作品をもって Red Stream Inc. を離脱した。また、Michael がこの頃脱退している。同レーベルはアメリカのレーベルゆえ、グローバルに作品を配給してくれはしたが、フランス国内向けのプロモーションはしてくれず、もっと自国での活動にも注力すべきと考えてのことだ。そういうわけで、彼らは自国の老舗 Adipocere Records とサインした。新任ギタリスト Anton とドラマー Kahos を迎えて、03 年に送り出した 4 枚目『Golden Age』では、ブラックメタルらしい攻撃的で生々しい音への回帰を見せ、次いで 05 年に 5 枚目『Europa』を発表した。

バンドを休止させることを決断

しかし、10 年近くもの年月をバンドに捧げてきて、彼らは疲弊を感じ、Zahaah はバンドを休止させることを決断した。この休止期間に、長年活動をともにした Mathrien が個人的なプロジェクトへの専念のため脱退、他のメンバーも同様にバンドを去ってしまう。

08 年に Zahaah はバンドの再開を決定、結成当初の未発表曲をレコーディングし、09 年に自主レーベル European Tribes を設立して、翌年『Chants d'hier, chants de guerre, chants de la Terre...』をリリースした。13 年には二人のギタリスト Avgruun と Sven が加入している。15 年に『Wyrd』を発表、自国の名門 Osmose Productions と契約して国際的な流通を実現した。18 年には『Golden Age』の再録盤を発売している。

Where Ravens Fly
Red Stream Inc. 1998

デビュー作。同名の 2nd デモから 5 曲を抜粋して新曲 1 曲を加えたもの。デモの曲はリマスタリングされている。ともに 10 分を超える「Lightning of Blood」や「In the Haze of the Summer Solstice's Fires」を始めとして、ファストで暴虐なブラックメタルパートと、伸びやかなクリーンボーカルで歌い上げられるミドルテンポの勇ましいパートを組み合わせたドラマティックな楽曲が展開される。初期衝動が詰め込まれた作品は、まだまだ荒削りだが、ブラックメタルに抵抗がなければ十分楽しめるレベルの佳作だ。

Chants d'hier, chants de guerre, chants de la Terre...
European Tribes 2010

バンドを活動休止から復帰させるにあたり、結成当時の未発表曲をレコーディングした 6th フルレングス。タイトルは「昨日の歌、戦いの歌、大地の歌……」の意。初のフランス語詞とともに、フルートやヴァイオリンの導入など、かつてないほどフォーク色が強い作品。「Destin de sang」に至っては、笛が乱舞する完全フォークメタル・チューンだ。語りや朗詠のようなパートが多めで、若干ダレるのが難点。自主レーベルからのリリースのため、流通が極めて悪いのが惜しまれるが、デジタル音源であれば Bandcamp で購入可能。

Wyrd
European Tribes 2015

7 枚目のフルアルバム。タイトルはアングロ・サクソンの文化で「運命」を意味する。数奇な巡り合わせにより適切な人々と出会い、この作品が生まれたのも「運命」だと言う。メロディックなブラック / エクストリームメタルを、装飾過多にならない程度の様々な民族楽器で彩るスタイル。音質も良好で聴きやすい。1st アルバムの頃の音楽性が順当に進化して、より幅広く受け入れられる形になったと言えよう。自主レーベル以外に Osmose Productions からも発売されており、入手しやすいので最初に聴くなら本作が良いだろう。

Himinbjorg インタビュー

回答者：Zahaah

Q：Himinbjorg とは北欧神話において光の神ヘイムダルが居住していた山の名前ですよね。このバンド名は旧メンバーで、ノルウェーにルーツを持つ家系の Corven によるものだとどこかで読みました。Himinbjorg がヴァイキング / ブラックメタルをプレイしてきたメインの理由の一つは、北欧神話への彼の関心によるものだったのかと思います。では彼の脱退後についてはどうなのでしょうか？　アルバム『Wyrd』にはテュールやヴォータンに言及している曲が見られるので、今でもみなさんは北欧あるいはゲルマン神話からいくらかモチーフを拝借しているかと推察されます。現在の Himinbjorg の歌詞のメインのモチーフは何なのか、ご説明いただけますか？

A：こんにちは。1997 年に Corven は彼の家系がスカンジナビアにルーツを持つという情報を広めたんだ。この主張が正しいのか、今日に至るまで俺は保証できないんだけどね。Himinbjorg というバンド名を彼が提案する動機になったのは、当時のスカンジナビアのブラックメタル・ムーブメントに彼が関心を持っていたからなのは確かだね。

自分に関して言えば、俺は当時、森と山と滝の我が国から、ケルトの伝統についての精神世界からのメッセージを受け取り始めたんだ。その伝統は俺の魂を形作り、今なお俺の内に生き続けているよ。でも俺は父親からゲルマンのルーツを受け継いでいるから、「Guillermain」の姓を持っているんだ。この名はドイツ語で「Wilhem」（ママ）に訳され、「Wil/Vil」は「意思」を意味し、「Helm」は「戦士の兜」を意味するんだ。俺の名である「Frederic」は次のように訳される。「Fred」は平和、一族にとって安全が保証された状態、保護的、で「Ric」は強い、リーダー、勢いがある、なんだ。スカンジナビアのメタル文化の中での Himinbjorg の経験は、20 歳のときには知らなかった自分のゲルマンの一面を明らかにしてくれた。結果として、俺が Himinbjorg で書いているすべては、ケルトの精神世界からのメッセージを受け取ったゲルマン人一個人としての人生における自分の経験についてなんだ。

Q：『Chants d'hier, chants de guerre, chants de la Terre...』で活動再開したあと、みなさんは伝統楽器を自身の音楽に導入されました。この考えをどのように思いついたのか説明していただけますか？

A：ブラックメタルとは 90 年代のスカンジナビアの若者たちが、民族音楽を紛いなく顕現したものだと俺は信じているんだ。悪意ある人間社会が、俺たちのものではないユダヤ教の名のもとに破壊しようとする試みに対する伝統的精神を、暴力的で陰鬱で猛烈に表現したものがブラックメタルなんだ。

俺は自分の音楽のすべてをアコースティックギターで書いていて、それからそれをはち切れんばかりのメタルミュージックに作り変えるんだ。音楽の中には比較的落ち着いたパートもあって、フルートやヴァイオリンといったアコースティック楽器の穏やかさのための余白が残っているんだ。

Q：また、フランス語はメタルで使うにはインパクトに欠けるから、メタルの歌詞ではフランス語を使いたくなかったとどこかで読みました。しかしながら、このアルバムであなたはフランス語を使いましたよね。これは単にこのアルバムがフォークの要素が強くて比較的穏やかだからなのでしょうか？　それともフランス語を使う必要性を感じたからでしょうか？　多くのペイガン / ヴァイキングメタルバンドが母語にこだわっていますよね。

A：このアルバムでは通常ブラックメタルで見られる感情よりももっと繊細なものを扱っているんだ。それらを正確に表現するために

俺は母語を使う必要があったのさ。その上、このアルバムで俺はネイティブのフランス人たちに直接話しかけて、自分たちの今の状況を自問するよう頼んでいるんだ。でもフランス語は俺の祖先の言語ではない。だからフランス語は好きじゃないし、思いを馳せることもない。フランス語はラテン語をベースとしてケルトとゲルマンの語彙を追加したものなんだ。

Q：みなさんは『Golden Age』の再発盤を2018年に発表されました。このアルバムを再録の対象に選んだのはなぜでしょうか？　『Golden Age』はケルト世界の繁栄についての作品ゆえに、歌詞の面で重要だからかと推察したのですが、正しいでしょうか？

A：俺たちがこのアルバムを再録したかったのは、2003年のオリジナルバージョンが、レコードレーベルであるAdipocereがその激烈な側面を気に入ったからという理由で、単なる仮録音だったからなんだ。何年も経って振り返ってみると、その音に俺たちは満足していないし、演奏にも納得がいっていない。Asgard Hassレーベルが再録のオファーをくれたから、その好機をありがたく掴んだってわけさ。このアルバムの歌詞は本当に逆説的でね。というのも、俺は確かに、現在のキリスト教化された、無神論者や合理主義者そして無知の時代と対立するものとして、ケルトの黄金時代、つまりこの文化のピークに言及している。でも俺個人の人生にも言及していて、当時は自身が伝統的なヨーロッパ起源だという主張を当然だと思っていた時期だったんだ。俺が抱くようになった興味深い逆説は、俺たちはケルト文明の黄金時代を人間はそうあるべきものとして理想化するけど、たぶんそれはそんなに素晴らしいものではなかっただろうってことさ。ケルトの人々はおそらく卑しく悪しき人たちに統治され、何を言い、何をやり、何を信じるかを強制されていただろうから。個人的な話だと、俺にさらに少し（訳注：自分という存在について）明らかにしてくれたこのアルバムの時期は、すごく荒れていたなぁ。

Q：過去の他のアルバムも再録する予定はありますでしょうか？　例えば、最初の2枚のアルバムがもっと激しく生々しいブラックメタル・サウンドにフォーカスしていたことを勘案すると、『Haunted Shores』はみなさんの音楽性における最初のターニングポイントであり、重要な作品の一つかと思います。

A：いや、ないよ。その種の再録が芸術的にはとても興味深かったとしても、リスナーは興味なさそうなんだ。でも君に同意するよ、『Haunted Shores』は俺たちのディスコグラフィーにおける重要な一枚だね。

Q：あなたがカバーアートやブックレットは芸術として大変重要だと考えているとどこかで読みました。実に同意します。それぞれのアルバムのカバーアートが何を意味しているか、ご説明いただけますか？

A：

- **『Where Ravens Fly』――スカンジナビアの芸術の美しい表現が見えるだろう。**

これは彫刻が施された木のドアの一部の絵なんだ。

- **『In the Raven's Shadow』――俺たちの心のダークな時期で、アートワークは前より暗くなったけど、伝統的な精神の輝ける光が、黒い背景、この虚空に差し込んでいるのが見えるだろう。当時俺は自分の過去の亡霊に顔を合わせたんだ。ブックレットの中の写真は俺の地元の森の中の場所を表していて、この森のダークで深淵なエネルギーが俺の精神の厳格で古代の部分を露わにしたんだ。**
- **『Third』――このアートワークは馬鹿げていてガラクタのようだと白状しなければならない。グラフィックデザイナーがこれを制作したのだけど、俺たちに金を払うよう言ってきて、どう対応したらいいかわからなかったんだ。**
- **『Haunted Shores』――これは宇宙を表現していて、レコードレーベルがチョイスしたんだ。この時期の精神世界との交信の側面をとてもよく反映しているね。俺たちの音楽はコードだとか、2000年代初頭のブラックメタルにおいて馬鹿馬鹿しいギミックになる傾向があった文化的な固定観念を超越して、俺たちが精神面で成し遂げたものを描いているんだ。文化は本質へとつながる必須の道ではあるけど、あるレベルに達すると、文化など存在しないんだ。**
- **『Golden Age』――俺の心のうちではまた葛藤と煽動の時期に戻ったんだ。このカバーアートは強さ、美しさ、そして俺たち精神信仰者のヨーロッパ精神の力を主張していて、銀板から製造されたグンデストルップの大釜に彫られたケルトの神ケルヌンノスを描いているんだ。**
- **『Europa』――このカバーアートは、いくつかのケルトとゲルマンの遺物の絵から構成されている。それらのオブジェクトからは精神的な力がほとばしっているんだ。**
- **『Chants d' hier, Chants de guerre, Chants de la Terre』――このアートワークは大地と石の逆説的な側面を描いているんだ。大地と石はヨーロッパの精神信仰者たちにとって宇宙へのドアなんだ。俺たちは永遠に大地に束縛されている。**
- **『Wyrd』――アートワークは森の中の滝といった神聖なる地の守護者であるドリアードを描いたものだ。**
- **『Golden Age（再録盤）』――このアートワークは砂浜の砂の自然な動きの写真から成る。自然の力をそのシンプルさにおいて表現して、ケルヌンノスの描写を添えたんだ。**

Q：あなたのレーベル「European Tribes」の背景についてお聞かせください。たぶんご存知かと思うのですが、Folkearth というプロジェクトがあって、彼らのコンセプトは様々なフォーク / ペイガン / ヴァイキングメタルバンドから多くのミュージシャンを集めて、ヨーロッパの神話と歴史を探求することです。個人的には「European Tribes」という名前からそのプロジェクトを思い起こしました。

A：European Tribes は俺が何者なのか、そして俺が世界をどのように見ているかを極めてシンプルに定義する2語なんだ。俺の魂は一族に、時代を超越して俺の祖先の部族（tribe）に結びついている。そしてEuropean は事実として俺たちの性質だから。

Q：どこかのインタビューで、Himinbjorg はビジネスではなくて異教徒として世界を探求する場だと読みました。ですので、当然ながらみなさんと同じか少なくとも似た文化的背景を持つ人が Himinbjorg の作品を一番楽しむことができますよね。しかしながら、いずれの国にも各々の異教徒の背景がありますので、ヨーロッパ人以外の人もみなさんの音楽を聴くことで何かしら得られるものがあるのではないかと思います。これに関してどのようにお考えでしょうか？

A：それは間違いないね、俺は自分の人種と

祖先を賛えているから。でも何よりも俺は生命と文化を愛しているんだ。**世界のすべての人々の魂がとても愛しいんだ。**黒人の先住民、モンゴル人、アメリカの先住民……みんな身近に感じられるよ。彼らの精神信仰の魂は俺のと同質なんだ。彼らの進む道筋は俺のと同質なんだ。他の民族における自分と同等の人と出会うよう運命が俺を導いていて、彼らを見つけ出すことは人生における最大の喜びの一つなんだ。
文化は人類の最も重要な宝であり、そういうわけで、俺は真実を研究して守ることに自分の人生を捧げているのさ。
でも、人類にとっても最大の脅威は人間そのもので、だからみんな自身のうちにある悪しき魂と戦う必要があるんだ。俺は紛いない真実のために他の人々に自分の文化を描いているんだ。これは高貴な作業だよ。
現代の世界的な非文化的な経済的全体主義は真実を捻じ曲げて執拗に文化を邪悪で憎悪と衝突にまみれたものとして描きたがる。それは人々の伝統的な知識を滅ぼすための偽りの口実なんだ。伝統的な知識は、すべてを所有する資本家とその取り巻きたちの関心事に、全人類を従属させようとする彼らの計画へ抵抗するものだからね。
そうこうしているうちに人々と俺たちの星は死にかけているんだ。

Q：最後になりますが、日本のファンと読者に何かメッセージをお願いします。

A：日本のみんなの興味を掻き立てることができて誇らしく感じているよ。みんなはたぶん知らないだろうけど、俺は**二天一流において宮本武蔵の生き様をここフランスで学んでいる**んだ。俺からの敬意と尊敬を受け取ってくれよな。

面白ミュージックビデオその２

ハマザキカク執筆

Skálmöld - Gleipnir (Official Video)
フィヨルドを彷徨う戦士。そこで目にしたのは美少女。そしてその美少女が、手にしていたのは腸だった。

BLACK MESSIAH - Windloni (2012) // Official Music Video // AFM Records
雪で覆われた山頂を目指す戦士たち。彼らがそこで目にしたのは凍ったまま椅子に座る男だった。その男が握りしめている筒を取り上げると、突如目覚める。

TÝR - Ragnars Kvæði (OFFICIAL VIDEO)
雪の中上半身裸、半ズボンで森を彷徨う……夢を見ていたマッチョな男。そして毛皮に身を包み、森を歩く……夢を見ていた女。そんな２人が街中で出会う。

ENSLAVED - RIITIIR (OFFICIAL VIDEO)
洞窟の中で飢えに苦しむ母と子。その二人を残して漁に旅立つ男。しかし魚は釣れない。戻ってみると……。

HIN《ヒン》 ONDE《オンデ》

キリスト教化したスウェーデンによるフィンランド侵略テーマに！

フィンランド ウーシマー県 ヒュヴィンカー　1996 ~ 1998 (as Calm), 1998 (as Svartalfheim), 1998 ~ 2004, 2017 ~ ?　（解散時期不明）　Wircki (Key), Narqath (Vo, Gt, Key)

Hin Onde はいまやベテランのブラックメタルバンド Azaghal のギター / ベース / キーボード / クリーンボーカルを担当する Narqath およびドラマーの Kalma と、当時は Wind と名乗っていたキーボーディスト Wircki らによって、1998 年に結成されたフォーク / ヴァイキング / ブラックメタルバンドである。もともとこの面子で 96 年に Calm という名前で活動を始め、Svartalfheim（北欧神話の黒の妖精の国）に改名、その後 Hin Onde に再度改名した。これはスウェーデン語（フィンランドにはスウェーデン語圏がある）で「邪悪なる者」を意味し、伝説の野蛮なヴァイキングであるラムンデルの肩書きである。

Hin Onde としては 99 年のデモ『Ahti's Depths』（アハティはフィンランドの海の神）が最初の作品となる。同年 7 月 Aftermath Music から 7"『Fiery September Fire』を、次いで 2000 年にフルアルバム『Songs of Battle』を発表、03 年に 2 枚目『Shades of Solstice』を Solistitium Records からリリース、3 作目の制作途中で翌年解散した。17 年にまさかの復活を果たすが、表立った活動がないまま、いつの間にか再度解散してしまったようだ。なお、Narqath と Wircki は Wyrd でも活躍している。

Songs of Battle

Aftermath Music　2000

音質等 B 級ではあるが、キーボードの奏でるメロディがヒロイックで素晴らしいとして、マニアの間で評価が高い隠れた名作。キリスト教化したスウェーデンが 1155 年にフィンランドを襲撃した史実のほか、ヘルヘイムやオーディンといった一般的な北欧神話の物語のみならず、トゥオネラの白鳥といったフィンランド固有の神話も扱われている。ブラックメタルの要素はしゃがれたがなり声ぐらいで、クリーンボーカルも多用されており、シンフォニック・ヴァイキングメタルといった音楽性だ。Turisas などのファンは聴いてみると良いであろう。

NACHTFALKE《ナハトファルケ》

「ドイツ人が支配民族」主張する NSヴァイキング「夜の鷹」！

ドイツ ザクセン州 シュネーベルク　1996 〜 2011　Occulta Mors (Vo, All instruments)

Nachtfalke はドイツのカルト・ブラックメタルバンド Moonblood の Occulta Mors によるサイドプロジェクトだ。Moonblood ですべての楽器を担当している彼だが、こちらではボーカルも含めてすべてを一人でこなしている。プロジェクト名は「夜の鷹」の意。彼は Bathory の大ファンだと公言しており、カバーを多数発表するほか、その影響下にあるブラックメタルをやっている。ただ、彼はインタビューでドイツ人が支配民族だと語っており、彼いわく Nachtfalke は「NS ヴァイキングバンド」（注：NS は国民社会主義、つまりナチス）とのこと。

1997 年から 2000 年にかけてデモや EP、スプリット作品をリリース。特に Absurd の Unhold による一人ブラック Luror とのスプリットは、このバンドのスタンスが窺い知れる。01 年にフルアルバム『Hail Victory Teutonia』を発表、以降 02 年から 07 年にかけて 4 枚のアルバム『Doomed to Die』『Land of Frost』『As the Wolves Died』『Following the Wanderers Path』をコンスタントにリリースした。4 年のブランクを経て、11 年に 6 枚目のフルレングス『Wotan's Return』をドロップ。ブックレットにはこれがオフィシャルなラストアルバムになるだろうと記載されており、同年解散したようだ。

Hail Victory Teutonia
Christhunt Productions　2001

フルアルバムとしては初となる作品。Teutonia とは現在のドイツを指す。Bathory の「Man of Iron」や、オカルトロックバンド Black Widow のカバーを含む 11 曲で、80 分近い大作。『Blood Fire Death』あるいは『Hammerheart』の頃の Bathory のような音楽性で、アコースティックギターやクリーンボーカルを取り入れたミドルテンポ主体のブラック / ヴァイキングメタル。数曲あるストレートなブラックメタル・チューンが、Moonblood を想起させる流石の仕上がりなので、そちらのファンも要チェックだ。

SURTURS《ズルトゥルス》 LOHE《ローエ》

お祭りメロディ、浅薄な歌詞など ペイガンメタルのトレンド憂慮！

ドイツ テューリンゲン州 マイニンゲン　1996 ～
Alraun (Vo, Flute), Ragnfalt (Gt), Nidhöggr (Dr), Heidenherz (Gt, Vo), Budda (Ba)

1996 年、ギタリストの Ragnfalt と、ドラマーの Tristan によって結成されたフォーク / ブラックメタルバンドが Surturs Lohe だ。バンド名はドイツ語で「スルト（北欧神話の炎の巨人）の炎」とのこと。Bathory や Manowar に着想を得て、北欧神話に惹き込まれたそうだ。Ragnfalt は昨今のお祭り的なメロディや、浅薄な歌詞が跋扈するペイガンメタルシーンを憂慮しており、異教の賛歌たる真の芸術を目指しているそうだ。

メンバーチェンジを重ねて 2001 年と 02 年にアルバムをリリース、04 年頃にはアンダーグラウンドでそれなりの知名度になっており、ライブの要請が多く寄せられるようになっていた。Ragnfalt はその芸術志向のせいかそうした状況を嫌い、バンド活動を停滞させることを決定。別バンド Helritt を他のメンバー（本人は不参加）にやらせ、3 枚目のアルバム用にレコーディング済みだった楽曲を使って、そちらでアルバムをリリースした。07 年にバンドは Ragnfalt と 01 年からの Reki、Nidhöggr の 3 人で活動再開、メンバーを拡充しつつ、11 年と 16 年にアルバムを発表した。17 年には 16 年間ボーカルを務めた Reki が脱退、バッキングボーカルだった Heidenherz がリードボーカルに転向している。

Seelenheim
Einheit Produktionen　2016

デジパック仕様の 4 枚目。収録曲のアコースティックバージョンや、デモ『Urda』（運命の女神）のリマスタリングが収められたボーナスディスク付きの限定ボックスも発売されている。「魂の居場所」と題された本作は、肉体の死後、魂が木や山といった自然に宿るという伝説を扱っている。特に赤髭王と呼ばれた神聖ローマ皇帝フリードリヒ 1 世が実は死んでおらず、キフホイザー山地に眠っており、有事にはカラスが目覚めさせ、帝国を救う伝承を綴っている。なお、タイトルはドイツの地方自治体 Seelen へのオマージュの意図もあるらしい。

NOMANS《ノーマンズ》 LAND《ランド》

スカンジナビア至近距離サンクトペテルブルクでヴァイキング！

ロシア サンクトペテルブルク　1996 ～
Sigurd (Vo, Gt), Ainar (Dr), Alexander Nevsky (Gt), Alexander Goodwin (Ba, Vo)

ドゥームメタルをやめてヴァイキングメタルへ

Nomans Land は、1996 年春にロシアの旧首都サンクトペテルブルクで結成されたヴァイキングメタルバンドだ。当初はドゥームメタル寄りの音楽性だったらしい。しかし、サンクトペテルブルクは地理的にスカンジナビア半島に近いということもあって、彼らは次第にスカンジナビアのフォーク / ヴァイキングメタルの影響を受けていった。当初の音楽性でアルバム用の楽曲が準備できていたが、そのレコーディングは実施せず、フォーク / ヴァイキングメタル・スタイルで新たにアルバムを制作し直すことにしたという。それゆえ、ドゥームメタルバンドとしてはただの 1 曲も発表していない。

Nomans Land という名は、彼らがヴァイキングメタルバンドへと舵を切り直した 98 年に決定したそうで、それ以前のバンド名は明らかになっていない。この名は、ヴァイキング時代の何者にも占領されていなかった頃の彼らの地元を想起させるものとのこと。

もっと陽気で楽しい音楽がやりたくなった

当時のメンバー構成は、おそらくギターの Sergey Zhurov（後に Sigurd 名義）を中心に、ボーカルとギターに Troll、ベースに Sergey Voyevodin、ドラムに Boris Senkin という布陣だったと思われる。しかし、アルバム制作途中の 99 年夏に Troll が脱退してしまう。彼はもっと陽気で楽しい音楽がやりたくなったそうで、脱退後に自身のプロジェクトとしてフォークロック / メタルバンド Тролль Гнёт Ель（Troll Gnet El）を結成している。

後任に Alexey Somov（後に Torvald 名義）を迎えて、デビュー作『The Last Son of the Fjord』を、2000 年に地元の Bronefon Records から発売した。本作では Sigurd がボーカルも兼任しており、彼は以降もクリーンボーカルを担当している。同作の発表後、ほどなくベーシストとドラマーが脱退してしまう。脱退後すぐドラムに Ainar、その 2 ヶ月後にはベースに Hjervard が加入した。この面子で彼らは地元でのライブを重ね、新曲制作を進めていく。曲を豊かにするために、友人のキーボーディスト Igor Pelekhaty をレコーディングに参加させ、また、ハーシュボーカリスト Anton Wild を加入させて『Hammerfrost』を 02 年から 03 年にかけて完成させた。だが、関係が悪化した所属レーベルの代替を探すのに時間がかかってしまう。バンドはドイツの Einheit Produktionen と契約を結び、05 年 2 月に同作は世に出る運びとなった。ほぼ同時期に、方向性の違いからバンドは Wild と袂を分かつことになったため、以降ハーシュボーカルを Hjervard が兼任している。この作品は多くのメディアで高評価を獲得、ドイツのレーベルから発売されたこともあり、初のロシア国外でのライブとして、彼らはドイツのフェス Ultima Ratio Festival への出場を果たした。

レーベルが見つからない

バンドはライブを積極的に行う傍ら、キーボーディスト Ilya Denisov を加入させて次作に取り掛かる。レコーディング完了後に Torvald が疲労など個人的な問題で脱退、次いで Ilya も脱退するが、06 年 12 月に『Raven Flight』を発表した。09 年にはギタリスト Bardi を加えて 4 枚目『Farnord』を発表、翌 10 年には彼に代わり Alexander Nevsky を迎えて、Black Messiah や Adorned Brood らと欧州ツアーを行う。しかしここで彼らは長年連れ添ったレーベルを離れることになった。

13 年には 5 作目『Last Crusade』を完成させたが、発売するレーベルが見つからず、彼らはオフィシャルサイトや SNS での配信という形でこれを発表した。14 年にドイツの老舗レーベル Massacre Records との契約に成功し、翌年ようやく同作のフィジカルリリースに漕ぎ着けた。17 年間在籍した Hjervard が 17 年に脱退してしまったが、Alexander Goodwin を後任に加えて、バンドは歩みを止めず活動を続けている。

Hammerfrost
Einheit Produktionen　2005

彼らの名をシーンに知らしめた 2nd アルバム。このタイトルは北欧の厳しい寒季と、トールのハンマーを組み合わせて、彼らの詞世界を端的に表現したものとのこと。曲名にはノルウェー語やスウェーデン語が一部使用されているが、歌詞は英語である。派手過ぎないシンセをまとい、民謡メロを大々的に取り入れた楽曲は素直に良い。Wild のハーシュボーカルがメインだが、時折 Sigurd によるマイルドなクリーンボイス・パートが入る。「Breath of the North」のように、全編 Sigurd がマイクを取る曲も 2 曲あり。

Farnord
Einheit Produktionen　2009

前作から 3 年で発表された 4 枚目のフルアルバム。タイトルはノルウェー語で「父なる北の地」を意味する。実質タイトルトラックとなる「Father North」は、北の地で生きる覚悟めいたものを感じさせる勇壮な楽曲だ。今作は初めてフィンランドのスタジオでレコーディングしたとのことで、よりクリアな音質になり、メタリックで扇情的なリフが映える作品になったように思われる。Hjervard のハーシュボーカルは Wild より低いため、Sigurd の高らかなクリーンボーカルが一層際立っている。牧歌的なメロディも健在。

Last Crusade
Massacre Records　2015

レーベルを移籍して、実に 6 年ぶりに届けられた 5 枚目。このタイトルは彼らの確固たる音楽への志を反映したものとのこと。今作にはキーボーディストが参加していないため、これまでよりもストレートなメタル作品となった。ツインギターが奏でるメロディは、相変わらず民謡成分を多分に含んでおり、本質的な部分は変わっていない。だが、特に中盤以降は過去作より小粒な盛り上がりに欠ける楽曲が多めなのが難点か。ラストの「Bereza」（白樺）はロシア民謡のカバーだ。「Strain at the Oars」は MV が制作された。

Nomans Land インタビュー

回答者：Ainar

Q:まずはじめに、時間を取ってインタビューに答えていただいてありがとうございます！ Nomans Land はドゥームメタルバンドとしてスタートしたのですよね？　今では Sigurd だけが設立メンバーなので、答えるのは難しいかもしれませんが、何が Nomans Land をフォーク／ヴァイキングメタルバンドへと切り替えさせたのでしょうか？　みなさんに影響を与えて、音楽性を切り替えさせた具体的なバンドがいたのですか？

A：どういたしまして！　ああ、まったくそのとおりだよ！　俺たちがまだ若い学生で、素晴らしい時間を過ごしていて、みんなで楽しんでいた頃にすべては始まったんだ！　ある日、何か新しくてわくわくするようなことを始めるにあたってちょうどいい時期だと俺たちは考えたんだ。メンバーを集めて、その当時すごく流行してた音楽、そうドゥームメタルを心からやりたいことに俺たちは気づいたんだ。すべてがうまく行って、俺たちのプロジェクトは内輪での名前もついて、5曲作曲しさえもした！　でも……、いつだって「でも」があるんだけど、運命が行く手に阻まってすべてを変えたんだ！　かつて俺たちの友達が、誰かの家を訪ねたときに、その誰かの両親の書斎を詮索して、単なる偶然で古い書物、記憶が正しければ 1965 年に出版された書物に出くわしたんだ！ その本が何についての本だったか想像してごらんよ！　もちろんヴァイキングについてさ！　彼はその気持ちを俺たちにも共有してくれて、俺たちもまたすごく引き込まれたんだ。めちゃくちゃ興味深くて、俺たちも彼と同じ気持ちになったんだ。それと同じ流れで、その時から俺たちの音楽はすべてヴァイキングについてにしようと同意したんだ！　その瞬間にこそ、そのジャンルそのものの原点に自分たちが文字通り立っていると俺たちみんな認識したんだ（熱弁し過ぎてないといいんだけどね）。

すでに市場には、そのジャンルへの志を推し進めている他のバンドがいたんだけど、まだこれから創りあげていく部分もたくさん残ってたんだ！　俺たち自身の独自の方向と精神を探求するのは素晴らしいことだと感じられたし、オーディエンスに俺たち独自の観点を提供するのに熱心になって、だから俺たちは作業に没頭していったんだ。それは簡単なことではなかったけど、新しい音楽のコンセプトに「生を与える」のは楽しかったし、すごく満足感の得られるものだったよ。ヴァイキングについての本や、フィクション、神話などたくさん読んだ。俺たちは創造の力に圧倒されて、週に5日リハーサルをしていたよ。さっき言ったように、そのジャンルに取り組んでいるグループは当時まだすごく少なかったんだ。そういうわけで、俺たちは誰からも影響は受けていなくて、自身の道筋を探さないとダメだったんだ。俺たちの音楽の好みに関して言えば、スラッシュとかデスとかみんな完全にバラバラなんだよ。

Q：みなさんの 1st アルバムはロシアの Bronefon Records からリリースされましたが、それ以降はドイツのレーベルと契約されました。ロシアには有名なメタルレーベルがいくつかあると思うのですが、なぜドイツのレーベルを選ばれたのでしょうか？

A：ああ、完全にそのとおりだね。どうやって俺たちに関してそんなにたくさん知ったんだい？　それは俺たちがとった戦略と関係してたんだ。あの頃から物事は大きく変わったし、生活も今では全然別物になった。最近は世界に向けて自分を売り出す方法はたくさんあるんだ！　でもあの当時、20 年近く前は、ロシアは今とは別の国のようで、音楽レーベルなんて全然なかったんだ。Bronefon Records と契約できたのはある意味信じられないような幸運で、素晴らしい経験だったんだけど、まず最初にレーベル

の取れる選択肢が地理的に限られていたんだ。別の言葉で言えば、俺たちのプロジェクトはロシアとCIS（独立国家共同体）諸国でしか宣伝されず、聴かれることもなかったんだ。だけど俺たちは世界の可能な限り多くの人々に俺たちと俺たちの音楽を知ってほしかったから、そのための最善の方法を模索したんだ。その一方で俺たちは2ndアルバムの制作を続けていた。**俺たちは当時同業者からも音楽出版界からも悪く批評されていた**と言わなくてはならない。後者はとても困惑してて、受け入れられなかったんだ！　俺たちのプロジェクトは「生まれた」ばかりだったけど、音楽レーベルと契約して、アルバムさえリリースされていた！　このジャンルは市場では新しかったから、俺たちの作品の文字通りすべての側面が完全に分析されたんだ！　批評は狂っていたよ。歌が十分うまくないだとか、ギターの音が「奇妙」だとか。意図的にすべての否定的な出版物を集めてきて、リハーサルスタジオにひとまとめに貼り付けて、強いモチベーションのもととしたこともあったよ！　仲間の同業者も含めてそれらすべて、俺たちは完全に間違った戦略をとっていて、**ロシアの外の誰も金輪際興味を持つことはないだろうと言っていた。**そうだな、今振り返ってみてこう言える。誰にも耳を貸すな、ただ自分の心の内なる声にだけ耳を傾けろ、そうすれば自分の望むところに連れてってもらえるってね！　そうやって俺たちはEinheit Produktionenとの契約に漕ぎ着けたんだ。やあ、Olaf!（訳注：Einheit Produktionenのオーナー）

その後、ロシア市場に二つの大手の音楽レーベルがやってきて、彼らと一緒に働く好機もあったんだけど、前に言ったように、俺たちは通常とは異なる戦略をとっているんだ。俺たちは独自のユニークなアプローチを強く欲していて、冒険や討伐を渇望していた。俺たちは熱烈に思い思いのリンディスファーン島を目指して、それは大きな挑戦だった！　意図することが伝わるといいな（笑）（訳注：リンディスファーン島は793年にヴァイキングが修道院を襲撃した島。これがヴァイキング時代の幕開けと考える向きが多い）

Q：みなさんの2ndアルバム『Hammerfrost』は日本の音楽関係のブログやウェブジンでも当時好評でした。このタイトルはみなさんの音楽性、つまり北欧の厳しい冬とトールのハンマーを象徴したものですよね。このアルバムのリリースからもうすぐ15年が経とうとしていますが、このタイトルは現在のみなさんの音楽性を今でも象徴しているとお考えでしょうか？　あるいは時間が流れるにつれて、音楽性は変化したとお考えでしょうか？

A：もう15年にもなるのか……光陰なんとやらってやつだな。これは本当に良い作品で、北欧の雰囲気の力強い本物の感覚だな。みんながこの音楽を聴くときに、自分と同じイメージを心に描くというのを耳にするといつもすごく嬉しいよ。世界中の完全なる見ず知らずの人々が、この作品の制作中にみんなの心に届くように自分が思い描いたのと同じイメージを思い浮かべてくれるとわかって、すごく満足しているよ。芸術家の作品にとって最高の評価じゃない？

日本のリスナーもこの作品を気に入ってくれたなんて知らなかったよ。ところで『Hammerfrost』の発売後のいつだったかに、**日本で俺たちのコンサートを企画してみないかという日本人からのメールを受け取った**のを思い出したよ。もう詳細は覚えてないのだけど、当時うまく行かなくて、残念ながらみんなの国でコンサートはできてないのだけど……

当然俺たちのスタイルは変わったけど、それは音楽的観点からだけだね。誰も常に同じ感情の状態ではいられない、いられたとしたらすごく奇妙だろうね。ある意味、哲学的に言えば、今でもまさにトールのハンマーだよ。（訳注：トールのハンマーは自在に大きさを変えられるので、変幻自在ということかと思われる）

Q：みなさんの最新アルバム『Last Crusade』はキーボードが使われていないので、これまでよりストレートなメタルアルバムだと感じました。過去の作品のようにこのアルバムでキーボードを使用しなかったのはなぜでしょうか？　また、正式メンバーとしてキーボーディストを再度加入させる予定はないのでしょうか？

A：『Last Crusade』はバンドにとって境界線となるアルバムになったんだ。こう名付けたのは、新たな挑戦や探求に満ちた道のりが俺たちを待ち受けているとわかってたからさ！　この物語が最後にどうなるかはオーディンにしかわからないけどね！　また鍵盤楽器の使用に立ち返るかもしれないし、俺たちの音楽がさらに輝かしく鳴り響くようにまったく異なったアイデアを見つけるかもしれないよ。嵐によってダメージを受けた（訳注：キーボーディストの脱退を指すのではなかろうか）俺たちのヴァイキング船がどこの未開の地に辿り着くのかは時間が経てば明らかになるだろうよ（笑）

Q：『Last Crusade』の最後の曲「Bereza」はロシア民謡のカバーですよね？　ロシアにはたくさんの素晴らしい民謡があるかと思うのですが、なぜこの曲を選ばれたのか、そしてこの曲の歌詞は何についてなのかご説明いただけますか？

A：そのとおり。「Bereza」はとても有名なロシア民謡のカバーバージョンさ。赤ちゃんから大人に至るまでロシアではこの曲を知らないやつはまずいないね。この曲はロシアの国樹「樺の木」についてで、あらゆる場所であらゆる人に歌われているんだ。おこがましくも「聖なる」国家の遺産の音とともに演奏させてもらったのは単にそれだけの理由だよ（笑）。たぶん君も気づいたように、Nomans Land はまったくカバーグループではないからね。誰か別の人の音楽を「再生する」よりも、創造するのが本当に楽しいんだ。そうだな、それはしょうがないし、俺たちは何も言い訳できないよ（笑）

Q：ロシアには独自のスラヴ神話があるかと思うのですが、みなさんの歌詞はスカンジナビアの神話に基づいていますよね？

これはサンクトペテルブルクが、スカンジナビア半島に近いからなのでしょうか？　サンクトペテルブルクでは、スラヴ神話よりスカンジナビア神話のほうが普及しているのでしょうか？

A：おう！　この質問はどのインタビューでも訊かれるな！　（笑）確かに俺たちロシア人は、他の民族同様、独自の神話を持っているけど、それは俺たちにとって決して「停止要因」ではなかったんだ。ある考えに夢中になるためには「閃光」が必要で、俺たちにとってはヴァイキング時代や北欧文化のロマンティシズムがその「閃光」になったってわけさ。歴史の後期において、俺達の国家は非常に似通った発展の道筋を辿ったしね。

俺たちの文化は北西ヨーロッパ文化にすごく近い。もちろん、デンマーク王リューリクは君も知ってるだろうけど、彼はホルムガルド（サンクトペテルブルクから150km の距離）（訳注：ホルムガルドは現在のノヴゴロド）に部族の連結のために招かれて、統一国家を建設したんだ。諸説ある中の一つによると、俺たちのツァーリの王朝は彼を起源としているんだ。それから1917年（訳注：ロシア革命勃発）まで、スウェーデン、オランダ、ドイツ、フランス（どれか抜けていたら許して）の上流階級の代表者がサンクトペテルブルクに居住し、そこの工場などを所有していた。当然、俺たちの伝統は密接に絡み合ったのさ。

ロシア人もロシア国家もまだなかった時代に、俺たちの祖先はヴァイキングとともに暮らしていて、彼らは俺たちの土地をよく旅してまわっていたんだ。基本的には彼らはガルダリケ（彼らは俺たちの土地をそう呼んでいた）に冬の間によく滞在していたスウェーデンのヴァイキング

だった。彼らは「Russ」と名付けられ、だからその頃から彼らは俺たちの土地をロシアと呼び始めたんだ。
彼らの多くは、自分の祖国には決して戻らず、ここに滞在して、地元の部族らと混ざっていった。この血のいくらかはいまだに俺たちの血管を流れてるんだ。この伝統や時代への俺たちの愛、そしてなぜこの音楽スタイルが選択されたかをこの話で説明できたと願っているよ。

Q：以前在籍していたTrollは、もっと明るくて楽しい音楽を演奏するためにTroll Gnet Elを始めましたよね。Ainar、あなたはそちらのバンドでも数年間ドラムを叩いていたんですよね？　音楽的にはNomans LandとTroll Gnet Elは異なりますが、両バンドに何かしら核となる部分で共通のものはあるとお考えでしょうか？　例えばMoonsorrowは、Korpiklaaniは同じコインの反対の面だと語っています。

A：ああ、俺たちは仲がいいし、Trollがドラマーに関して問題に直面した際には、ツアーやコンサートで彼のバンドの手助けをするのに同意したよ。
Trollはヴァイキング時代への俺たちの熱意に加わっていたし、過去には俺たち同様、完全にそれに捉われていたよ。それを考慮に入れると、俺たちは同じルーツを持っていると言えるんじゃないかな。
Nomans Landが新たなコンセプトとともに進化していく間に、Trollは彼独自の情報源に着想を得たんだ。彼はシンプルで楽しい音楽をプレイするために新しいバンドを始めることに関しての考えを俺に共有してくれたけど、俺たちのサイドからの支持はうまく得られなかったんだ。
Moonsorrowのメンバーたちは、このジャンルで活動する誰もが同じ哲学を実践しているけど異なる音楽を演奏していることに関してうまい定義を見つけたと思うよ。

Q：みなさんの歌詞は少数の曲名を除いて英語で書かれています。ヴァイキングメタルやペイガンメタルのバンドは母語にこだわることが多いと思うのですが、みなさんが英語を選んだのはなぜかご説明いただけますか？

A：中世初期には、人々は暮らしについて同じ観点を共有してたんだ。彼らは自然と調和して生きていたからね。みな、非常に似通った神話を持った異教徒だったんだ！　唯一の違いは、彼らは異なる言語を喋り、神々に異なる名前をつけたってことさ！
俺たちはロマン主義者なんだ！　そして俺たちの音楽と歌詞は俺たちが好きなものについてさ。俺たちは音楽を作るのに音楽理論ではなく自身の感情を使うんだ！
そもそも、もしロシア語で歌ったら、ロシア人以外だれが理解してくれるだろう？　俺たちは理解してほしかったし、母国の外側でも聴かれたかったんだ。

Q：サンクトペテルブルクの音楽シーンは、モスクワとは異なるのでしょうか？

A：この質問には、はいかいいえという答えはないね。20年の期間においてなら、ロシアのメタルミュージック・シーンにおいて、進行しているごくわずかな兆候や、何かしらの変化があるだろうと推測できるだろうと思うよ。モスクワとサンクトペテルブルクを比較すると、違いはあるし、これまでも常にあった。俺たちの都市はある理由、そう生活の様々な側面における重要なイベントはみなここサンクトペテルブルクで開催された、という理由で文化的な首都だと呼ばれている。将来、何らかの肯定的な変化がメタルミュージック・シーンで起こって、世界がたくさんの才能あるグループと出会えるよう強く願っているよ。でも現時点では完全に衰退していると述べざるを得ない。

Q：私は以前にサンクトペテルブルクに行ったことがあるのですが、街並みが大変美しかったです。サンクトペテルブルク周辺で、ヴァイキングメタルのファンが訪ねるべき場所はございますでしょうか？　つまり、サンクトペテルブルク周辺にヴァイキングゆかりの場所はあるかという意味です。

A：ああ、もちろんさ。例えば「古ラドガ」居住区だね。スカンジナビアの王たちが埋葬されたヴァイキングの墳丘墓が今でもあるんだ。古ラドガの居留地は戦いに行かんとする、あるいは帰還しようとするヴァイキングたちの冬の間の滞在地だったんだ。それに加えて、「ヴァリャーグ人からギリシャ人への」有名な交易ルートがそこにある。

もうひとつ、訪れる価値がある興味深い場所があって、ヴィボルグの町の近くなんだけど、そこに歴史の復元業者たちがいかにも本物みたいなヴァイキングの村を再現したんだ。最近旅行者たちに大人気の場所になったんだよ。

Q：フォークメタルやヴァイキング / ペイガンメタルはここ日本でも人気だと私は思っているのですが、来日のご予定などはございますでしょうか？　もし日本に来るとしたら、何をしてみたいでしょうか？

A：残念ながら日本で公演を行う何のオファーもまだ受け取っていないんだけど、将来できるよう願っているよ。コンサート活動は別とすれば、俺はいつの日か日本を訪れることを夢見ていると言わせてもらうよ！　俺にとって、日本は地球上でもっとも興味深い場所のひとつなんだ。日本のみんなの自分の務めについての感じ方が好きだし、成すことすべてが重要なお作法と見なされるというのも好きなんだ。日本の伝統のこういう部分は感心せずにはいられないよ。これは君たち日本人から俺たちが学ぶべきものだと思うね！

Q：最後になりますが、日本のファンと読者に何かメッセージをお願いします。

俺たちの作品を熱心に聴いてくれて、みんなに多大な感謝の言葉を伝えたいよ。聴いてくれることで、俺たちはリスナーにぐっと近づけるからね。ヴァイキング戦士であれ、そして北欧の神々の御加護があらんことを。コンサートで会おう、もちろん日本でもね。

Einheit Produktionen インタビュー

回答者：Olaf

Q：Einheit Produktionen の第一弾リリースは Ulvhedin の『Pagan Manifest』ですよね？　この作品はヴァイキング / ブラックメタルアルバムですので、あなたはレーベル設立時にはすでにヴァイキングメタルファンだったのでしょうか？

A：俺は 1980 年代にはすでにロックやメタルを聴き始めていたからね。すごく気に入ったヴァイキングメタルバンドで一番初めに聴いたものの一つは Manowar かもしれないな。そうだね、Ulvhedin は Einheit の第一弾リリースだね。でもこのレーベルはヴァイキングやフォークメタルのためだけに設立したわけじゃないんだ。デスメタルバンド Krabathor や、ナミビアのヘヴィメタルバンド Arcana XXII も初期にリリースしている。ホームページの「Einheit Produktionen について」のセクションにこれに関しては書かれてるよ。（訳注：以下のように書かれている。

「母国と自然への愛のために、ペイガン、ヒーゼン、ヴァイキング、ケルティック、フォーク、ブラック、ダークメタルにとりわけ私たちは特化していますが、同時にメタルの他のジャンルにもオープンでいます。Einheit は団結を意味し、世界中のメタルファンの団結を象徴しています。まさに数年前（レーベル設立時を指すと思われる）は、すべてのメ

タルファンが他のファンの好みのジャンルに敬意を払っていた時代でしたから」)

Q：どのバンド、あるいはアルバムを聴いてヴァイキングメタルが好きになったのでしょうか？　また、どういう経緯でそのバンドやアルバムと出会ったのでしょうか？

A：それは間違いなくManowarの初期のアルバム群だね。俺たち元ドイツ民主共和国（注：東ドイツ）の人間は、音楽作品を大抵はハンガリーで買っていて、ファンサークル内でトレードしてたんだよ。

Q：このジャンルの初心者とマニアにそれぞれ、ヴァイキングメタルのオススメ作品を教えていただけますでしょうか？

A：Windir、Moonsorrow、Primordial（訳注：人によってヴァイキングメタルだと考える範囲が異なるので本書では扱っていない）、Enslaved、Einherjer そしてFalkenbach の作品はどれも必聴だね。もし何か特別なのを探しているのであれば、アイスランドのStrigaskór Nr. 42 の『Blót』（訳注：極めて入手困難な作品で、オフィシャルなストリーミング配信もされていない模様）をチェックしてみるといい。アイスランドには特にとても興味深いバンドがいるね。

Q：あなたが一番魅力的だと感じるのはヴァイキングメタルのどの要素でしょうか？　歌詞が主として北欧神話やヴァイキングに基づいていさえすれば、それをヴァイキングメタルと見なす人もいるので、ヴァイキングメタルは定義が難しいジャンルです。でも、個人的には勇壮なメロディ、民族楽器の導入、力強いクリーンボイスによる歌唱などなどはヴァイキングメタルに顕著な特徴の一つだと考えています。

A：ああ、そのとおりだね。ヴァイキングメタルはとりわけ賛美歌的な要素が強くなければならない。君が挙げてくれたいろいろな要素は重要な役割を担っているね。どれか一つのスタイルが過剰なものはあまり響かないな。でも民俗学的な要素は間違いなく重要だね。

Q：神話や伝承、歴史にも関心はお持ちでしょうか？　音楽以外にも、という意味合いでの質問です。

A：ああ、何冊か本を読んだし、Gannahall（Semnonenbund（訳注：ドイツ東部の歴史の保全などの活動をしている団体で「セムノン族連合」のような意味。彼らはセムノン族の預言者ガンナに因んだ歴史村博物館を建設するプロジェクトをやっている）- セムノン族は民族的にも地理的にも俺たちに近いんだ）のような歴史村をできるだけサポートしようとしている。それから俺たちは至点（訳注：夏至と冬至）を祝ったりしているよ。

Q：両者は似た神話体系を持っているので、ヴァイキングメタルとゲルマン系のペイガンメタルを区別するのは難しく感じられます。これらには何かはっきりとした違いがあるのでしょうか？

A：そんなにたくさん違いはないよ。両方とも同じ祖先はもちろんのこと似た神々を称賛するし、たとえば太陽の至点のように同じもしくは似た祭りを祝うから。忘れ去られているかもしれないけど、どの地域にもその地域固有の神々がいただろうし、どんな職業や家柄にも崇拝されている神々がいただろうね。でもこれはまさに古い異教徒の文化全体において多神教の「信仰」を形作っているものなんだ。

Q：レーベルのオーナーとして、このシーンの変遷をどのように感じていますでしょうか？　個人的にはアンダーグラウンド性が少なく、エンターテインメント要素が強いバンドが増えているように感じます。もちろん、だからといって、そういったバンドが真剣ではないということにはならないので、決してそれが悪いわけではないのですが。

A：ヴァイキング / ペイガンメタルシーンは2000 年代の初めに繁栄して、多くの新しいバンドがこのスタイルで活動していたけど、それらの大半はもう存在していないんだ。悲しいけど、それは単に「流行」のよう

なものでしかない。でも例えばドイツのテューリンゲンにはまだ自身のルーツに向き合っているバンドもいるね。

Q：北欧神話やヴァイキングとは無縁の国出身のヴァイキングメタルバンドについてどうお考えでしょうか？　個人的にはなんら問題ないと思っています。日本にさえヴァイキングメタルバンドはいますし。

A：ヴァイキングメタルとペイガンメタルには境界はないと思っているよ。どの古代文化にも固有の異教徒のルーツがあるから。

Q：質問がわかりにくかったようですみません。あなたが言うとおり、ヴァイキングメタルとペイガンメタルに明確な境界はないので、異なる文化的背景を持つバンドが、各々のペイガンメタルをプレイするのは良いことだと思います。しかしながら、上記の質問の意図は、他所の文化的ルーツを拝借したテーマを扱ったメタルについてどうお考えでしょうか、ということなのです。例えば日本には歴史的にヴァイキングはいませんでしたから、日本のバンドが北欧神話やヴァイキングの信仰について歌うのは不自然だと考える人もいます。個人的にはそういう場合でも問題ないと思っていますが（訳注：「文化の盗用」とは無関係）。

A：異なる文化に属するバンドが北欧神話について歌ったり、そういうテーマを扱ったとしても問題ないと俺も思うよ。北欧神話以外でも例えばアメリカのNileやドイツのMaatはエジプト神話について歌ってるしね。でもそれぞれの国がその国独自の文化を扱ったほうが、魅力的で興味深いとは思うけどね。

Q：世界の音楽産業において、物理的な音楽媒体は衰退傾向にあり、ストリーミングやデジタルダウンロードを利用する人が日々増えています。個人的にはアートワークや歌詞などがあったほうが音楽はより楽しめると思うので、物理音楽媒体のほうが好きなのですが、どうお考えでしょうか？

A：そうだね、生憎だけど物理音楽媒体は衰退途上にある。コレクターしか音楽、歌詞、アートワークからなる小さな芸実作品に価値を見いださない。残念だよ。

Q：あなたがThundraの大ファンだとどこかで読みました。もちろん彼らの記事もこの本に載せてあります。彼らのバンド名のThundraが何を意味するのか、かなり調べたのですがわかりませんでした。彼らの名前の由来はご存知でしょうか？

A：俺は彼ら自身もその音楽も好きなんだ。彼らの音楽はとても独特で、変化に富んでいる。残念なことに、彼らはほとんど注目されなかったから、彼らを応援してくれてありがとう。植物地理学の見地から、thundraとは主に「ツンドラ気候」の条件下で発生する植生の種類なんだ。

Q：Sorgsvartも非常に素晴らしいヴァイキングメタル・プロジェクトです。アナーキズムを主張するためにヴァイキングを使っているので、彼のコンセプトはとてもユニークだと思います。（訳注：2008年から作品が出ていないが）彼の近況をご存知でしょうか？彼の新しいアルバムがあなたのレーベルからいつの日かリリースされるよう期待しています。

A：君が彼の音楽だけでなくコンセプトも気に入ってくれたのはとても嬉しいよ。Sorgは良い友達で、俺たちは折に触れてお互いのもとを行き来していたんだ。すでに彼はSorgsvartの新曲をいくつか計画しているのだけど、この間は別プロジェクトのWindar（ノルウェー語で風（訳注：ノルウェー語で風はvindのようなのでこれが正しいのかは不明））の方に注力していたんだ。でも彼の親友でベーシストのIngarが交通事故で亡くなってしまったんだ。Sorgが新しい音楽に普通に取り組める活力を取り戻せるよう願ってるよ。

Q：最後になりますが、日本のヴァイキングメタルファンに何かメッセージをお願いします。

A：応援ありがとう。母なる自然と古の伝統への敬愛の念を忘れずにいてくれよ。

FOREFATHER《フォアファザー》

ケルトではなくゲルマンにシンパシー抱くアングロ・サクソン・メタル！

● イングランド サリー州 レザーヘッド　1997～　Athelstan (Ba, Gt, Key, Vo), Wulfstan (Ba, Gt, Vo)

売れたいともそんなに思っていない

1997年9月、イングランドのサリー州に位置する都市レザーヘッドで、Wulfstan と Athelstan の兄弟により産声をあげたのが Forefather だ。バンド名は「祖先」を意味する英単語だ。北欧のヴァイキングメタルを聴いていて興味深いと感じ、そのイングランド版をやろうと思い立ったのが結成のきっかけらしい。彼らの音楽が何のジャンルに属するかについては難しいところだが、本人たちは歌詞のモチーフとして扱っているテーマから「アングロ・サクソンメタル」と称している。ペイガンメタルの一種、あるいは広義のヴァイキングメタルとも言えよう。音楽的には Iron Maiden や Metallica から、Burzum や Bathory まで幅広い影響を受けており、トラディショナルなヘヴィメタル＋ブラックメタルといった感じである。ただ、本人たちはブラックメタルとラベリングされることを嫌っている。彼らはライブ活動は一切行わないことで知られており、知名度を上げて CD をたくさん売りたいとか、そういう考えもあまり持ち合わせていないようだ。

結成の3ヶ月後には最初の楽曲を制作、翌98年8月にはデビューアルバム『Deep into Time』のレコーディングを開始、自らのレーベル Angelisc Enterprises を立ち上げ、99年3月に発表する。2000年5月には次作『The Fighting Man』のレコーディングに取り掛かり、10月に再び自身のレーベルから発表した。この当時はゲストドラマーを迎えて、生ドラムでの録音をしようという試みもあったようだが、結局うまく行かなかった。メンバー探し自体を止めてしまったため、その後も結局ドラムマシンを使い続けている。02年3月には3枚目のアルバム『Engla Tocyme』を Angelisc から発表したのだが、オランダのレーベル Karmageddon Media（Hammerheart Records のサブレーベル）のオーナー Guido が、これら3枚のアルバムを欲しいと連絡を取り、ほどなくして同レーベルとの契約が決まった。つまりバンドはレーベル探しなどまったくしていなかったのだが、向こうから連絡が来た形である。

デジタル音源の購入はしない派

2004年6月には4枚目のアルバム『Ours Is the Kingdom』を同レーベルから発表、最初の3枚のアルバムもボーナストラック付きで再販される。この年は世界中のフォーク/ヴァイキングメタル系のバンドのメンバーによるプロジェクト、Folkearthが立ち上がった年だった。Forefatherも同プロジェクトに携わり、1stアルバム『A Nordic Poem』に「Rhyming with Thunder」で参加している。05年から07年は、BurzumやFalkenbachのトリビュートアルバムに名を連ねたり、再びFolkearthのアルバム『By the Sword of My Father』への参加など、本筋ではない活動をする傍らで、07年12月に5枚目のアルバム『Steadfast』のレコーディングを完了する。所属レーベルとの契約がいつ終了したのかは定かではないが、このアルバムは、以前の自主レーベルを別名で再建したSeven Kingdoms（7世紀頃にアングロ・サクソン人が建国した7つの王国を指す）から、08年2月にリリースされる運びとなった。

11年12月に6枚目のアルバム『Last of the Line』、13年2月に弟のAthelstanのソロアルバム『The Ride』、15年4月に7枚目の『Curse of the Cwelled』と着実にリリースを重ね、17年5月には同郷のブラックメタルバンドThe Meads of Asphodelとのスプリット作品『English Steel』という形で、EP『Tales from a Cloud-Born Land』を発表している。なお、完売してしまった過去のCDは、オランダのHeidens Hart Recordsからボーナストラック付きで再販された。バンドのメンバー自身はデジタル音源の購入はしない派らしいが、デジタル音源もBandcampなどで販売されている。

Engla Tocyme
Angelisc Enterprises　2002
3作目のアルバム。7曲40分。タイトルは5世紀頃に、アングロ・サクソン人がグレートブリテン島に侵入してきた史実を指す単語で、「英国人の到来」という意味。歌詞には部分的に古英語が用いられ、アングロ・サクソンの誇りや文化が歌われている。過去2作よりクリーンボイスの比率が高まった。この時点ではアトモスフェリックなブラック+ヘヴィメタルのような音楽性。マシンドラムもまだあまり洗練されていない。2017年のHeidens Hart Recordsからの再発盤には「Loyalty Bound」を追加収録。

Ours Is the Kingdom
Karmageddon Media　2004
自主ではないレーベル所属後初となる4枚目のフルアルバム。「宗教組織から自分たちの国を取り戻せ」というメッセージが込められた作品。このタイトルはキリスト教の主の祈りに出てくる「thine is the kingdom（王国は汝（＝神）のもの）」をもじったもの。今作はヴァイキングメタル色のあるヘヴィメタル、といった感じの音楽性。これまでの作品よりもアップテンポの曲が増えた。12曲目の「Wudugast」は古英語で森の亡霊だ。2017年のHeidens Hart Recordsからの再発盤は「Fighters of the Angelcynn」が追加されている。

Steadfast
Seven Kingdoms　2008
5枚目のフルアルバム。彼らの作品の中でも特に評価の高い一枚で、本人たちも最初に聴くならこれをオススメすると述べている。今作は勇壮なメロディックデス/ブラックメタルのような音楽性だが、サビは朗々とクリーンボイスで歌われるので、ブラックメタルが苦手でも案外聴けるだろう。美しいジャケットはBal-SagothのジャケットなどもJ手がけるMartin Hanfordによるものだ。ちなみに、この作品の2013年のHeidens Hart Recordsからの再発盤にはボーナストラックが存在しない。

Forefather インタビュー

回答者：Wulfstan

Q：まず初めに、時間を取ってインタビューに回答していただいてありがとうございます！
Forefather はトラディショナル・ヘヴィメタル、ブラックメタル、黎明期のヴァイキングメタルのいくつかに影響を受けたのではないかと思います。これはあなた方の最初のバンドなのでしょうか？　Forefather の結成に関してお話をお聞かせください。
A：ギタープレイヤーとしての俺たちの成熟に本当にインパクトを与えた最初のバンドは Iron Maiden と Metallica なんだ。それが俺たちのスタイルのバックボーンと言ってもいいね。それから数年してブラックメタル・ムーブメントが発生して、そのジャンルの確たるバンドを聴くのに多くの時間を費やしたんだ。それと同時期ぐらいに『Hammerheart』といった Bathory のいわゆるヴァイキング・アルバムに触れたのさ。これらすべての要素を足し合わせたら、初期の Forefather の音みたいな何かが出来上がるというわけさ。年月とともに俺たちは進化してきたけど、今なおそれらの原点には強い結びつきがあるね。Forefather を始める前にも何年も遊びで曲を書いたり、レコーディングしたりはしていたよ。ただ、長期的な計画を持ってもっと真剣に何かをやる決心をするに至ったってだけだね。
Q：最近は自分たちがどのようにラベル付けされるかをそんなに気にしていないし、アングロ・サクソンとヴァイキングの歴史には多くのクロスオーバーがあるとおっしゃられましたよね（訳注：インタビューの依頼の段階で、Forefather はアングロ・サクソン・メタルであるけども、ヴァイキングメタルだと思っている人もいるため、正しい情報を伝えたいというやり取りをした）。
私の知る限りでは、現在のドイツにいたアングロ・サクソン人が、ヴァイキング以前に海を越えて大ブリテン島に渡ったんですよね。ヴァイキングは主としてノルマン人とデーン人で、彼らもまたゲルマン民族です。なので両者は似通った文化背景を持っているかと思われます。これで合っていますでしょうか？
アングロ・サクソンとヴァイキングの歴史のクロスオーバーについてご説明いただけますか？
A：ああ、ここの国民・部族はみんなゲルマン起源だね。イングランドはその名をアングル人から取ったのだけど、アングル人はサクソン人（とジュート人やフリース人といったその他部族）とともに、後にイングランドになるところを征服して定住したんだ。これは 5 世紀に始まり、アングロ・サクソンの時代は 1066 年のノルマン・コンクエストの後に終わったんだ。ノルマン人はもともとはヴァイキングの血筋だったけど、ラテンの慣習と言語を採用したんだ。793 年に、最初のデンマーク - ヴァイキングのイングランドへの襲撃があって、その後長期に渡ってイングランド人とデンマークのヴァイキングの間の抗争が続いて、それがイングランドを一つの王国へと結合する一助となったのさ。
Q：アングロ・サクソン人のルーツを考慮に入れると、彼らもまたゲルマン神話を持っていたのではないかと思うのです。私の無知によるものかもしれませんが、ドイツや北欧諸国と比較してイングランドでは北欧神話やゲルマン神話は、恐れながらそれほど人気がないように思います。これはイングランドではキリスト教がそれらの国よりも優勢だからでしょうか？　また、あなた方は他のペイガン / ヴァイキングメタルバンドのようにやはり昔の異教徒の信念を保全しようとされているのでしょうか？
A：アングル人とサクソン人はブリテン島に来た当初は異教徒だったけど、最初の王がキリスト教に改宗してからはそんなに長くは続かなかったんだ。だからイングランドでは短

期の異教の期間しかないんだ。たぶんそういうわけで、ノルウェーやデンマークといった長期間異教徒が存続した国々と比べて、イングランドは北欧神話との結びつきが弱いんじゃないかな。俺たちの歌詞に関して言えば、俺たちはイングランドの起源への関心を湧き起こそうとしていて、そこには異教の要素も含まれるね。

Q：大ブリテン島にはもともと古代ブリトン人がいて、アングロ・サクソン人はそこに侵略して彼らを打ち倒したのだと思います。あなた方は古代ブリトン人の歴史や文化にもご関心はありますでしょうか？　いくつか他のメタルバンドがケルト神話に言及しているのは知っていますけども。

A：イングランドの起源に興味を持つイギリス人としては、俺たちは古代イギリスの世界よりもゲルマン世界のほうに多く関わりを持っているんだ。俺たちは概して暗黒時代や中世の歴史全般に興味を抱いているけど、古代ブリトンやケルトのテーマを Forefather に組み込んだとしたら不自然に感じられるだろうね。ブリトン人のアーサー王伝説をイングランドの概念と結びつけたがる人がいるけど、俺たちはいつもそれで不愉快に感じているんだ。神話それ自体は興味深いけど、イングランドのものではない。実際、アーサー王はイングランドへの侵略者（訳注：アングロ・サクソン人を指すと思われる）たちからブリテン島を守ったと言われているからね！

Q：Forefather は結成当初から今に至るまで、あなた方兄弟の２人だけで構成されています。これはあなた方が Forefather に関して他者に邪魔されたくないからでしょうか？

A：活動初期の頃には他のミュージシャンたちとコラボしようともしたのだけど、うまくいかなかったんだ。もしかしたら不運だったのかもしれないけど、俺たちはこれに関してこれまでとりわけ熱心だったとは思わない

ね。俺たちは自分たちがやっていることについての明確なビジョンを持っていて、他の人たちはそれを共有してくれなかったか、物事を複雑にしただけだったよ。

Q：また、私の知る限り、あなた方はライブをやったことがありません。これは二人だけでは曲を演奏できないからでしょうか？　それともライブをやりたくないのでしょうか？

A：ライブをやりたくないからというのが主だね。初期の頃に他のミュージシャンたちとの作業がもっとうまくいっていれば、あるいはフルメンバーのバンドを結成してライブシーンへと踏み入っていたかもしれない。でもそうはならなくって、他のミュージシャンを一生懸命探すことに熱意もまったくなかったんだ。今でさえライブを完全に排してしまってはいないのだけど、俺たちがライブを心地よくできるまでに至るには、大変な時間と労力（と心構えの変化）が必要となるだろうね。

Q：あなた方は Folkearth に参加されました。このプロジェクトにはヨーロッパ諸国のフォーク / ペイガン / ヴァイキングメタルバンドからの大勢のミュージシャンが参加していたので、あなた方もこの経験から何かしら得るものがあったのではないかと思います。これに関してお話をお聞かせください。

A：最初に俺たちがこのプロジェクトに寄与

することに同意した際には、歌詞をいくらか渡されて、それに曲をつけてレコーディングしないといけなかったんだ。それから他の人たちによって何らかの装飾が足されるって風にね。俺たちはほとんどいつも歌詞よりも先に曲を書くから、これは普段とは異なる挑戦だったよ。自分で書いていない歌詞ならなおさらなんだけど、歌詞に曲を合わせるのはとてもやりにくいんだ。さっき他のミュージシャンたちとコラボするのが難しいと思ったって話したけど、Folkearth に関しては、自分たち自身のパートを俺たちだけで取り組めたから、それは良かったよ。その次のアルバムでもう一曲（今回は曲と歌詞の両方)を提供して、それと他の曲でボーカルパートをいくらか担当したんだ。それ以降は要求が定例的になりすぎて、参加を永続的なものにはしたくなかったから身を引いたんだ。俺たちが貢献した部分には満足してるけどね。

Q：Athelstan はサイドプロジェクトをされています。このプロジェクトはどちらかと言えばヘヴィ / フォークメタルで、インストゥルメンタルが主です。それらの曲をインストゥルメンタルのままにしたのはなぜでしょうか？

A（Athelstan が回答）：俺は常々ギターとキーボードの両方でたくさんのインストゥルメンタル・ミュージックを書いてきて、長年インストゥルメンタル曲のアルバムを作るアイデアを持っていたんだ。俺はそんなに熱心な作詞者ではなくて、一番楽しめるのはリフ、メロディそしてハーモニーへの取り組みなんだ。それに多くのインストゥルメンタル・ミュージックを聴くのも好きだしね。年月とともに Forefather の音にはあまりうまく馴染まず、若干異なる感じがするアイデアがいくつか膨らんできたんだけど、それらは無駄にするのはあまりにも良いものだったから、実験として新たなソロ・プロジェクトを開始したんだ。やってて楽しかったし、すでに新しいアイデアは浮かんでいるから、近い将来 2 枚目のアルバムとともにプロジェクトを継続するつもりだよ。

Q：どこかのインタビューであなた方はデジタル音楽を購入しないと読みました。私自身もフィジカルメディアのほうが好きです。しかし、デジタル音楽を楽しむ人が増えるにつれ、フィジカルメディアの売れ行きは落ちていっています。この傾向だと、リスナーたちは歌詞にあまり注意を払わなくなっていっています。多くのペイガン / ヴァイキングメタルバンドは歌詞に重きを置いているかと思うのですが。この傾向についてはどうお考えでしょうか？

A：今でも物理製品を手にするのが好きだけど、デジタルででも俺たちをサポートしてくれてるファンにはすごく嬉しく思ってるし感謝してるよ。デジタル革命は、多くの人が新しい音楽を探してチェックするのをはるかに容易にしてくれて、それは Forefather のような比較的小さいバンドたちには良いことだね。たぶん結局のところは俺たちにとってプラスになってるんじゃないかな。ストリーミングのみでの聴き方に完全に取って代わってしまったら、それはすごく残念だと思うけど、とりわけメタルシーンではそうはなってないように思うね。みんなが多かれ少なかれ歌詞に注意を払っているのかどうか俺にはわからないけど、ある曲が冒頭の 10 秒で聴き手の関心を得られなかったら、すぐに別の曲へと移られてしまうから、音楽が以前より使い捨てになる危険は確かにあるね。

Q：最後になりますが、日本のファンと読者に何かメッセージをお願いします。

A:やあ日本のファンのみんな、CD や T シャツを買ってくれたり、デジタルダウンロードやストリーミングででもどんな形であれ俺たちをサポートしてくれたみんなに感謝するよ。どれも意味あることだし、どれも感謝されるべきだね。今まで俺たちの音楽を聴いたことがないみんなは、ぜひチェックしてみてくれよな！

OBSCURITY《オブスキュリティ》

「一番ヘヴィなメタルをやりたい」のに「不明瞭」なバンド名！

ドイツ ノルトライン＝ヴェストファーレン州 フェルバート　1997～
Ziu (Ba), Dornaz (Gt), Agalaz (Vo), Zorn (Dr), Askar (Gt)

1997年中頃、ボーカリストのNezrac、ドラマーのArganar、ベーシストのZiu、ギタリストのDornazとAgalazの5人が、一番ヘヴィなメタルをやりたいという思いのもとに結集して、誕生したのがヴァイキング/ペイガン/デスメタルバンドObscurityである。バンド名が意味する「不明瞭」は彼らの音楽性の幅広さを象徴する単語だ。

結成から2年のうちに2枚のデモを制作、音楽的な修練を積み、2000年にはアルバム『Bergisch Land』（彼らの地元を指す語）を自主リリースした。03年には同じく自主で『Thurisaz』（棘や巨人を表すルーン文字）を制作、Twilight Vertriebと流通契約を結んで発売した。バンドはライブやツアーを精力的にこなすが、Dornazが脱退、Cortezを後任に迎えて、07年に『Schlachten & Legenden』（戦いと伝説）をMassacre Recordsから発表、自国での地位を確固たるものとした。しかし、Nezracが脱退、Agalazがボーカルに転向して、Trollzorn Recordsから09年に『Várar』（強固な仲間の誓い）をリリースした。ここでDornazが再加入して以後コンスタントにリリースを重ねる。17年にArganarが脱退して翌年Zornが加入、18年にCortezからAskarへ交代して、バンドは活動を続けている。

Vintar
Trollzorn Records　2014

デジパック仕様でリリースされた7枚目のフルアルバム。タイトルはデンマーク/ノルウェー/スウェーデン語で冬を意味するVinterと、古高ドイツ語の冬であるWintarを合体させた造語で、ゲルマン民族統一を象徴する単語として用いられている。最初の3曲は北欧神話に基づいているが、残りの曲はラグナロクの後の世界についてのフィクションとなっている。Wodanheim（オーディンの国のような意味だろう）という新しい世界が生まれ、獅子の旗を掲げたゲルマン民族の新たなる戦士たちが戦いに赴く話が綴られている。

TURISAS《チュリサス》

赤黒ウォーペイントが大インパクトのペイガン・バトルメタル！

フィンランド カンタ＝ハメ県 ハメーンリンナ　1997 ～ 1998 (as Köyliö), 1999 ～　Jussi Wickström (Gt, Vo), Warlord Nygård (Vo, Key), Olli Vänskä (Violin, Vo), Jesper Anastasiadis (Ba), Jaakko Jakku (Dr)

セイウチ、タコ、あるいは戦いの神

1997 年、フィンランドの都市ハメーンリンナで、ボーカリストの Mathias Nygård（後に Warlord Nygård というステージネームになる）と、ギタリストの Jussi Wickström を中心として、同じくギタリストの Ari Kärkkäinen、ドラマーの Tuomas Lehtonen（後の Tude Lehtonen）、キーボーディストの Antti Ventola の 5 人の布陣で、Köyliö というフォークメタルバンドが結成された。このバンド名は 2016 年に別の自治体に併合されるまで存続していたフィンランドの地方自治体の名前で、1156 年にこの村の凍った湖上で、Lalli という男がキリスト教の司祭 Henrik を斧で殺害したという伝説が知られている。彼らは結成翌年に『Taiston tie』（戦の道）という 4 曲入りのデモテープを制作したのだが、その音質の悪さから正式にリリースされることはなく、バンド仲間や友人たちに少数配布されるのみとなった。それから 99 年にかけて彼らは改名したのだが、その結果誕生したのがフォーク / ヴァイキングメタルバンド Turisas だ。Turisas とはフィンランドの神話に登場する海の怪物（セイウチやタコの語源になったらしい）であり、しばしば戦いの神ともされる。

彼らは自らの音楽性を「ペイガン（異教徒）バトルメタル」と称しており、ヴァイキングメタルかと問われると微妙なところだ。ただ、楽曲によってはヴァイキングをテーマに扱ったものもあり、ヴァイキング文化の中の「戦い」に焦点を当てているとも考えられ、特にここ日本ではヴァイキングメタルだと見なされることが多い。彼らはなんといっても、ウォーペイントと呼ばれる赤と黒のペイントを顔や一部体にも塗っており、その見た目のインパクトが大きい。中心人物で作曲のほとんどを手がける Mathias は、スカンジナビアの民族音楽を楽曲に織り込んだ同郷のデス / ゴシックメタルバンド Amorphis のほか、勇壮な曲調や漢らしいコーラスで知られるアメリカのヘヴィメタルバンド Manowar

や、大仰なキーボードやオーケストレーションの導入で知られるイギリスのエピック/シンフォニック・ブラックメタルバンドBal-Sagothといったバンドの影響を受けていると公言している。Turisasの音楽はそれらの組み合わせがベースになっていると言えよう。

バンドを襲った不慮の事故

1999年にはAriがGeorg Laaksoに交代、ベーシストSami Aarnioが加入後ほどなくして脱退してTino Aholaに交代、2001年には3曲入りのEP『The Heart of Turisas』を制作、ライブ活動を精力的に実施して、フィンランド国内やバルト諸国で名を上げていった。ちなみに、この頃にはGeorgやTinoなどが、脱退したメンバーらとシンフォニック/フォーク/メロディック・デスメタルバンドCadacrossを並行してやっている。01年には、ベーシストがMikko Törmikoskiに入れ替わった。そうして03年には大手レーベルCentury Media Recordsとの契約に漕ぎ着け、Mikkoの脱退にJussiがベースを兼任して対応、04年には『Battle Metal』でワールドワイドなデビューを果たす。日本でもいきなり国内盤がリリースされたあたり、当時の彼らの勢いが窺える。

ちょうどこのアルバムの発売の時期に、Georgがファストフードレストランの外で見知らぬ人と喧嘩になり、背中を6箇所刺され、中には10センチもの傷の深さのものもあった。だが、奇跡的に内臓は損傷しておらず、バンドはその後フィンランドのTuska Open Air Metal FestivalやドイツのWacken Open Airといった大規模フェスへの出場を果たし、順調に活動を進めていく。しかし、翌05年10月、再び悲劇がGeorgを襲う。高速道路を車で走行中に道を外れ、フェンスを突き抜けて60メートル先の森の中に突っ込むという大事故に巻き込まれたのだ。彼は車から投げ出され、意識不明状態で地面に倒れていたのだが、運悪く発見まで12時間以上かかり、見つかったときには体温が20.1℃まで低下していたという。病院に運ばれ一命はとりとめたが、車椅子生活を余儀なくされ、手にも麻痺が残り、ギターが弾けない体になってしまった。そして06年、彼はCadacrossを解散させ、Turisasを脱退することとなった。ちなみにその後の彼は、コンピュータを使用しての作曲活動で活躍しているそうだ。

苦難を乗り越えて

バンドはGeorgの後任ギタリストは入れずに活動することを決意、2枚目のアルバムの制作に着手する。2007年にはAnttiが脱退、Mathiasがキーボードを兼任、追加でアコーディオニストJanne Mäkinen（ステージネームはLisko）とヴァイオリニストOlli Vänskäが加入、また、ベーシストHannu Hormaが加入している。そして同年5月に先行シングル「To Holmgard and Beyond」、6月にアルバム『The Varangian Way』のリリースに至った。さらに9月には、ドイツのディスコバンドBoney M.のカバーで、ライブでも定番となる「Rasputin」と、立て続けに発表する。08年初頭にはLiskoが音信不通状態になり解雇、彼の後任には09年にNetta Skogが就くこととなった。08年にはドキュメンタリー、ライブ映像、プロモーションビデオを収録した初の映像作品『A Finnish Summer with Turisas』がリリースされ、10年5月にFinland Fest 2010で念願の初来日となり、これが好評を博したためか、同年10月にはLoud Park 2010で早くも2度目の来日となった。

11年には3枚目のフルアルバム『Stand Up and Fight』をドロップするが、同年HannuとNettaが脱退、Hannuの後任には翌年Jesper Anastasiadisが加入、12年にはドラマーがTudeからJaakko Jakkuへと交代、また、11年にはキーボーディストのRobert Engstrandが加入するなど、ラインナップチェンジが続いた。13年に

『Turisas2013』を次いで発表、その後Robertが脱退して現メンバー体制になるのだが、前作・今作とファンからの評判は今ひとつで、以後あまり目立った動きがない。バンドは18年、Suomi Feastで13年以来久々の来日を果たしている。

The Heart of Turisas
Independent 2001
1999年のプロモーション音源を除けば初音源となる1st EP。発売元はSB Productionsと記載されているが、実際にはそのようなレーベルは存在せず、自主リリースだ。デジパック仕様で500枚限定で発売された。Mary Hopkinの「Those were the Days」のカバーを含む3曲入り。「Til the Last Man Falls」は次作の国内盤ボーナストラックに収録されている。海の怪物Turisasは Iku-Turso とも呼ばれ、その心臓を指すTursaansydänはシンボルマーク化され、人々に幸運をもたらし、苦難から守ると信じられていた。

Battle Metal
Century Media Records 2004
金字塔となった1stアルバム。先に発表したEPの表題曲「The Heart of Turisas」は、本作の表題曲「Battle Metal」に生まれ変わった。勇ましくシンフォニックなイントロに始まり、分厚いクワイア、フォーキーなメロディを散りばめたこの曲は、彼らの音楽性をそのまま体現する曲なので、まずはこれを聴いてもらいたい。ラストのインスト曲は「Katuma湖のこだま」の意で、彼らの地元にあるこの湖には、スウェーデン十字軍が去った後、異教徒が飛び込み、洗礼を洗い流した伝説が伝わっている。

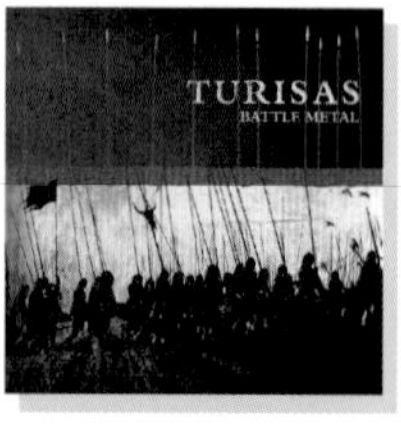

The Varangian Way
Century Media Records 2007
ヴァイキングがテーマのコンセプトアルバムとなった2ndアルバム。タイトルは「ヴァリャーグ人の道」の意で、ヴァリャーグ人とはスカンジナビアのヴァイキングに対するスラヴ人による呼称だ。スカンジナビアを出てホルムガルド（ノヴゴロド公国。現在のロシアの最古の都市）を越えてミクラガルド（古代ギリシャのコンスタンティノポリス。現在のトルコのイスタンブル）へ向かう彼らの旅路について歌っており、基本的には史実に基づいている。国内盤はボーナストラック2曲に加え、CD-EXTRAでライブ映像が見られる。

Stand Up and Fight
Century Media Records 2011
4年ぶり3枚目のフルアルバム。生のオーケストラを起用してこれまで以上にシンフォニックな色合いを強めて、民謡的な要素もメタルとしての攻撃性も減退して、サウンドトラック的な要素が強まった。ゆえに、これまでのファンからの評価は芳しくない。「βένετοι! - πράσινοι! 」はギリシャ語で「青チーム！緑チーム！」の意で、古代ギリシャの戦車競走における主要2チームである。デジブック仕様の2枚組の限定盤にはJethro TullとBlack Sabbathのカバーを、国内盤は別の2曲を追加収録。

Turisas2013
Century Media Records 2013
4枚目のアルバム。前作のような過剰なオーケストレーションは鳴りを潜め、適度なシンフォニック具合になった。だが、コンセプトを決めずに書きたいまま多様な音楽性にチャレンジし過ぎたためか、残念ながら前作以上に評判を落とす結果となってしまった。どことなくプログレッシヴロックからの影響を感じさせる曲が増え、単体で見れば決して悪い作品ではないのだが、彼らにこのような音楽性を期待している人は少なかろう。国内盤には2013年の「Loud & Metal Attack」での来日公演時のライブ音源2曲を追加収録。

ÁSMEGIN《アスメギン》

中世ノルウェー民間伝承モチーフからプログレ転換が賛否両論！

ノルウェー ヴィッケン県 イェブナケル　1998～(状況不明)　Erik Fossan Rasmussen (Vo, Dr), Lars Fredrik Frøislie (Key, Piano, Mellotron), Marius Glenn Olaussen (Gt, Ba, Mandolin, Accordion, Mellotron, Piano), Raymond Håkenrud (Gt, Ba, Vo, Piano), Tomas Torgersbråten (Ba)

1998年にボーカリスト兼ギタリストのAuðrvinr Sigurdsson、ギターとフルート担当のIving Mundilfarne、ギター/ベース/キーボードなど多彩な楽器をこなすMarius Glenn Olaussenの3人により結成されたのがÁsmeginである。これは古ノルド語で「アース神族の力によって」を意味するらしい。

当初はヴァイキングメタルを志して活動を開始、99年にMariusの運営するValgalder RecordsからデモCD『Naar rimkalkene heves』（掲げた杯に向けて）を発表するが、度重なるメンバーチェンジを経て、中世ノルウェーの民間伝承などを歌詞のメインモチーフとして扱うようになった。2003年春にNapalm Recordsと4枚のアルバム契約を結んで、同年10月にはデビュー作『Hin vordende Sod & Sø』をリリースした。

本作の発表後、再び大幅なメンバーの入れ替わりがあった。特に新加入のLars Fredrik FrøislieはWobbler、そして後にTusmørkeといったプログレッシヴ・ロックバンドでも活躍する人物だ。その影響か、プログレッシヴな音楽性に転換して、08年に『Arv』（遺産）をドロップ、その大きな変わり様は賛否両論を巻き起こした。以後音沙汰がなく、残念ながら現在の活動状況は不明である。

Hin vordende sod & sø

Napalm Records　2003

「予言するスープと出汁」を意味するタイトルどおり、魔女のような老婆が大釜で、スープをかき混ぜているジャケットが印象的な1st。ノルウェーの劇作家ヘンリック・イプセンの戯曲『ペール・ギュント』をテーマにした曲があり、山の魔王の宮殿で、主人公がトロールに料理されそうになる話などが綴られている。デモの曲「Valgalder」も再録されており、これは『古エッダ』冒頭の巫女の予言に取材した、殺された者が復讐を誓う歌だ。音楽的にはアコーディオンや女声コーラスが効果的に使われた、高品質なフォークメタルである。

THUNDRA《サンドラ》

レーベル運に恵まれないものの内省的でダークな複雑スタイル！

ノルウェー ローガラン県 ハウゲスン　1998 ～ 2015　Ruben Osnes (Gt), Stein Sund (Ba), Harald Helgeson (Dr), Rune Fredriksen (Gt), Nils Johansen (Key), Steven Grindhaug (Vo)

名もなき音楽プロジェクト

Thundra はノルウェー西部のローガラン県の港町ハウゲスンで、1998 年に結成されたヴァイキング / ブラックメタルバンドだ。ヴァイキングメタル黎明期から活動するバンド Enslaved でドラマーを務めていた Herald Helgeson と、同じく Einherjer でベーシストとして活躍していた Stein Sund は、旧知の仲のキーボーディスト Nils Johansen と 3 人で名もなき音楽プロジェクトをやっていた。Enslaved と Einherjer には、それぞれのバンドのビジョンが定まっており、自分がやりたい音楽を自由にできるような余地はなかった。よって、このプロジェクトは彼らの音楽的フラストレーションを発散する場だった。97 年に Herald と Stein の両名が各々の所属バンドを脱退し、ギタリスト Rune Fredriksen、ボーカリスト Steven Grindhaug、ギターとバッキングボーカル担当の Thor Erik "Grimnisse" Helgesen の 3 人を雇って、このプロジェクトが正式なバンド体制となった結果生まれたのが Thundra というわけだ。

所属レーベル選びに 2 度失敗

彼らはフィンランドの Spinefarm Records と契約して、2000 年 3 月にフルアルバム『Blood of Your Soul』でデビューを飾る。経緯は定かではないが、それから数年、バンドによるとレーベルに連絡をしても返信がない状態になったそうだ。それゆえ、03 年に同レーベルを離れ、彼らは新曲の制作とともに新しい音楽性の模索を開始した。その結果としてレコーディングされたのが、Stein が運営する Black Dimension スタジオで収録された 3 曲入りのデモ『Demo 2003』だった。翌年末には同スタジオで、新しいアルバムの制作に取り掛かり、数ヶ月に及ぶ作業の末、05 年初頭に『Worshipped by Chaos』を完成させた。彼らはこれをリリースするレーベルを探し、05 年末にギリシャの Black Lotus Records と契約、06 年 2 月に本作は世に出る運びとなった。

しかし、同レーベルはほどなくして倒産してしまう。再び所属レーベルを失った彼らだが、すぐに新たなレーベルを探すようなことはせず、創作活動やライブ活動に力を入れた。ツアーやフェスへの出演のほか、Haraldが主催者を務めるKarmøygeddon Metal Festival向けのコンピレーションアルバムに参加するなどした。こうして幾つかのレーベルから契約のオファーを受けるようになったが、以前のようにレーベルとの契約で失敗しないように、彼らは慎重な選択をして創作活動に専念し続けた。そうした中、08年夏、Thor Erikが家族との時間を増やすため、また、彼が並行して在籍しているブラックメタルバンドThrone of Katarsisに注力するためにThundraから脱退することとなった。

花ではなくビールを持ってきてくれ

その後、Karmøygeddon Metal FestivalとドイツのEinheit Produktionenとの共同開催のコンサートがあった。レーベルの選択には慎重だった彼らだが、同レーベルのオーナーOlafがThundraのファンで、ここととサインした仲間のバンドたちからの評判も良かったことから、09年1月、彼らはこのレーベルとの契約を決めた。そして同年8月、3枚目のフルアルバム『Ignored by Fear』をリリースした。それからバンドは新しくギタリストRuben Osnesを加入させ、13年5月には4枚目となるフルレングス『Angstens salt』を、自身のレーベルBlack Dimension Recordsからリリースした。このアルバムはEinheit Produktionenがワールドワイドな流通を担当している。理由は明かされていないが、15年2月、突如としてバンドは「花ではなくビールを持ってきてくれ」と刻まれた墓標の画像とともに解散を発表、その17年の活動に幕を下ろすことになった。ちなみに、Harald、Stein、Rubenの3人はゴシック/ドゥーム/デスメタルバンドEvig Nattで活動を続けている。

Blood of Your Soul
Spinefarm Records 2000

デビュー作。インスト2曲を含む8曲入りで、長尺な曲が多めとなっている。美しいシンセ入りのメロディアスなブラックメタルといった音楽性で、アコースティックギターやピアノがドラマティックに楽曲を盛り上げる。特筆すべきはStevenのボーカルワークで、彼はブラックメタル的な喚くようなスクリームから低音グロウル、神々しいクリーンボーカルまで自在にこなしており、非常に上手い。ヴァイキングメタルバンドとラベリングされる彼らだが、実際には北欧神話を直接的に想起させるような内容は本作のみで、以降はもっと内省的な作品となっている。

Worshipped by Chaos
Black Lotus Records 2006

レーベルを移籍して6年ぶりにリリースされた2ndアルバムは、内省的でダークで複雑なスタイルに転換した作品となった。曲によっては暴虐なブラックメタル色が強まり、メロディも控えめとなり、一聴してのわかりやすさが減退した。本作の歌詞は次作に続くらしいが、Haraldの個人的な内容となっているそうで、残念ながら詳細は明かされていない。BorknagarやVintersorgあたりのファンにオススメの一枚。本作の発売後短期間でレーベルが倒産したにも関わらず、広く流通しており入手は容易い。デジパック仕様。

Angstens salt
Black Dimension Records 2013

惜しくも彼らの最後の作品となった4枚目。タイトルはノルウェー語で「不安の塩」だが、これは「不安の涙」を暗示する言葉遊びらしい。タイトルトラックは作詞者Haraldの身近な人が息を引き取りそうになり、彼はそれをどうすることもできなかったという出来事を綴ったものとのこと。このテーマのためか、全体的に悲壮感や、やるせない怒りが感じられる内容となった。ヴァイキングメタルというよりかは、ゴシック/ブラックメタル的な位置づけの作品と言えるかもしれない。いかんせんメロディが弱く、楽曲が印象に残りにくいのが難。

トイル(フェロー語)ティア(英語)

TÝR

フェロー諸島出身、捕鯨文化保護主張しシーシェパードから圧力！

デンマーク自治領 フェロー諸島 トースハウン　1998 ～
Gunnar Thomsen (Ba, Vo), Heri Joensen (Gt, Vo), Tadeusz Rieckmann (Dr)

数少ないフェロー諸島のメタルバンド

ギタリストの Heri Joensen とベーシストの Gunnar Thomsen は 1990 年頃、フェロー諸島で Cruiser というバンドを結成した。このバンドにはドラマー Kári Streymoy も短期間在籍していたらしい。Cruiser は後に Wolfgang に改名したのだが、結成メンバーはほどなくして抜けてしまったようだ。その後、デンマークの自治領であるフェロー諸島の若者にはよくあるらしいのだが、Heri はさらなる教育を受けるためデンマークの首都コペンハーゲンに移住する。98 年 1 月、そこで行われたパーティでかつてのバンド仲間の Streymoy と再会、Heri の方からセッションをやってみないかと持ちかけた。そして最終的に誕生したのが、フォーク / ヴァイキング / プログレッシヴメタルバンド Týr だ。ほどなくして同じく以前のバンド仲間の Thomsen もバンドに加入し、さらに 2 人目のギタリスト Jón Joensen とボーカリスト Pól Arni Holm が加わり、バンドは 5 人体制となった。彼らは皆、フェロー諸島出身であった。

ちなみに Heri はもともと、インド・ヨーロッパ語族比較言語学の学位を取得するために進学したのだが、ギターばかり弾いていたがために落第し、進路を変えて音楽学校に転校してギターとボーカル、音楽理論を専攻したらしい。しかし音楽的にはそれなりに成功したためか、2013 年からはフェロー大学でフェロー語とフェロー文学を学んでいる。彼はキリスト教徒として育てられたが、自問した結果、信仰心がないことに気づいた。後に北欧神話に魅了されたが宗教的な信心はなく、文化遺産としての価値に重きを置く無神論者だ。今の世のほうが便利なため、過去の暮らしを再興させたいとも思わないと述べている。英語の方が書きやすいということで、歌詞は基本的に英語で書いている（フェロー語の曲はフォークソングのカバー）が、もっとフェロー語を使えるようになりたいと彼は語る。

バンド名のTýrとは、北欧神話に登場する軍神の名で、片腕を食いちぎられながらも終末の狼フェンリルを、聖なる鎖グレイプニルで繋ぎ止めたことで知られる。この神は日本ではテュールあるいはティールと表記されることが多いが、彼らのバンド名の英語圏での読み方をあえてカタカナで表記するとすればティア（フェロー語ではトイルらしい）である。バンド名やロゴについて、HeriはBlack Sabbathの1990年のアルバム『Tyr』からの影響を認めている。

フェロー諸島やアイスランドで大ヒット

2000年には4曲入りのデモCDを制作、Jónが同年脱退するが、01年4月にはフェロー諸島で2年に1回開催されているPrix Føroyarというバンドコンテストに参加する。そうして、デモの収録曲「Ormurin langi」（長蛇）がフェロー諸島内で、かつてない大流行となったらしい。ただ、この曲はオリジナル曲ではなく、1830年頃に作曲されたフェロー諸島のフォークソングのカバーだ。そうして彼らはフェロー諸島のレーベルTutl Recordsとの契約に至り、アルバム制作を進める傍ら、後任ギタリストのTerji Skibenæsを迎えて、02年1月にはデビュー作となる『How Far to Asgaard』を発表した。先の「Ormurin langi」は本作にも収録され、今度はアイスランドでこの曲がビッグヒットとなったそうだ。

ここでPólが脱退してしまったため、後任ボーカリストにAllan Streymoyを迎えて、10月には2曲入りシングル「Ólavur Riddararós」（薔薇の騎士オラフ）を発表するが、彼もこの作品のみで脱退、以後Heriがギターだけでなくマイクも取ることとなった。そして03年6月には2ndアルバム『Eric the Red』をリリース、04年にはTerjiが一時的にOttó Arnarsonなるギタリストと交代したようだが、すぐに復帰、そしてオーストリアの大手レーベルNapalm Recordsからコンタクトがあり、06年初めには契約に合意する。先に出した『Eric the Red』がワールドワイドに再販され、9月には3枚目のフルアルバム『Ragnarok』がリリースされた。

08年5月には4作目『Land』を発表し、9月にはデビュー作『How Far to Asgaard』も再販の運びとなった。翌09年には5月の新作『By the Light of the Northern Star』リリースに合わせて、レーベルメイトのAlestormとHeidevolkらとともにヨーロッパツアーに乗り出し、ファンの裾野を広げるのに成功した。なお、同年HeriはHeljareyga（フェロー諸島で見られる、沿岸の岩に空いた深い穴）というプログレッシヴメタルバンドをサイドプロジェクトとして結成し、10年にはセルフタイトルのアルバムを発表するなどの活躍もしている。11年5月の6枚目のフルアルバム『The Lay of Thrym』では国内盤デビューも果たしたが、本作を最後にNapalm Recordsを離れ、13年にはアメリカの老舗Metal Blade Recordsと契約を結んだ。13年には結成メンバーのKáriが怪我の悪化を理由に脱退してしまったが、バンドは正式な後任を迎えず、サポートドラマーを雇って7枚目の『Valkyrja』をドロップした。その後正式ドラマーTadeusz Rieckmannが加入している。16年にはTerjiもソロ活動として、インストゥルメンタルのプログレッシヴメタルアルバムを発表する活躍を見せたが、18年に彼は脱退。代わりにAttila Vörösが加入して、19年に6年ぶりの新作『Hel』を発表し、初来日も果たした。20年にAttilaとは、今後のビジョンや音楽性の違いから、袂を分かつことになったが、バンドは歩みを止めることなく活動を続けている。なお、18年からHeriはチェコのヘヴィメタルバンドBohemian Metal Rhapsodyの女声ボーカルViktorie Surmøváと、シンフォニックメタルバンドSurma（フィンランド神話で冥府の門を守る怪物）としての活動も開始しており、20年にアルバム『The Light Within』でデビューを飾っている。

コンサートをボイコット

フェロー諸島では伝統的に捕鯨の文化があるのだが、このバンドにまつわる重要なトピックとして、Heri はこれを支持しており、2016 年に Facebook に鯨の肉を切る自身の写真をアップしたことで大炎上してしまったことが挙げられる。シーシェパードを始めとする反捕鯨団体はバンドを目の敵にしており、コンサートのボイコットを働きかける運動を行い、実際いくつかのライブハウスはその圧力に屈してしまったようだ。彼は反捕鯨団体の主張への反論動画を投稿しており、今後のバンドの活動が心配されるところだ。

How Far to Asgaard
Tutl Records　2002

地元のレーベルから発売されたデビュー作。「アスガルド（北欧神話のアース神族が住む世界）は遠きかな」の意。デモの曲すべての再録を含む 8 曲入り。音楽的には、民謡メロを織り込んだクリーンボイスによるエピックドゥーム。Napalm Records からの再発盤はジャケットが洗練され、「Ólavur Riddararós」の 2 曲を追加。オリジナル盤、再発盤ともに最後の曲の後にフェロー諸島のフォークソング「Nornagest Ríma」（北欧神話の英雄ノルナゲストのバラード）がシークレットで収録されている。

Eric the Red
Tutl Records　2003

Heri がリードボーカルになって初の 2 作目。タイトルは、10 世紀頃にヨーロッパ人として初めてグリーンランドに入植した探検家、エイリーク・ソルヴァルズソンのあだ名で、「赤毛のエイリーク」と訳される。デンマークやフェロー諸島の伝統音楽のアレンジを含む全 10 曲。前作よりドゥーム色が薄れて、プログレッシヴながらメロディックで聴きやすくなった。「Rainbow Warrior」は反捕鯨団体グリーンピースの船名に因み、その手の団体への批判を綴る。再発盤はジャケットを差し替え、デモから 2 曲を追加。

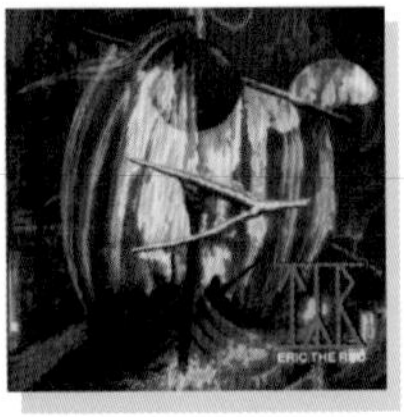

Ragnarok
Napalm Records　2006

大手レーベルに移籍して発表された 3rd アルバム。Heri いわく、意図的にプログレッシヴな作風にしたとのこと。彼らの地元に伝わる民謡には元来変拍子が多いらしく、それをベースに作曲しているから複雑化するという事情もあるようだ。とは言え、フェロー諸島やデンマークの伝統音楽を随所に織り込んだ楽曲は、フォークメタルのファンならば案外すんなり聴けると思われる。12 曲目は、地元のフォークグループ Spælimenninir による演奏だ。デジパック仕様の限定盤は、アイリッシュ・トラッドを拝借した 2 曲が追加された。

Land
Napalm Records　2008

リスナーの裾野を広げるため、わかりやすい曲を心掛けたという 4 枚目。だが、プログレッシヴだった前作以上に複雑だと評判になり、狙い通りにならなかったと Heri は語る。前任ボーカル時代に発表されたライブの定番曲「Hail to the Hammer」の再々録を別とすれば、ともに 10 分超の大作「Ocean」と「Land」のみがオリジナル曲だ。この 2 曲は、ヴァイキングの西方への拡大を念頭に置いて綴られたらしい。他はすべて伝統音楽のアレンジで、フェロー諸島に加え、アイスランドやノルウェーの民謡も採用された。

By the Light of the Northern Star
Napalm Records　2009

前作の反省を踏まえて制作された結果、キャッチーでコンパクトな曲が増え、フォーク / ヴァイキングメタルの一般リスナーにも馴染みやすい音になった 5th アルバム。彼らに最初に触れるなら、本作以降が取っ付きやすいだろう。「Tróndur í gøtu」はキリスト教化に抵抗したフェローの異教徒の英雄についての曲で、Heri は無神論者だが、本作は特にペイガニズム色が強い。デジパック仕様の限定盤に収録のボーナストラックは、フェロー諸島のフォークソングのカバーと、国歌「汝、私の最も麗しき地」のメタルアレンジだ。

The Lay of Thrym
Napalm Records 2011
国内盤デビューとなった6作目。前作同様、短かめのわかりやすい楽曲中心で聴きやすい。今作では、アラブの春に着想を得た政治的な歌詞が見られ、北欧神話の霜の巨人の王スリュムは独裁者の象徴だ。ペイガニズムを標榜するバンドには付き物だが、一部の人や団体からネオナチ批判を受けることがある。「Shadow of the Swastika」（Swastikaはナチスのシンボルの鉤十字）はその反論で、ライブでもよく演奏されるキャッチーな佳曲だ。限定盤にはBlack SabbathとRainbowのカバーを追加。

Valkyrja
Metal Blade Records 2013
レーベル移籍後、初となる7thアルバム。デジパック仕様でのリリース。タイトルは北欧神話の戦乙女ヴァルキュリヤで、ジャケットでは妻を残し戦場で力尽きたヴァイキング戦士を、ヴァルハラあるいは女神フレイヤの館に誘わんとしている。前作で見せた政治的な問題を扱った歌詞と、彼らのルーツである神話由来のテーマを融合させ、女性と男性の関係という、古来から続く案件を念頭に置いたコンセプトアルバム。当時Leaves' Eyesに在籍していた女声ボーカリストLiv Kristineが4曲目にゲスト参加している。

Hel
Metal Blade Records 2019
6年ぶりに届けられた8thアルバム。間が空いたのは、これまでの発売ペースが早すぎてストレスフルだったため、制作プロセスを充分に制御するゆとりを持たせたからとのこと。北欧神話の冥府を冠した本作は、コンセプトアルバムではないが、ダークな内容の曲が並んでいる模様。ただ、1曲目「Gates of Hel」を筆頭に、曲は思いのほかメロディックで聴きやすい。毎度おなじみ、フェロー民謡も2曲収録。なお、本作では18年に脱退したTerjiが弾いているが、2曲制作されたMVでは後任のAttilaが弾き直している。

Týr インタビュー

回答者：Heri

Q：あなたはTýrより前に、後にWolfgangに改名されることになるCruiserというバンドを始めましたよね？　そのバンドの音楽性はTýrに似ていたのでしょうか？

A：WolfgangがTýrになったわけではないよ。俺は1997年にWolfgangを脱退して98年にTýrを結成したんだ。Wolfgangは今なお活動しているしね。音楽性は70年代～80年代のハードロックだったね。もしかしたら何かしら類似点はあるかもしれないけど、あったとしてもそれは単に俺がそのバンドの曲もいくつか書いたからというだけだね。今では俺の音楽性はその頃のものから大きく進化したから、本当の意味での類似点を一つでも見出すのはもう難しいと思うな。

Q：あなたは英語で歌詞を書くほうがフェロー語で書くよりも簡単だから、英語での作詞を好んでいるのですよね？　そうは言っても、フェロー諸島ではフェロー語が公用語かと思います。あなたの母語はフェロー語ではないのでしょうか？

A：フェロー語はフェロー諸島の公用語だし、実際みんなフェロー語を話しているよ。52,000人（訳注：2011年の調査では48,346人で、2019年の予測人口が51,783人）みんなね。メタルを聴き始めてからずっと英語のメタルを聴いてきたから、単にそのほうが自然に思えるってだけさ。フェロー語でもっと歌詞を書くことについてずいぶん考えてはいるのだけど、Týrでそれが実現するとは思ってないよ。

Q：『How Far to Asgaard』はかなりプログレッシヴで、リスナーに試練を強いる作品だと個人的には感じました。でもみなさんはバンドのキャリアのある時点から、はるかにメロディックな音楽性へと思いきった変遷を遂げましたよね。何がこの路線変更を決めさせたのでしょうか？

A：俺はメロディックで調和の取れた曲構成が好きだし、聴きやすい音楽性のほうが好みなんだ。いつなぜこの変更をしたのかはっきりとはわからないけど、メロディックな曲のほうがラジオで、そして後にはソーシャルメディアで良い反応が得られたからかもな。それと曲作りに関して言えば、俺が険しくないほうの道を選びたかったからなんじゃないかな。

Q：私は伝統的な民族音楽が大好きなのですが、アルバム『Land』にはフェロー諸島だけでなくノルウェーやアイスランドの伝統音楽のメタルアレンジ・バージョンも収録されていますよね。どのようにしてあなたがそれほど多くの言語に堪能になったのか興味があります。あなたはインド・ヨーロッパ語族比較言語学を大学で専攻していたとのことなので、もしかするとこれらの言語はルーツが同じでどれか一つをマスターしていれば他のを習得するのは容易なのでしょうか？

A：フェロー諸島ではみんなデンマーク語もかなりよく習熟するんだ。デンマーク語はフェロー諸島の第二公用語だからね。例えば、テレビでデンマーク語をたくさん目にするし、新聞や漫画でデンマーク語をたくさん読む。フェロー語とデンマーク語が話せれば、ノルウェー語とスウェーデン語を習得するのはきわめて簡単なんだ。俺の場合、ノルウェーに一年間住んでさえいたからね。それからアイスランドにも一年住んだから、そこでアイスランド語を学んだんだ。アイスランド語は流暢ではないけど、日常会話ならできるよ。

Q：あなたは Heljareyga という別のプログレッシヴメタルバンドを結成されました。どういう経緯で別バンドを始めたか話していただけますでしょうか？　また、2010 年に発表された 1st アルバム以降音沙汰がないのですが、現在そちらのバンドはどういう状況でしょうか？

A：俺は何か別のことに挑戦してみたかったんだ。Týr の方向性にうまく合致するとは思わない革新的なアイデアがたくさんあったから、サイドプロジェクトを始めることを決めたんだ。それとこの機会を利用して、歌詞をすべてフェロー語で書いてみたんだ。このプロジェクトでは短かいツアーを一回やったのと、アルバムリリース後すぐにフェロー諸島で 4 回ライブをやったんだ。このバンド向けの素材も作ってきてはいるので、あんまり長年経ってしまう前に次のアルバムを発表できるよう願ってるよ。

Q：2019 年 の 8th アルバム『Hel』は非常にメロディックかつキャッチーで、時には北欧神話の死者の国を指すそのタイトルとは裏腹に明るくさえ感じられました。これは意図したものでしょうか？

A：メロディックでキャッチーにはしたかったけど、明るくしようという狙いはそうなかったよ。歌っている対象のテーマに関わらず、俺たちの音楽性は本質的にやや明るいんじゃないかと思う。もしかしたら速くてメロディックな音楽を演奏していれば自然とそうなるのかもしれないね。

Q：あなたは北欧神話を称賛しているけども、同時に無神論者でもあるとどこかで読みました。これはつまり、北欧神話を興味の対象として見ており、その内容が豊かだとは思うけども、宗教的な信仰はそこに持ち合わせていないということでしょうか？

A：その通りさ。俺には宗教的な信仰はないけど、宗教が肯定的に機能することもあって、神話に保全されている物語が民族形成する有用性を持ち得ることは受け入れているよ。そう機能させるにあたって、文字通りにそれらが本当だと信じる

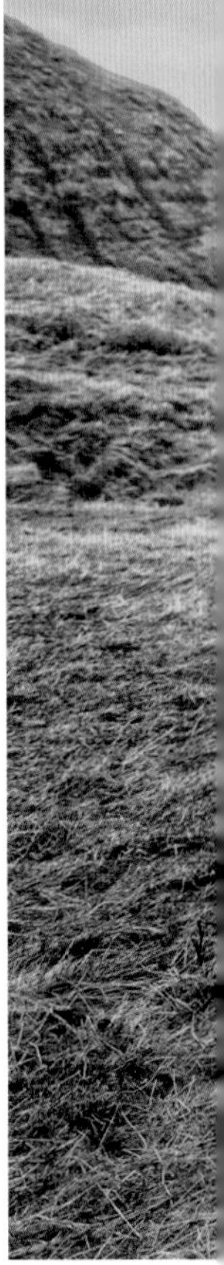

俺たちはナチス
支持者ということには
ならない

必要はないからね。

Q：もしかしたらこれはややセンシティヴな質問かもしれません。「Shadow of the Swastika」がとりわけキャッチーなメロディで好きなのですが、でもこれは Týr が人種差別主義に関わりがあるという批判を否定するシリアスな曲なんですよね。ペイガニズムとファシズムは別物ですが、中にはこれらを混同する人もいます。前の質問とも関連しますが、あなたが無神論者だとすると Týr の歌詞はペイガニズムにすら基づいていなくて、単に物語としてそれらを扱っているということでしょうか？　ご説明いただけますでしょうか？

A：その曲は 2008 年にベルリンのとある団体から俺たちに寄せられた具体的な告発への回答として書かれたものなんだ。彼らは俺たちがルーンや北欧神話を使っているというだけの理由で俺たちがナチスを支持しているとの声明を出したんだ。当然そんなの馬鹿げている。ドイツに蔓延るある種の過剰な贖罪意識だね。もちろんバンドとしての俺たちは、どれだけ多くの実際のナチス支持者が神話に関心があるかに何の影響も及ぼしていないし、そういうわけで俺たちはナチス支持者ということにはならない。そしてこのことから帰結するドイツの反神話ヒステリーは、とても未熟で幼稚な反応だよ。

Q：これもややセンシティヴかもしれません。フェロー諸島には grindadráp（訳注：イルカ追い込み漁の一種）という伝統がありますよね。日本にも同種の捕鯨の伝統があります。その良し悪しについてここで議論するつもりはないですが、少なくともみなさんの音楽とは関係がないと思います。いかがでしょうか？

A：ああ、同意するよ。俺たちはボイコット運動のターゲットにされてきて、俺はこの問題について公的な立場を表明することを余儀なくされた。そして俺は捕鯨を支持する側についたんだ。というのもそうしないと不正直だし、自分の誠実さを蝕むと思ったからね。それで俺はシーシェパートやブループラネット・ソサエティといった募金詐欺組織の注目の的になったんだ。この問題は俺たちの音楽とは切り離して考えられるべきなんだけど、これらの組織はそうしてくれなくて。バンドは世間の注目を引くから、詐欺野郎どもがメディアにもっと露出したり、さらなる募金を手にしたりするには絶好のチャンスなのさ。こうなったのはそういうわけさ。

Q：先日の日本でのライブの手応えはいかがでしたでしょうか？　日本滞在中に一番記憶に残った出来事は何でしょうか？

A：手応えは素晴らしかったよ。2日間とも心から楽しんでライブができた。俺の興味を引いて記憶に残ったのは、人々がいかに礼儀正しいか、それととりわけ東京が世界でも有数の大都市であることを勘案すると街がいかにきれいか、だな。

Q：最後になりますが、日本のファンや読者にメッセージをいただけますでしょうか？

A：ようやく君たちの素晴らしい国を訪ねることができて本当に嬉しかったよ。ライブを見に来てくれたみんな、俺たちの音楽を聴いてくれたり応援してくれるみんな、ありがとう。またすぐ日本に戻ってこれるよう願ってるよ。

コラム　ルーン文字

ルーン文字とは、ゲルマン人がゲルマン諸語の表記に用いた古い文字体系で、地域や時代によっていくつかのバリエーションがある。特にスカンジナビアのルーン文字は最初の6文字（F,U,Þ,A,R,K）からフサルクと呼ばれる。ヴァイキングメタルやペイガンメタルでは、アルバム名や曲名がこのフォントでしばしば綴られている。ルーンという単語は語源として秘密を意味する古ノルド語に由来するらしいが、儀式やまじないで使用されていたとの確証はないらしい。とはいえ、北欧神話ではオーディンがルーン文字の秘密を手に入れた話もあり、各文字には意味があると考えられている。

ところで、我々の日常にも実はルーン文字は使われている。Bluetooth のロゴはラテン文字の H と B に対応するルーン文字 Hagalaz と Berkana を組み合わせたものなのだ。これは、デンマークの青歯王ハーラル1世（Harald Blåtand）がデンマークとノルウェーを交渉により平和的に統一した事績に因んで、複数の電子機器をつなぐ通信技術 Bluetooth の語源となり、そのため彼の頭文字に対応するルーン文字が使われたのだ。

SLECHTVALK《スレヒトファルク》

ハヤブサの暴虐性に感銘受けたヴァイキング・アンブラックメタル！

オランダ オーファーアイセル州 デーフェンテル　1999 ～ 2000 (as Dommer), 2000 ～
Shamgar (Gt, Vo), Premnath (Key), Ohtar (Vo), Seraph (Gt), Dagor (Ba), Hamar (Dr)

Shamgar なるボーカリスト / ギタリストが、数々のバンドに参加したが、いずれもうまく行かなかった。彼は一人で音源制作することを思い立ち、1999 年に Dommer というプロジェクトを開始した。自分で名付けておきながら、あまり気に入らなかったそうで 2000 年に改名した結果が、この Slechtvalk だ。これはオランダ語でハヤブサで、『ナショナル・ジオグラフィック』を見ていて、その暴虐性に惹かれたらしい。そうして作ったデモ音源をリリースする気でいたところ、自国の Fear Dark Records からアルバムのリリース契約をもらい、ドラムとキーボードはプログラミングとは言え、すべてを一人でこなして 2000 年に『Falconcry』を発表した。彼はクリスチャンゆえ、本作はいわゆるアンブラックメタルだった。これが話題を呼び、クリーンボーカル Ohtar のほか、ベース、ソプラノボーカル、ドラム、キーボードとメンバーが集まり、Slechtvalk はバンド体制となった。なお、Ohtar は 05 年まで同郷の Heidevolk でも活躍していた。Shamgar は善悪二元論的な歌詞が煩わしくなり、次作以降ではキリスト教徒として自分が刺激を受けるようなファンタジーやバトルをテーマに切り替えた。ゆえに彼らは広義でのヴァイキングメタルバンドで、これまでに 5 枚のフルアルバムを発表している。

At the Dawn of War
Fear Dark Records　2005

彼らの作品の中でも、特に評価が高い 3 枚目のフルアルバム。Shamgar が中世の戦争映画好きということもあって、彼らの作品は戦いをテーマにしたフィクションがベースとなっている。音楽的にはもともと、Dark Funeral や Dimmu Borgir、Dawn といったブラックメタルバンドの影響を受けていた Shamgar だが、後にペイガン / フォークメタルを聴くようになり、本作ではその影響が強く出ている。前作に引き続き、ハヤブサを携えた戦士を含む王国連合軍と死の君主の軍隊との戦いが描かれている。

XIV《フォーティーン》 DARK《ダーク》 CENTURIES《センチュリーズ》

キリスト教伝来以前のテューリンゲンのゲルマン民族神々敬愛！

ドイツ テューリンゲン州 オーバーホーフ　1998～
Tobalt (Gt), Marley (Ba), Tobi (Key), Michel (Vo), Killing Uwe (Gt), Manu (Dr)

意味深な 14 という数字

1994 年、ドイツのテューリンゲン州で 5 人の男たちがデスメタルバンドを遊びでやり始めた。メンバー自身が命名したわけではないらしいが、このバンドはいつしか Reifen 14と呼ばれるようになっていた。98年にベーシストが交代して、バンドは解散したが、解散時のメンバー 5 人で音楽性を変えて、新たに産声を上げたのが XIV Dark Centuries だ。当時のメンバー構成はボーカル Michel、ギター Horstmann、キーボード Tobi、ベース Marley、ドラム Rüd だった。メンバーいわく語ると長いらしいが、Reifen 14 の由来や意味は残念ながら定かではない。だが、バンドは引き続き「14」をバンド名に採用した。自然やゲルマン民族の神々を敬愛する彼らにとって、テューリンゲン州がキリスト教化されて以来、14 世紀もの間、暗黒の時代が続いている、という彼らの歴史観・思想を反映したのがこのバンド名である。

初期のキリスト教徒がシンボルとして魚（イクトゥスと呼ばれる）を採用したということで、ドイツの反キリスト教の極右団体 Artgemeinschaft が魚を捕獲する鷹のシンボルを発案したらしいのだが、彼らはそのシンボルを使っている。また、反ファシズムを掲げるドイツのウェブサイトから右派の急進的なシーンに歩み寄っていると指摘されている。しかし、メンバーはバンドと政治的問題との関連やレイシズムを否定している。

99 年には Michel 自身が運営するレーベル Moonrise Production から最初のデモ音源『For Your God』を発表。バンドは音源よりもライブに重きを置いており、Menhir や Die Apokalyptischen Reiter といったバンドとともに精力的にライブを実施していた。翌年には Horstmann が脱退するが、後任に Tobalt を加入させ、2002 年には古くからあるが未発表だった曲をまとめて 2 枚目のデモ『Dunkle Jahrhunderte』（暗黒の世紀）を同レーベルからリリースした。また、同年、ライブの機会の増加と楽曲の複雑化により、バンドは二人目のギタリスト Uwe をメンバーに加えている。この頃には彼らは自身の音楽性を「Heidnischer Thüringer Metal」（異教徒のテューリンゲンメタル）と呼ぶようになっていた。

再加入が続く仲の良いバンド

新体制で 2003 年 4 月にはデビューアルバム『...den Ahnen zum Grusse...』を自主制作で発表、同年夏にはバンドはオーストリアの CCP Records と 3 年間の契約に至り、9 月に同作は再販されて世界中に彼らの作品は流通することとなった。それとともにバンドはドイツ国内ツアーで多数のライブを実施、04 年秋には初の国外ライブも成し遂げた。精力的なライブ活動により、レコーディングに割ける時間が限られていたため、次の作品はミニアルバムとなり、05 年に『Jul』（ゲルマン民族がオーディンやフレイヤなどの神々を賛える冬の祭りユール）を発表し、同年および翌年とバンドは Ragnarök Festival と Ultima Ratio Festival というペイガンメタル系の大規模フェスへの出場まで果たした。そして 06 年には新たに Perverted Taste と契約して 2 枚目のフルレングス『Skithingi』をリリースした。

しかし 07 年に Tobalt が個人的な理由でバンドを脱退してしまう。古くからのバンドの友人であり、Surturs Lohe や Menhir にも在籍した Roman を後任に迎えてバンドは活動を続けるが、この入れ替わりによって制作活動に遅れが生じ始める。結局 3 枚目のアルバム『Gizit dar Faida』が世に出たのは 11 年のことで、休止状態になった Perverted Taste に代わって Einheit Produktionen から同作品はリリースされた。

15 年には Uwe が、17 年には Roman と結成メンバーの Rüd がバンドと道を違えることとなったが、Uwe は 17 年に復帰、さらに 07 年に脱退した Tobalt も再加入し、ドラムには新メンバー Manu を迎えて、20 年に『Waldvolk』（森の民）をドロップした。

...den Ahnen zum Grusse...
Independent 2003
ドイツ語で「祖先に敬礼を」と題されたデビュー作。勇ましい朗々としたクリーンボーカルを大々的にフィーチャーした楽曲群は、ゲルマン人でなくとも聴く者を誇らしい気持ちにさせるかのようだ。実質タイトル曲である「Unseren Ahnen zum Grusse」（我らが祖先に敬礼を）では、大自然に身を委ねて祖国と祖先に想いを馳せる大切さを歌う。ジャケットはシング（古代ゲルマン社会の法廷集会のようなもの）の光景で、これは当時の人々の出会いの場ともなっていたことから、本作にふさわしいとされたと考えられる。

Skithingi
Perverted Taste 2006
レーベルを移籍しての 2 枚目のアルバム。タイトルは 6 世紀のフランク王国との戦い（この敗北によりテューリンゲンがキリスト教化されて暗黒の時代が始まる）における、テューリンゲンの君主ヘルマンフリートの最後の砦の名前（木の城の人々のような意味合いらしい）である。3 世紀末にゲルマン民族が移動してきたところから、フランク王国に敗れるまで、彼らのルーツが詳細に綴られている。バンドは人工的な音が過度に取り入れられた昨今のフォーク / ペイガンメタルの音が好きではないそうで、ライブで再現できる生音にこだわったそうだ。

Gizit dar Faida
Einheit Produktionen 2011
再度レーベルを移籍して、前作から 5 年ぶりとなった 3 枚目のアルバム。タイトルは古高ドイツ語で「復讐の時」の意だと思われる。シネマティックで荘厳なインスト曲「Westwärts」（西へ）に続く 2 曲目「Zeit der Rache」が、現代ドイツ語で「復讐の時」なので実質タイトル曲なのだろう。これまでと大きく代わり映えはしない作風ではあるが、音質が向上して、よりヒロイックな雰囲気が強まったため、ペイガンというよりはエピックな印象も受ける。なお、本作は手作りの革製ケース仕様の限定盤も発売されている。

SORGSVART《ソルグスヴァルト》

デプレッシヴ・アナーキスト ヴァイキングメタルが行方不明！

ノルウェー ローガラン県 ハウゲスン　1999 ～ (状況不明)　Sorg (Vo, All instruments)

Sorgsvart は Bjørn Magne Høie Hauge（Sorg）なる人物が、1999 年に立ち上げたワンマン・プロジェクトだ。プロジェクト名はノルウェー語で「黒い悲しみ」のような意味だ。「自分の心の中の情景や感情を真に知るのは自分だけで、すべての楽器を自分で演奏できさえすれば他のメンバーは不要である」との考えから一人で活動することを決めたとのこと。彼は人のそばにいるのが嫌いだとも語る。

とは言え、99 年の最初のデモ『Min grav i ensomhet』（孤独の中の私の墓）はキーボードとパーカッションだけで、歌もギターもないものだった。その後、ギターやベースといったメタルで一般的な楽器のみならず、ノルウェーの多種多様な民族楽器の練習も積み、2002 年～ 04 年にかけて数本のデモを制作した。特に 04 年の『Fortapt fra verden i vakkert selvmord』（世界から消え失せて美しい自殺を）は Darkthrone の Nocturno Culto のお気に入りとなったらしい。この 8 曲入りデモからの 5 曲が、同タイトルの 1st フルアルバムとして 06 年にドイツの Einheit Produktionen から発売される運びとなった。08 年には 2nd アルバム『Vikingtid og anarki』をリリース、しかし残念なことにそれ以降は音沙汰がなく、状況不明となっている。

Vikingtid og anarki
Einheit Produktionen　2008

「ヴァイキングの時代と無政府主義」と題された 2 枚目のアルバム。Sorg は束縛や固定観念などを極端に嫌う、革命的アナーキストと自認している。前作ではそれが自殺という形で表現された。今作では、自由と誇りのために戦ったヴァイキングと、自らの持つ世の中への謀反心や怒りとを結びつけた模様。 前作同様、友人 Skarstein をゲストドラマーに迎え、他はすべて Sorg がこなしているが、今作ではドラムも一部 Sorg が叩いている。音楽的にはマイルドなフォーク / ヴァイキング / ブラックメタルで、かなり聴きやすい。

GERNOTSHAGEN《ゲアノートシャーゲン》

地元トルーゼタール村の近くで発見した森の小さな居住地が名前！

ドイツ テューリンゲン州 トルーゼタール　1999 (as Grafen von Gleichen). 1999 〜
Murry (Ba), Daimonicon (Gt), Askan (Vo), Sebastian Jung (Key), Marcus Röll (Dr), Roman Senschuries (Gt)

1999年にボーカルのAskanとギターのDaimoniconによってGrafen von Gleichen（テューリンゲンの貴族の名）なるブラックメタルバンドが結成された。そこに友人のギタリストDiabolus（18年に脱退）とベーシストMurryが加入し、バンド名をGernotshagenに変更した。彼らは地元トルーゼタール村の歴史や伝統に多大な関心を抱いており、村の近くの森で小さな居住地の痕跡を発見したらしい。その居住地の名が新たなバンド名で、自分たちの故郷や歴史、祖先のルーツといった意味合いを込めたとのこと。2000年にキーボーディストSebastianとドラマーTobias（11年に脱退）が加入して、曲作りやライブ活動を開始、02年に自主制作で1stアルバム『Wintermythen』（冬の神話たち）を発表した。04年にはレコーディングスタジオを設立して次作に取り組み始め、06年にRagnarök FestivalやBarther Metal Open Airへの出場を果たし、Trollzorn Recordsとの契約に成功、07年に『Märe aus wäldernen Hallen』を発売した。11年の『Weltenbrand』（世界の大火）以降、表立った活動が見られなかったが、20年に9年ぶりに4th『Ode Naturae』（自然のオード）を自主制作で発表した。

Märe aus wäldernen Hallen
Trollzorn Records　2007

前作『Wintermythen』ではアコースティックギターやピアノに物悲しく彩られた、アトモスフェリックなブラックメタルを提示した彼ら。前作の発表後にXIV Dark CenturiesやMenhirといったバンドとのライブを経験したためか、この2ndでは牧歌的なメロディやクリーンボーカルでの朗々とした歌唱パートなどを織り込み、一気にヴァイキング/ペイガンブラックへの方向転換を見せた。タイトルは「森で覆われた地からの物語たち」の意だろう。次作『Weltenbrand』もこの延長線上で聴きやすい。

THRUDVANGAR《スルーズヴァンガル》

神トールが住む国を名に冠し、エピックなキーボードを導入！

ドイツ ザクセン＝アンハルト州 ケーテン　2000～
Torsten (Dr), Matze (Vo), Raschi (Gt), Daniel (Gt)

北欧神話は子供の頃から興味の対象だった

1998 年にドイツ中北部の都市ケーテンで、ギタリスト Christian とドラマー Torsten の二人が数年ぶりに再会した。彼らは古くから幾つかのバンドで活動をともにしており、今回新たに自分たち自身のバンドを結成しようとの考えに至ったそうだ。ほどなくしてキーボーディスト Andreas が加入している。2000 年には初のオリジナル曲が完成して、バンド名が決定、ここにヴァイキング / ブラックメタルバンド Thrudvangar が産声を上げた。初ライブも同年に行われたとのことだ。

バンド名は、北欧神話において神トールが住まう王国の名だ。原義としては「力の地」らしく、この名に自分たちの音楽の力をリスナーに届けたいという思いを込めたという。彼らは Bathory や Amorphis、Amon Amarth などの影響を受けているらしい。

レーベルと契約して順調な活動を進める

正確な時期は不明だが、ベースとボーカルを担当する Thrud Sven がバンドに加入した後、2002 年に 5 曲入りの初のデモ CDR を発表した。そして熱心にライブ活動を行い、04 年にはデビューアルバム『Ahnenthron』(古の玉座）を Vision & Reality というレーベルからリリースした。これもほぼ自主制作に近い形だったようだ。これはアンダーグラウンドのメタルシーンで高い評価を得たが、同作のリリース後、Sven が脱退してしまう。バンドは後任ボーカルに古くからの友人であった Matze を迎え、また、同じく旧友であったギタリスト Kanne とベーシスト Gunther もバンドに加入、彼らは 6 人体制となる。この布陣で 05 年には Ultima Ratio Festival、06 年には Ragnarök Festival と大きな舞台でのライブもこなしていく。

そうした中、05 年後半にはドイツの新興レーベル Einheit Produktionen との契約に成功し、バンドは 2 枚目のフルアルバムの制作を発表する。こうして 06 年 8 月に『Walhall』（ヴァルハラ）が世に出る運びとなった。これがやはり高評価を博したためか、前作も同レーベルから再販された。07年12月にはコンスタントに3枚目のフルアルバム『Zwischen Asgard und Midgard』をドロップ、再び評論家やファンの間で傑作扱いされた。

翌08年1月にはチェコのフォーク・ブラックメタルバンドTrollechと、レーベルメイトのヴァイキングメタルバンドNomans Landと、オランダ、スイス、チェコなどヨーロッパでのツアーを行い、これを記念してNomans Landとのスプリット7"がリリースされた。さらにペイガンメタルバンドAndrasとのツアーも実施、バンドは精力的にライブ活動を行う。その傍ら、次回作のレコーディング、そして収録曲「Thornesthing」（アイスランドの民会の名前）のPVを撮影し、10年1月には4枚目『Durch Blut und Eis』を発表する。

主要メンバーの脱退

創設メンバーの1人にキーボーディストがいたということもあり、この作品まで彼らの音楽はキーボードが大々的に取り入れられていた。しかしながら、2012年にそのAndreasが自身の他のプロジェクトを推し進めるために、バンドを脱退してしまう。彼らは後任のキーボーディストは入れない道を選んだ。13年にはKanneが脱退、Matzeの友人のギタリストFlohが後任となっている。

そしてドイツの老舗レーベルMassacre Recordsに移籍して、13年7月に発表された5枚目のフルアルバム『Tiwaz』は、ギター主体の作品としてリリースされることとなった。だが、14年には創立メンバーの1人Christianも、自身が運営するBlack in Soundスタジオでの様々なプロジェクトに専念するために脱退してしまった。同年、後任ギタリストとしてRaschiが加入している。18年にはFlohとも道を違えることになるが、Danielが入れ替わりで加入して、20年にTrollzorn Recordsから『Vegvisir』（道しるべ）を発表した。

Zwischen Asgard und Midgard
Einheit Produktionen　2007

3作目。タイトルは「アスガルドとミッドガルドの狭間で」の意。ジャケットに描かれたのは、二つの世界を結ぶ虹の橋ビフレスト。「Zwei Raben」（二羽のカラス）ではオーディンに従うカラスが、アスガルドからミッドガルドの視察に飛び立つ話が綴られている。本作ではキーボード主体の、勇壮でエピックなメロディックブラックが展開され、民謡的なメロディもそこかしこに聴くことができる。ボーカルはブラックメタル的なしゃがれ声だが迫力はあまりなく、どちらかと言えば、サウンドトラックや映画音楽的な印象を受けるのがやや難点か。

Durch Blut und Eis
Einheit Produktionen　2010

「血と氷を通り抜けて」と題された4作目。これまでは北欧神話を歌詞のモチーフにしていた彼らだが、本作は史実に基づいた初のコンセプトアルバムとなった。10世紀後半に実在したヴァイキング、赤毛のエイリークの生涯が描かれている。ノルウェーからアイスランドへの逃亡、後の妻との出会いと結婚、息子レイフの誕生、奴隷を殺した相手への復讐などだ。メインとなるのはタイトルが意味するところの、預けた財産を返さない隣人の息子の殺害（血）により、民会で3年間の追放が決まり、海を彷徨う最中のグリーンランド（氷）の発見だ。

Tiwaz
Massacre Records　2013

キーボーディスト脱退、そしてレーベル移籍後初となる5枚目のフルレングス。タイトルは北欧神話の神テュールにちなんだルーン文字だ。タイトルトラックは祖先の知恵と力とともに己が道を行け、Tiwazが道を示してくれる、という異教徒の誇りを奮い立たせる内容となっている。メインコンポーザーでもあったAndreas脱退の影響は大きく、今作は印象的なメロディに乏しく、全体的に平坦で盛り上がりに欠ける。その中でも「Heimat」（故郷）は、アコースティックギターによる牧歌的なイントロ含め、比較的緩急ついた佳曲だ。

Thrudvangar インタビュー

回答者：Daniel（彼は2018年に加入しているので、実際には窓口の役割をしているだけで、設立メンバーも回答してくれている模様）

Q：まず初めにインタビューに時間を取って回答していただいてありがとうございます。

A：普段じっくり考えることのない質問を送ってくれてありがとう。

Q：みなさんのバンド名Thrudvangarとは北欧神話の雷神トールが住まう王国の名前で、おおまかに「力の草原」のような意味になるかと思います。そしてこの名前を選んだのは、みなさんの音楽の力をリスナーに伝えたいからなんですよね？　みなさんはデモCDとデビューアルバムにセルフタイトルのインスト曲を収録されています。この曲をインスト曲にしたのはリスナーがThrudvangarについて各々のイメージを膨らませることができるようにしたかったからではないかと思うのですが、いかがでしょうか？

A：まったくその通りさ。俺たちの姿やバンド名を目にした誰もが、俺たちがどんな音楽をやっていてどんな風に聴こえるか確実にわかるようにすることが重要だったんだ。力強くて、影響力があって、古代の神々に繋がりがあるってことね。最初のデモテープ『Thrudvangar』（訳注：おそらく正式に発表されていない）は長い道のりの始まりに過ぎない。（インスト曲にしたのは）あの当時、リスナーが歌詞がなくても俺たちの音楽のイメージをちゃんと抱けるかどうか試す意図があったんだ。この名前自体は昔のメンバーが思いついたものだね。メンバーみんなこの名前がどっしりとした響きで北欧への繋がりを感じさせると思ったから、バンド名に採用することを決めたんだ。

Q：みなさんのデビューアルバム『Ahnenthron』はVision & Realityというレーベルから発売されました。このレーベルについてかなり調べたのですが、有力な情報は得られませんでした。これはみなさんの自主レーベルなのでしょうか？　そうでないとすれば、なぜこのレーベルを選んだのでしょうか？

A：Vision & Realityはもう存在していないんだ。俺たちの最初のアルバムをリリース後、程なくして彼らはレーベルを畳むことを決めたんだ。実のところ、俺たちはとあるライブハウスでよく演奏していたのだけど、そこのオーナーがVision & Realityのオーナーでもあってね。彼は俺たちの音楽をいたく気に入ってくれて、この初めてのレコード契約を提示してくれたんだ。あれは2001年のことだったんだけど、契約がとれてものすごく興奮したよ。

Q：このデビューアルバムはEinheit Produktionenからジャケット差し替えの上で再発されましたよね。ジャケットデザインを変更したのはなぜでしょうか？

A：Einheit Produktionenとレコード契約を結んだ際に、デビュー作にもまだ高い需要があることに気がついてね。それで再発することを決めたんだ。ジャケットデザインを変更したのはバンドにおける進化の一つの形だよ。

Q：北欧神話とゲルマン神話には共通の神々がいますが、別々の名前で呼ばれていますよね。例えば北欧神話のオーディンはゲルマン神話ではヴォータンと呼ばれます。みなさんは「Odins Jungfern」（オーディンの巫女たち）という曲ではオーディンを使い、「Einherjer」ではヴォータンを使ってますよね。これは単にWotans Krieger（訳注：「Einherjer」の歌詞に出てくるオーディンの戦士を表す言葉）という語がよく定着した表現（訳注：ドイツのネオフォーク／ブラックメタルバンドHalgadomの1999年のアルバムに同名の曲があるほか、Wotanskriegerというヴァイキングメタルバンドが1997年～2005年にドイツにいた）だから、後者ではヴォータンを使われたのではないかと思います。もしそうだとしたら、北欧神話での呼び名のほうがみなさんの好みでしょうか？　もちろん、名前は名前でしかなく、それほど重要なことではないとはわかっていますが、単純な興味からの質問です。

A：Thrudvangar の初期には二人の人間が歌詞を書いていたんだ。だから神々の名前が北欧バージョンかゲルマンバージョンかは作詞者の好みによるんだ。後になって（『Walhall』以降）、歌詞は Matthias（訳注：ボーカルの Matze）の手に委ねられたのだけど、彼は北欧バージョンのほうが好きみたいだね。あと彼は歌詞は歴史的に正しくあるべきだと考えているみたい。

Q：みなさんは赤毛のエイリークの生涯をテーマにした『Durch Blut und Eis』で初めてのコンセプトアルバムに挑戦されました。この作品は完全に史実に基づいたものなのでしょうか？　それとも、独自の創作を物語に付け加えられたのでしょうか？　また、再度コンセプトアルバムに取り組んでみたいとは思いますでしょうか？

A：これは Matthias のアイデアだったんだ。（判明している限りの）史実に基づいているけど、「Leif - Der Gewalten Gabe」に相当する息子の誕生みたいにいくらか個人的な影響が含まれているよ（訳注：エイリークに息子レイフが生まれたのは史実にあるので、どの部分が「個人的な影響」なのかはよくわからない）。

Q：Andreas は 2011 年に Thrudvangar から脱退してしまいました。彼は創立メンバーかつメインコンポーザーの一人だったんですよね？　彼の脱退後に発表されたアルバム『Tiwaz』は従来の作品よりギターメインの音になっているよう感じました。しかしながら、キーボードはみなさんの音楽で重要な役割を担ってきたはずなので、今後またキーボーディストを正式メンバーに加える予定はございますでしょうか？　あるいはこのままキーボードなしで活動していきますでしょうか？

A：Andreas も Christian もメインコンポーザーだったよ。Andreas は個人的なトラブルが原因で脱退したんだ。でも『Tiwaz』は彼の脱退の決定とは関係なくもともとギターメインの作品になると予定されてたんだ。ちょうど今俺たちは『Vegvisir』という新しいアルバムの制作を完了したところなんだけど、またエピックなキーボードを前みたいに、いや前以上とさえ言えるぐらいに取り入れることに決めたんだ。俺たちのライブでもキーボードは復活していて、もともとキーボードが使われていなかった曲にすらキーボードが足されているんだ。

Q：この質問はひょっとすると前の質問と重なるところがあるかもしれませんが、『Tiwaz』のリリース後、残念なことにまたも創立メンバーである Christian が別の道を歩むことになりましたよね。それに加えてあのアルバムから６年以上も経過しているので、大小含め少なからずバンドに変化があると思われます。「新しい」Thrudvangar について少し話していただけますでしょうか？

A：６年はバンドにとって長い期間だよ。俺たちはたくさん変化してきた。もう創立メンバーはドラムの Torsten だけだね。実は今俺たちは４人組のバンドなんだ。ドラムと二人のギターとボーカルね（訳注：ベースの Gunther はいつの間にか脱退した模様）。昨年（訳注：2018 年）は俺たちにとって本当にきつかった。これらの変化すべてがあったからね。でもさっき言ったように、俺たちは新作の制作を完了したんだ。作曲者が異なる（Sebastian と俺（Daniel）（訳注：二人とも前作発表後の加入））し、メンバー数が減ったことで必要になった技術的な変化のために、前作とは違ったタイプの曲作りになってるね。新しいプロデューサーを迎えて新しいレーベルと新しい影響のもとにはるかに大掛かりな制作だよ。

Q：それと、『Tiwaz』では Einheit Produktionen を離れて Massacre Records と契約されましたよね。Einheit Produktionen はヴァイキングやペイガンメタルに関してはとても良い信頼できるレーベルだと思うのですが、なぜ Massacre Records と契約したのかご説明いただけますでしょうか？　新しい空気を取り入れたかったとかでしょうか？

A：Einheit Produktionen ではもう俺たちの要求を満たせなかったんだ……。俺たちはもっとリスナーを増やしてもっと大きいコンサートに出演したかったんだ。だから Massacre Records が適切なレーベルだと思ったんだよ。

Q：ヴァイキングはルーンにはそれぞれ力が宿っており、Tiwaz は北欧神話の軍神テュールと関連があると信じていました。みなさんには信じているルーン文字はございますでしょうか？　あるいはもっとカジュアルに、好きなルーン文字はございますでしょうか？

A：Tiwaz のルーンはテュールと関わりがある一方で、他方ではポジティブな変化や刷新とも関連があるんだ。……だから Tiwaz がバンド内のみんなのお気に入りだね。

Q：最後になりますが、日本のファンや読者に何かメッセージをお願いします。

A：俺たちが日本で知られていてとてもありがたく思うよ。それから本の一部に加えてくれて本当にありがとう。

日本で新しいリスナーを、特に俺たちの新しいアルバム『Vegvisir』で獲得できるよう願ってやまないよ。

コラム　内陸ランキング （ハマザキカク執筆）

「ヴァイキングメタル」と言えば「海の男」。しかし本書をパラパラ捲っていると、海とは無縁そうな、内陸出身のバンドが目に入ってくる。勇敢さでは「陸の男」だって負けていられない。そこで海から最も離れた場所で活動しているヴァイキングメタルバンド達を集めてみた。

尚、本書で掲載されているヴァイキングメタルが存在するのに、「内陸国」なのはオーストリア、スイス、チェコ、ハンガリー、ベラルーシの５カ国。オーストリアは歴史的にはベネツィアを、そしてハンガリーはクロアチアのフィウメを支配していたことがあるので、完全な内陸国とは言えないかもしれない。スイスにはかの有名なレマン湖など多くの湖があるが、そこで戦闘的な海賊が荒らし回っていたという話は聞かない。チェコのヴルタヴァ（モルダウ）川はスメタナの連作交響詩で知られる。ベラルーシに海軍はないようだ。

海までの最短距離	バンド名	国	州／県	都市
1473km	Gjallarhorn	ロシア	ケメロヴォ州	ケメロヴォ
1320km	Nordverg	ロシア	スヴェルドロフスク州	エカテリンブルク
1035km	Visigoth	アメリカ	ユタ州	ソルトレークシティ
827km	Hammer Horde	アメリカ	オハイオ州	トレド
760km	Dark Forest, Verbal Deception	カナダ	アルバータ州	カルガリー
712km	Mjød, Ulfdallir	ロシア		モスクワ
712km	Voice of Midnight	ロシア	イヴァノヴォ州	イヴァノヴォ
680km	Destroy Destroy Destroy	アメリカ	テネシー州	マーフリーズボロ
614km	Scald	ロシア	ヤロスラヴリ州	ヤロスラヴリ
582km	Paddy and the Rats	ハンガリー（内陸国）	ボルショド・アバウーイ・ゼンプレーン県	ミシュコルツ
56km5	Forest King	アメリカ	アイダホ州	カー・ダレーン
500km	Wandersword	ロシア	ウリヤノフスク州	インザ
500km	Vane	ポーランド	マウォポルスカ県	クラクフ
487km	Kylfingar	ハンガリー（内陸国）		ブダペスト
460km	Equilibrium, Kromlek 等	ドイツ	バイエルン州	
456km	Nebelhorn, The Privateer 等	ドイツ	バーデン＝ヴュルテンベルク州	
450km	Tears of Styrbjørn	チェコ（内陸国）	南モラヴィア州	ブルノ
410km	Alfar	ベラルーシ（内陸国）		ミンスク
372km	Seawolves	スイス（内陸国）	バーゼル＝シュタット準州	バーゼル
370km	Calarook	スイス（内陸国）	チューリッヒ州	チューリッヒ
359km	Midgard	ウクライナ	チェルカースィ州	カニウ
358km	Asathor, Alphayn	オーストリア（内陸国）		ウィーン

EQUILIBRIUM《エクイリブリウム》

名前からしてバランス感覚溢れるドイツ語で歌うエピックメタル！

ドイツ バイエルン州 シュタルンベルク　2001～
René (Gt, Key), Hati (Dr), Robse (Vo), Dom (Gt), Skar (Ba, Vo), Skadi Rosehurst (Key)

教会でブラックメタル

Equilibrium はドイツのシュタルンベルクで結成されたエピックメタルバンドだ。結成当初はゲルマン民族や北欧神話をモチーフにフォーク / ヴァイキングメタルをプレイしていた。だが、作を重ねるにつれてそうしたテーマは減少し、最近は本人たちは自身の音楽性を「エピックメタル」とラベリングしている。歌詞のテーマはファンタジーのほか、日常生活や個人的な問題を扱うようになり、シンフォニックでシネマティックなメタルへと様変わりした。

バンド名は「均衡」や「バランス」を意味する英単語だ。当時、初ライブを行う際のフライヤーにバンド名を印刷してもらうため、早急に名前を決める必要があった。その時点ではまだ、音楽性もバンドの方向性も定まっていなかったため、「自身の音楽性をデスメタルやブラックメタルといった特定の様式に限定されたくない」というジャンル間の「バランス」という意味合いで、この単語が選ばれたそうだ。自分自身と周囲の人々との兼ね合いや、産業化されていく世界における自然との協調、などなど多様な意味が後付けされている。

2001 年、バンドでライブをしてくれないか、とギタリストの René Berthiaume に依頼が来た。当時彼はバンドは組んでいなかったのだが、その 2 日後、あちこちに声をかけて、友人だったベーシストの Helge Stang と Sandra van Eldik、ギタリストの Andreas Völkl、ドラマーの Henning Stein、キーボーディスト Michael Heidenreich、およびボーカリスト（名前は不明）とで、バンドを結成した。これが、Equilibrium 誕生の経緯だ。彼は少々混乱していたようで、ベーシストを二人入れてしまい、1 曲の前半と後半でベースパートをそれぞれに弾かせたりして、不要な人員が出ないようにしていたそうだ。

2 曲のオリジナル曲（後の「Met」（蜂蜜酒）と「Der Sturm」（嵐））を除いては Dimmu Borgir などのカバー曲をやる予定だったのだが、このライブは教会で行うことになっていたため、ボーカリストが教会でブラックメタルを演奏するなんてとんでもない、と考えてライブ前に脱退、Helge がボーカリストに転向した。彼はもともと、パンク系のバンドでのボーカル経験があったらしい。

当初はこのライブのためだけに結成されたバンドだったが、ここで好感触を得て二度目のライブを実施、その頃にはカバー曲メインのバンドから、オリジナル曲メインのバンドへと変貌を遂げつつあった。

悪質レーベルとの戦い

ドラマーの入れ替わり後、2003年に『Demo 2003』というデモ音源を発表、これが2ndプレスが作られるほど好評を博した。バンドはこのデモをNuclear Blastを含む7つのレーベルに送ったのだが、契約のオファーが来たのはBlack Atakk Recordsのみだったため、周囲からのレーベルに関する悪評にも関わらず、同レーベルと契約を交わした。Michaelの脱退とドラマーの再度の入れ替わりを経て、05年には初のフルアルバム『Turis Fratyr』を発売、かなりのセールスを記録した。だが、最初のスタジオ代以降一切の報酬が支払われず、警鐘どおりの悪質なレーベルであることが判明、バンドは契約を打ち切った。このレーベルのオーナーとは弁護士を雇って戦うも、なかなか解決には至らなかったようだ。

しかし、このセールスによりバンドはツアーのほか、Wacken Open Airといった大規模なフェスへの出場を果たし、ヨーロッパ中にその名を轟かせる。当時は歌詞をHelgeが書いており、ドイツ人として英語よりもドイツ語の方が馴染むとのことで、すべての歌詞がドイツ語で書かれていた。これを鑑みれば、このように幅広くファンを獲得できたのは異例のことだった。そして以前は貰えなかったNuclear Blastからのオファーを獲得、バンドはそれを受け入れた。

度重なるメンバー交代を乗り越えて

さらに2度のドラマーの交代を経て、2008年には2作目『Sagas』を発表した。同作は、大手レーベルと契約しても商業的な方向性には進まない、との意志を見せつけるかのように、ドイツ語のみの歌詞にこだわった、創作意欲溢れる大作となった。本作でさらにファンを獲得した彼らだが、10年2月、出演予定だったWinterfire Festivalを「バンド内の深刻な構成変更」によりキャンセル、後にこれはHelgeとドラマーのManu Di Camilloの脱退だったと判明した。

バンドは新ボーカルにRobseを迎え、6月には3作目『Rekreatur』を発表した。後任ドラマーにはイスラエル人のHatiが加入、13年にはバンド初となるEP『Waldschrein』をリリースしたが、その翌年さらなる困難がバンドを襲う。結成メンバーのSandraとAndreasの兄妹が脱退してしまったのだ。バンドはRenéがすべての楽器をこなすことで苦境を乗り越え、同年6月に『Erdentempel』を発売、新ギタリストには同郷のNothgardでも活躍するDom R. Crayを、新ベーシストにはJen Majuraを迎え入れた。このベーシストは翌年に脱退するが、16年にSuidakraのメンバーだったMakkiが後任に就く。

同年、バンドは『Armageddon』を発表、これを引っさげ、17年1月、Pagan Metal Horde vol.1で初来日を果たした。15年にも来日の予定があったが、諸事情でキャンセルになったため、これはまさに念願の来日となった。19年にMakkiがSkarに入れ替わり、また、女性キーボーディストのSkadi Rosehurstが加入して『Renegades』をリリースしている。

Turis Fratyr
Black Attakk Records　2005

『神々の紋章』の邦題で、国内盤も発売されていた1stアルバム。タイトルは明確な意味のない造語らしく、解釈は自由らしいが、ルーン文字のTiwazとFehuに因んで「戦いの始まり」のようなイメージではなかろうか。キーボードが乱舞する疾走曲メインの音楽性で人気を博し、当時有名だった日本のヴァイキングメタルファン「力戦車」の本名「Shingo Murata」を冠した曲が収録されたことでも話題になった。2008年にはNuclear Blastから、『Demo 2003』をボーナスディスクに加えた2枚組デジパック仕様でも再発された。

Sagas
Nuclear Blast Records 2008
前作より民族楽器の使用頻度が高まり、バラエティに富む楽曲が収録された 2nd アルバム。13 曲 80 分弱の大ボリュームで、ライブ映像などを収録の DVD 付き 2 枚組デジパックの限定盤も発売された。邦題は『サーガス』。本作に収録の「Blut im Auge」(血眼)は、特に人気の高い 1 曲だ。バンドは Myspace 上で本作にゲスト参加できる権利を懸けたボーカルコンテストを実施したのだが、同曲にはその優勝者であるスペインのフォーク / メロディック・デスメタルバンド Karlahan のボーカル Toni が参加している。

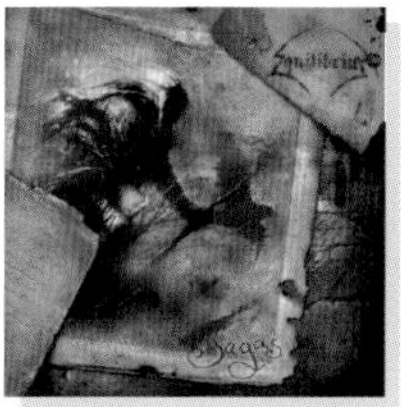

Erdentempel
Nuclear Blast Records 2014
René と Robse の二人だけで制作された 4 枚目。ボーカル以外の全パートを René が担当している。ドラマーの Hati はイスラエル在住で、レコーディングへの参加が困難だったため、ドラムは打ち込みだ。逐語訳すると「大地の神殿」といった意味で、邦題は『源祭壇』。今作では René が作詞を手がけており、1 曲のみだが初の英語詞曲も収録された。友情や力といったテーマが、自然との協調というコンテキストにおいて綴られている。そのせいか、前作ほどド派手なオーケストレーションは前面に出ておらず、マイルドな印象を受ける。

Rekreatur
Nuclear Blast Records 2010
新ボーカル Robse を迎えて、シンフォニック成分を強め始めた 3 枚目のアルバム。タイトルは Recreate と Creature を組み合わせた造語。『再創神』の邦題のもと国内盤が出ている。今作では脱退した Helge に代わり Andreas が作詞を担当した。ゲルマン神話のみならず、バンドの生い立ちなど個人的な内容を扱い始めた本作こそ、真の意味でのバンドの始まりだと本人たちは考えている模様。一例として「Fahrtwind」(風に乗って)は車に乗ってライブに向かっていた活動初期の思い出を歌ったものらしい。

Armageddon
Nuclear Blast Records 2016
邦題『アルマゲドン』の 5 枚目のアルバム。人間たちが自然を破壊しているという重いテーマを扱ったためか、全体的にスローでダークな楽曲をじっくりと聴かせるような作風となった。大仰で長尺な曲が増え、シンフォニックでシネマティックなメタルとして見れば、決して悪いわけではない。だが、初期作品の血湧き肉躍るような民謡メロディ全開の、スピーディな楽曲を期待するファンからはあまり受けが良くない。とは言え、疾走感こそ減退すれど一部の曲には以前のようなわかりやすいノリの良さも健在である。なお、ドラムは今作も打ち込み。

Waldschrein
Nuclear Blast Records 2013
初のミニアルバム。5 曲入り。逐語訳すると「森の神社」を意味する本作は、邦題『神碧の社』で発売された。新曲であるタイトル曲とそのアコースティックバージョン、最初期からの既発曲「Der Sturm」のリレコーディングバージョン、昔からあるが未発表だった「Zwergenhammer」(ドワーフのハンマー)、テレビゲーム『Skyrim』のテーマソングのカバー「Himmelsrand」(これは Skyrim をドイツ語に訳したもの)が収録されている。タイトル曲は軽快なフォークメタル・チューンに仕上がった。

Renegades
Nuclear Blast Records 2019
3 年ぶりに発表された 6 枚目のアルバムは「反逆者」を意味し、邦題は『レネゲイズ』。前作で提示したシネマティックでダークな方向性とは、またも路線が変化した。キーボーディスト加入の影響か、エレクトロな音を多用したモダンなメロディックデス / ヘヴィメタルとなっている。ラップパートを導入するなど実験的要素もあり、往年のファンには不評だろうが、フォークメタルの名残もゼロではない。MV も制作された「Final Tear」は、虐げられてきた自然やマイノリティからの怒りのメッセージソングで、本作で最重要曲とのこと。

GLITTERTIND《グリッテルティン》

パンク風フォーク・ヴァイキングからインディー・フォークへ！

ノルウェー アグデル県 リレサン　2001 ～ 2019 (活動休止中)　Torbjørn Sandvik (Vo, Gt, Ba, Dr, Key), Geirmund Simonsen (Gt, Ba, Dr, Accordion, Organ, Piano, Harpsichord, Vo), Bjørn Nordstoga (Ba), Geir Holm (Dr), Stefan Theofilakis (Flute, Vo), Olav Aasbø (Gt, Vo)

宝くじからの始まり

ノルウェー南部の人口 1 万人程度の小さな町リレサンで、若干 17 歳であった Torbjørn Sandvik によるワンマン・プロジェクトとして、2001 年初秋に産声をあげたのが Glittertind だ。彼はこれ以前にもいくつかのバンドに参加したが、いずれも既存の人気バンドの模倣でしかないと感じた。自分を心から魅了するような物事をテーマに、自分が本当に好きな音楽、自分ならではのバンドをやりたいと思ったのが誕生の経緯だ。彼はノルウェーの美しい大自然や、歴史や文化に惹かれていたので、ノルウェーの中心に位置し、国内で 2 番目に標高が高いグリッテルティン山を、プロジェクト名に採用した。当初の音楽性は、パンクの影響を感じさせるフォーク / ヴァイキングメタルだったが、徐々に音楽性が変わり、15 年以降はインディー・フォークロックへと変容している。

リレサンが小さな町ということもあり、周囲にフォーク / ヴァイキングメタルをやりたい人物がいなかったため、Sandvik がすべての楽器を担当して、宝くじで当てた金で機材を買い、最初のデモ音源『Mellom bakkar og berg』（丘と山の中で）を制作する。このデモは、ヴァイキングロック系レーベルの Ultima Thule Records から 02 年にリリースされた。本作はデモとは言え、12 曲 42 分に及び、フルアルバムと呼んでも良い内容だった。このデモはリスナーからは好評を得たが、それ以上の進展はなかったため、再び 12 曲に及ぶ 2 枚目のデモ音源『Evige Asatro』を仕上げ、同レーベルから 03 年に発表した。今回はデモをいろいろなレーベルに送り、バンドの知名度を上げることに努めた。04 年には Finntroll のキーボーディスト Trollhorn の協力の下、2 曲入り 3 枚目のデモ『Heathen Soil』を制作する。本作は一般向けにはリリースされず、レーベルに送られただけだったが、これによりオランダの Karmageddon Media との契約に成功する。このレーベルは彼らの過去のデモ音源も高く評価し、デモではなく大々的にリリースすべきと考え、そうして1stフルアルバム『Evige Asatro』は、1stデモから2曲、2ndデモから10曲、ボーナストラック1曲という形でのリリースとなった。次いでノルウェー独立100周年の憲法記念日である05年5月17日に、7曲入りのEP『Til Dovre faller』（ドヴレ山脈が崩れるまで）を発表、先のアルバムとともに一部メタル雑誌で高評価を獲得した。

青の彼方へ

その後しばらく、Sandvikがオスロで心理学の勉強に専念していたため、活動が停滞していた。だが、2008年当時フォーク/ヴァイキングメタルが世界的に流行の兆しを見せており、オーストリアのNapalm RecordsがGlittertindに目を付け、契約を交わすに至った。ちなみにKarmageddon Mediaは倒産している。また、同年にはノルウェーのテレビ番組や映画に楽曲提供していたGeirmund Simonsenが加入する。09年には2枚目のフルアルバム『Landkjenning』をリリース、ノルウェー国内でチャート20位に入るほどの好セールスを記録した。その結果、Karmøygeddon Metal Festivalの主催者からフルラインナップのバンドになるよう説得され、ベースのBjørn Nordstoga、ドラムのGeir Holm、フルートのStefan Theofilakis、ギターのOlav Aasbøが加入、同フェスで初のライブを実施した。

Napalm Recordsが求める音楽性とバンドの方向性が食い違った結果、同レーベルを離脱、地元のIndie Recordingsと契約して13年に3枚目のフル『Djevelsvart』を発表、本作はノルウェー国内外で高い評判となった。15年にはアコースティック作品『Blåne for blåne』（青の彼方）を発表、その延長線上の音楽性で17年に『Himmelfall』（天の崩壊）をHjelmkaldから発売した。19年4月、他のプロジェクトや人生の他の側面に向き合う時期が来たとして、バンドは無期限活動休止を発表した。

Evige Asatro
Karmageddon Media 2004

デビュー作。ノルウェー国王オーラヴ・トリグヴァソンが、ノルウェーをキリスト教化しようとしたが、失敗に終わった史実を扱ったオペラに因んでつけられたタイトルは、「アスガルドの神々よ永遠なれ」といった意味だ。朗々としたマイルドなクリーンボイスによるフォークメタル系の曲と、パンク+ヴァイキングメタルという感じの曲が並ぶ。ボーナストラック「Norges Skaal」はノルウェーに伝わるヴァイキングの酒宴の歌だ。Finntrollのギタリスト Skrymerがジャケットとバンドロゴをデザインしている。

Landkjenning
Napalm Records 2009

「（航海の果ての）陸地の発見」を意味する2枚目のフルアルバム。前作に続き、西暦995年にオーラヴ・トリグヴァソンがアイルランドから渡来し、ノルウェーをキリスト教化しようとした史実を題材に、イデオロギーの対立が呼び起こす非人道的な側面を説くコンセプトアルバム。本作のフィドル、フルート、チェロのパートはセッション・ミュージシャンによるものなので、以前より生音にこだわった作風となっている。ジャケットはMånegarmなど数多くのバンドのアートワークを手がけるベルギーのKris Verwimpによるもの。

Djevelsvart
Indie Recordings 2013

「悪魔の黒」を意味する3枚目のフルアルバム。バンドがフルラインナップになってからは初の作品。Sandvikの彼女の白血病が発覚したため、その無力感や陰鬱な感情が歌詞や曲調に込められ、ダークで重いテーマを扱った一枚となっている。宗教が説明力を失い、近代人は「自分とは？」という問いに答える責任を負っていると説いた19世紀末の作家や、77人もの犠牲者を出した2011年のオスロのウトヤ島での連続テロ事件などを題材にした、ヴァイキングメタルからインディー・フォークロックへの過渡期の作品と言えよう。

TALAMYUS《タラミュス》

カナダで汎ヨーロッパ遺産振興するスラッシュ風ヴァイキング！

カナダ ケベック州 モントリオール　2002～
Ulvkil (Ba), Hrimskald (Gt, Vo), Jonathan Herbst (Dr), Martin Paquette (Gt)

Talamyusはカナダのケベック州最大の都市モントリオールで2002年に、ベーシストのDany（後にUlvkil）とギターボーカルのBenoît（後にHrimskald）のSt-Jean兄弟を中心に結成されたデス/スラッシュ/ヴァイキングメタルバンドだ。BenoîtがMegadethやMetallicaの大ファンで、後にヴァイキングメタルを聴くようになり、両者の組み合わせは斬新だと考えてこのスタイルに至ったらしい。彼らは汎ヨーロッパ遺産を振興する芸術コミュニティHeathen Circleに属している。

05年10月に『As Long as It Flows...』でデビュー、以降St-Jean兄弟以外のラインナップチェンジを繰り返しつつ、トータル4枚のアルバムを発表している。4枚目の『Honour Is Our Code, Death Is the Reward』ではメロディックブラックへの傾倒を見せた。その後16年8月に7年ほど在籍したギタリストNikolaiと、4年ほど活動をともにしたドラマーのÉtienneが脱退してしまう。17年に新ドラマーのEinmirが加入、彼はバンドロゴデザインを手がけたほか、リチュアル・アンビエント・プロジェクトUndirheimar（黄泉の国）でも活躍するなど多才であった。だが、彼もまた19年1月に脱退、バンドは後任を迎えて活動している。

...in These Days of Violence
Prodisk Music　2007

Great White North Recordsからレーベル移籍して、リリースされた2ndアルバム。前作の時点ではメンバーとしてクレジットされていたが、レコーディングには関与していなかったギタリストNicolas Vincentが今作では参加している。Amon Amarth的なメロディック・デスメタルに、無骨なスラッシュメタルが組み合わさったような音楽性の作品。戦いに焦点が置かれた歌詞を除けば、わかりやすいヴァイキングメタルの要素は少ないが、所々に配された勇壮なメロディには血湧き肉躍るだろう。

フォルティーズ

FORTÍÐ

アイスランドの古エッダの巫女の予言を音楽で体現目指す！

アイスランド コーパヴォグル ▶ ノルウェー オスロ　2002 ～ 2008 (as Fortid), 2008 ～
Einar "Eldur" Thorberg (Vo, Gt, Key), Kristján Gudmundsson (Dr)

　レイキャヴィークの南に位置するコーパヴォグルで、Eldur（Einar Thorberg）のソロプロジェクトとして、2002 年に Fortid は始まった。この名はアイスランド語で「過去」の意だ。当初の目的は、昔の慣習を称えるべく『古エッダ』冒頭の Völuspá（巫女の予言）を音楽の形にすることだった。03 年にはドイツの No Colours Records から『Völuspá Part I:Thor's Anger』でデビューを果たした。彼は掛け持ちでブラックメタルバンドを複数やっており、Fortid はもともとはサイドプロジェクトの位置づけだったため、続編『Völuspá Part II: The Arrival of Fenris』が世に出たのは 4 年後のことだった。

　08 年後半に彼はノルウェーに移住するとともに、Fortid をフルラインナップのバンド体制にするためにメンバーを探し始めた。その傍ら『Völuspá Part III: Fall of The Ages』を完成させ、この頃にはバンド名をアイスランド語表記の Fortíð に改めている。09 年 4 月までにドラム、ベース、ギター、キーボードの 4 人が加入、8 月には初のライブを実施した。11 年にキーボードが脱退したが、12 年に『Pagan Prophecies』、15 年に『9』をリリースした。20 年に Eldur 以外全員脱退してしまったが、後任ドラムを迎えて 6th アルバム『World Serpent』を発売した。

9
Schwarzdorn Production　2015

2009 年に契約したドイツのレーベルからリリースされた 5th アルバム。9 は北欧神話において特別な意味を持つ数字で、9 つの世界や、オーディンが世界樹ユグドラシルに 9 日 9 夜吊るされたエピソードなど、あちこちに現れる。本作はオーディンに関するコンセプトアルバムで、彼がその叡智を手にするに至った数々の物語について綴られている。音楽的には音質こそ良好なれど、やや地味めのブラック / エクストリームメタルで、アコースティックギターやクリーンボーカルが入る。展開にどことなくプログレッシヴな要素も感じられる作風だ。

HEIDEVOLK《ハイデフォーク》

ヘルダーラント州バタヴィ族の栄光と戦いをオランダ語で歌う！

オランダ ヘルダーラント州 アーネム　2002～　Koen Vuurdichter (Gt), Jacco de Wijs (Vo), Rowan Roodbaert (Ba), Joost Vellenknotscher (Dr), Mat van Baest (Gt)

ギタリストが高校の歴史教師

2002 年夏、オランダはヘルダーラント州の州都アーネムで、ボーカリスト Joris Boghtdrincker とギタリスト Sebas Bloeddorst が中心となり、ドラマー Joost Vellenknotscher を含む 6 人の男性が Hymir というバンドを結成した。これは北欧神話に登場する海の巨人ヒュミルだ。ほどなくして地元の丘陵地帯フェルウェの景観に触発されて、ゲルマン民族の神話や歴史、とりわけ地元の自然や伝承・史実をもっと世に知らしめたいという思いのもと、バンド名を「ヒースの茂る荒れ地の人々」を指す Heidevolk へと変更した。こうしてこのフォーク / ヴァイキングメタルバンドは世に生を受けた。2 人の男性クリーンボーカリストが在籍するのが、このバンドの最大の特徴と言えよう。

結成の翌年にはライブ活動を開始し、04 年には 2 曲入りデモ『Het Gelders Volkslied』（ヘルダーラント賛歌）を、05 年にはこのデモを含むフルアルバム『De strijdlust is geboren』（戦いへの渇望が生まれる）を自主制作で発表した。言葉は思いを伝える手段ゆえ、歌詞は彼らにとって最も自然で信頼できる母語にこだわっている。この作品のリリース後、ギタリスト Niels Beenkerver、ボーカリスト Jesse Vuerbaert、ベーシスト Paul Braadvraat の 3 人が脱退するが、それぞれ後任に Reamon Bomenbreker、Mark Splintervuyscht、Rowan Roodbaert を迎え、さらにヴァイオリニスト Stefanie Speervrouw が加入して、07 年に 3 曲入り EP『Wodan heerst』（ヴォータンは絶対だ）を発表した。なお、新加入のギタリスト Reamon は高校の歴史教師であり、このあたりにも彼らの思いの本気度が窺える。

レーベルメイトの Alestorm、Týr とツアー

すでにオランダでは人気となっていた彼らは、同年オーストリアの名門 Napalm Records との契約に成功、翌 08 年に 2nd ア

ルバム『Walhalla wacht』（ヴァルハラが待つ）を制作して、09年にはレーベルメイトのAlestorm、TýrとBlack Sails over Europeツアーに乗り出し、さらなる人気と知名度を獲得した。ヴァイオリニストがサポートのIrma Vosに入れ替わり、10年に発売された『Uit oude grond』はファンのみならずメディアからも高評価を得たが、11年秋には結成時からの中心メンバーの一人Sebasが、さらなるペイガニズムの探求と他の音楽プロジェクト（彼はアコースティック・プロジェクトChariovaldaもやっている）への専念のために脱退してしまう。後任にKevin Vruchtbaertを迎えて、12年にはコンセプトアルバム『Batavi』を発表するが、次作の制作中の翌13年、もう一人の中心人物だったJorisが脱退。明確な理由は明かされていないが、長年の活動のうちに、そろそろ変化する必要性を感じ取ったとのことだ。彼はもっとアカデミックな方面にも関心が高かったようだ。だが、バンドは歩みは止めず、ヨーロッパツアーや幾多のフェス、初の北米ツアー、オランダでの10周年ツアーをこなし、オーディションにより後任にLars Vogelを加入させ、アルバム『Velua』を15年に発表した。しかし、またもバンドはメンバー脱退の憂き目を見ることとなる。同年、10年来活動をともにしたReamonとMarkが、普段の仕事との折り合いがつかず、距離感の開きや音楽的嗜好のずれの拡大を理由に脱退してしまったのだ。さらにVruchtbaertも脱退。バンドは15年のPaganfestツアーからサポートで参加していたKevin StormとJacco de Wijsを、16年9月に正式メンバーに起用、Vruchtbaertの後任にはKoen Vuurdichterを迎えて体制を立て直し、18年1月には6枚目のアルバム『Vuur van verzet』を世に出した。18年にKevinが脱退、20年にMat van Baestが加入している。また、20年にはボーカルのLars Vogelが脱退してしまったため、ツインボーカル体制が今後どうなるのか気がかりである。

Uit oude grond
Napalm Records 2010

彼らの出世作となった3rdアルバム。タイトルは「古くからの地より」といった意味だ。彼らの地元の州にはオランダで最古の都市ナイメーヘンが存在し、本作の様々な歌詞のテーマを一つにまとめあげるのが、この古くからの地ヘルダーラント州というわけだ。メンバー全員が以前より深く作曲に携わるようになり、曲の幅が広がった。『Nehalennia』（オランダの海の女神）ではバンド初のPVが作成された。『Een Geldersch lied』（ヘルダーラントの歌）では脱退してSlechtvalkに加入したボーカリストJesse Vuerbaertがゲスト参加。

Batavi
Napalm Records 2012

1世紀に大移動の末に現ヘルダーラント州辺りに落ち着いたバタヴィ族は、そこで強大なローマ帝国と遭遇して帝国の一部となるかを迫られた。ジャケットにはバタヴィ族が住み着いた肥沃な土地を背景に、ローマ帝国軍の仮面が描かれている。作詞をしたJorisは拡大しようとする大都市の近くの小さな村で生まれたこともあり、その境遇をバタヴィ族とローマ帝国になぞらえていたようだ。本作はこれまでの作品の中で、最もメタリックな一枚となった。以前のような牧歌的な雰囲気はごく一部で、ヴァイオリンやフルートの使用も限定的である。

Vuur van verzet
Napalm Records 2018

デジパック仕様で発売された「抵抗の火」を意味する6枚目。反乱と抵抗運動といった歴史を題材に、自由のための戦いと自分の再発見をテーマにしている。前作で導入したシンフォニックな作風を推し進めて、24人もの男性コーラスを起用することで、ローマ帝国と戦うゲルマン民族の戦士たちが表現された。これまでの集大成的な作品と言えよう。『The Alliance』ではPrimordialのA.A. Nemtheangaがゲスト参加した。これともう1曲、英語詞曲があるが、どちらもイングランドに関連した曲だからである。

EREB《エレブ》 ALTOR《アルトール》

古スウェーデン語にこだわるエピックドゥーム・ヴァイキング！

スウェーデン イェヴレボリ県 イェヴレ　2003～
Mats (Vo, Gt, Key), Ragnar (Vo, Gt), Tord (Dr, Key), Mikael (Ba, Vo)

1991年からForlornなるエピック・ドゥームメタルバンドを共にやっていたMatsとRagnarが、2003年に結成したエピックドゥーム/ヴァイキング/ブラックメタルバンドがEreb Altorだ。この名は二人が好きだったTRPG『Drakar och Demoner』（竜と悪魔）に登場する地名らしい。Forlornは数本のデモを制作後、活動休止していたが、03年にI Hate Recordsから契約のオファーが来たため、バンド名をIsoleに変更して心機一転再始動した。一方Forlornの初期に作成していた楽曲を埋もれさせるのは勿体無かったので、当時の続きとして始動したのがこちらのバンドである。

08年のデビュー作『By Honour』では、Bathoryスタイルのドゥーム/ヴァイキングメタルを提示。Isoleのサイドプロジェクトという位置づけだったため、10年の2作目『The End』で終わりにするはずだったが、その音楽性をドゥームからブラック、次いでエピックメタル寄りに変遷させながら今日に至る。長らく二人で全パートをこなしていたが、12年にドラマーTord、14年にベーシストMikaelが加入している。Bathoryのカバーアルバム『:Blot·Ilt·Taut:』（古スウェーデン語でBlood Fire Death）を含めて、19年までに8枚のアルバムを発表している。

Ulfven
Hammerheart Records　2017
レーベルを移籍して発表された7thアルバム。A5デジパック仕様の限定盤も発売された。『古エッダ』の冒頭部分である巫女の予言の朗読「Völuspá」を含む全8曲。タイトルは古スウェーデン語で「狼」を意味し、コンセプトアルバムというわけではないが、収録曲のうち数曲は狼に関連したものらしい。本作はこれまでの作品よりも意図的にメロディを重視して、スウェーデン民謡の要素を多めに取り入れて、バンドの幅を広げようとしたとのこと。そういうわけで、全体的に聴きやすく、彼らの音楽への入門盤として最適な一枚となった。

LEAVES' EYES《リーヴズアイズ》

女性ボーカルなのにシンフォニック・ヴァイキングメタル・キング！

ドイツ バーデン＝ヴュルテンベルク州 ルートヴィヒスブルク　2003～　Thorsten Bauer (Gt, Ba, Mandolin), Alexander Krull (Vo, Key, Programming), Joris Nijenhuis (Dr), Micki Richter (Gt), Elina Siirala (Vo)

ノルウェーのエレクトロゴシック Theatre of Tragedy を脱退した Liv Kristine と、その夫の Alexander Krull 率いるドイツのエクスペリメンタルメタル Atrocity のメンバー全員とで、2003 年に結成されたシンフォニック・ゴシックメタルバンドが Leaves' Eyes だ。女性ボーカルということもあり、フォークメタルとは分類されてもヴァイキングメタルと見なされることは少ないが、ヴァイキングやノルウェーの歴史をテーマにしており、シンフォニック・ヴァイキングメタル・キングと自称している。

04 年に Napalm Records から『Lovelorn』でデビュー、本作は失恋などがテーマで、翌年の 2 枚目『Vinland Saga』からがヴァイキングや北欧神話を扱った作品だ。15 年に AFM Records に移籍して 16 年までにトータル 6 枚のオリジナルアルバムを発表する。しかし、16 年のツアー中に Liv が Alexander と離婚の上に脱退、Angel Nation でも活躍するフィンランド人女性ボーカル Elina Siirala が後任に加入した。作詞を一手に引き受けていた Liv の脱退で以降の世界観が不安視されたが、18 年の 7th アルバムでは Alexander が歌詞を手がけて、ヴァイキングメタルの体裁を保った。20 年には『The Last Viking』を発表している。

Vinland Saga
Napalm Records　2005

Avalon から国内盤デビューとなった 2nd アルバム。アイスランドに実在したヴァイキング、レイフ・エリクソンがヴィンランド、つまり北アメリカ大陸を発見するまでの史実を扱ったコンセプトアルバム。音楽的にはシネマティックなシンフォニック・ゴシックメタルで、一般的なヴァイキングメタルとの違いとしては、ヴァイキングの船旅を支える愛について女性目線で綴られていることだろう。本作の続きの物語として、翌 06 年に『Legend Land』というミニアルバムもリリースされているのであわせてチェックされたい。

WINTERSUN《ウィンターサン》

Ensiferum サイドプロジェクトがユニバーサルメタル名乗る！

フィンランド ウーシマー県 ヘルシンキ　2003 ～
Jari Mäenpää (Vo, Gt, Key), Kai Hahto (Dr), Teemu Mäntysaari (Gt), Jukka Koskinen (Ba), Asim Searah (Gt)

宇宙空間を漂うイメージ

Wintersun は当時 Ensiferum のボーカリストでギタリストでもあった Jari Mäenpää が、2003 年頃にサイドプロジェクトとして新たに始動したシンフォニック / メロディック・デスメタルバンドだ。このバンドはヴァイキングや北欧神話、あるいは戦いなどをテーマにしているわけではないが、Ensiferum がヴァイキングメタルバンドだと思われがちなこともあり、Wintersun もしばしばそう見なされる。デビュー作を発表した頃は、雄大で宇宙空間を漂っているようなメロディックな曲というテーマに沿った曲をやっており、彼いわく「エクストリーム・マジェスティック・テクニカル・エピック・メロディックメタル」とのことだった。だが、後にさらに多様な影響を受けて、2nd アルバムのリリース後には「ユニバーサルメタル」と呼称するようになった。バンド名は友人が提案した候補から選んだそうだが、Winter は作品の寒々しく激しい側面、そしてフィンランドの哀愁、魔法（オーロラは冬の魔法と言われる）を、Sun は作品の宇宙空間を浮遊するイメージを反映しているという。

もともと彼は自身の音楽を制作することが再優先事項で、Ensiferum に加入する以前も以後も、ずっと曲作りを続けていた。ただ、Ensiferum での活動が楽しかったのと、バンドの規模が大きくなるにつれて忙しくなったため、本来の活動が若干おろそかになっていた。だが、2003 年に、95 年頃から取り組んでいた楽曲群を引っ張り出してアルバムの制作を思い立つ。一人でアルバムの制作をするつもりの彼だったが、ドラムだけは他の誰かに依頼する必要があったようで、同郷のグラインドコアバンド Rotten Sound の Kai Hahto にデモ音源を送り、彼の参加の承諾を得た。そして二人で制作したデモを Nuclear Blast Records に送り、契約を取り付けた。

その当時 Ensiferum の『Iron』の制作があったため、それが終わったら Wintersun のレコーディングをすることで周囲の許可を取り、レコーディング・スタジオの手配を済ませた。ところが、Ensiferum の所属レーベル

Spinefarm Records がアルバムの発売に伴うヨーロッパツアーを組み、それが Wintersun のレコーディングとバッティングしてしまった。スタジオのキャンセルをすることも可能だったが、長過ぎるぐらい温め続けて来た作品を、今出さないともう二度と出せないかもしれないと感じた彼は、Wintersun を優先して、Ensiferum の脱退に至った。そして 04 年にデビュー作『Wintersun』が世に出る運びとなった。

ストレスからスランプに

　同作の発売後、ライブを行い、作品のプロモーションをするために Ensiferum の元ドラマーの Oliver Fokin をギタリストに、Norther の Jukka Koskinen をベーシストに加えて彼らは正式なバンド体制となった。Kai Hahto もこの頃には正式メンバーになっている。PV の撮影などを実施したが、短期間で Oliver は脱退してしまい、Teemu Mäntysaari が後任に就いた。

　06 年には次作『Time』の制作に取り掛かるが、その楽曲の複雑さやコンピュータハードウェアの故障などのためにレコーディングが大幅に遅れる。また、Jari がストレスからスランプに陥り、ますます制作が遅れていった。当初 07 年 8 月リリース予定だったが、二部作に分割されることになり、前編『Time I』が日の目を見たのは実に 12 年 10 月のことだった。13 年からは後編に取り掛かったが、こちらも長引くことになる。結局、17 年に発表されたのは『Time II』ではなく『The Forest Seasons』という全く新しい作品だった。なお、ライブで Jari がボーカルに専念できるよう、セカンドギタリストを公募、17 年に Asim Searah が加入している。彼らは特にヨーロッパではかなりの人気を誇り、3rd アルバムに関連して実施されたクラウドファンディングでは、目標額の 15 万ユーロを初日で達成した。17 年に初来日も果たしたが、日本では 2 作目以降の音楽性の変化が不人気なため、今後の動向が気になるところだ。

Wintersun
Nuclear Blast Records　2004

デビュー作にして一番人気を誇る作品。音楽的には Ensiferum とも共通点の多いフォーク色のあるメロディック・デスメタルで、雄々しいコーラスや勇壮なリフ、クリーンの歌唱などヴァイキングメタルのような要素も散見される。だが、当時の Ensiferum よりも壮大で大作主義なのと、ギターソロなどにネオクラシカルメタルからの影響が見え隠れするのが、Jari の個人プロジェクトたるところだろうか。「Winter Madness」はライブでも人気の名曲。ジャンルのカテゴライズ云々はさておき、多くの人に薦められる名盤。

Time I
Nuclear Blast Records　2012

発売が 5 年以上遅れ、実に 8 年ぶりとなった 2nd アルバム。インスト 2 曲を含む 5 曲 40 分。二部作になる予定で、本作はその前編に当たる。音楽性が変化して、シンフォニックでスペイシーな要素とともに大作志向が強まった作品。4 つのパートからなる 13 分の大作「Sons of Winter and Stars」を始めとして、部分部分ではヒロイックなリフや、フォーキーなメロディも健在で、悪くはないのだが如何せん間延びした印象を受ける。前作が名盤だったこともあり、同路線を期待して長年待ったファンからは不人気の一枚。

The Forest Seasons
Nuclear Blast Records　2017

前作の後編より先に発売された 3 作目。4 曲 54 分と大作志向がさらに強まった。コーラスに多数のゲストボーカルを起用。前作の延長線上の音楽性で、映画のサウンドトラック的な色合いが強い。前作同様、所々に印象的なパートも顔を出すが、前作以上に曲が長いため、相対的にその頻度が少なく感じられる。自身のスタジオ建設のためのクラウドファンディングの出資者には、本作とともに過去作のリマスタリングやインストバージョン、ライブ音源などを詰め合わせた『The Forest Package』というデジタル音源で返礼された。

MISTUR《ミストゥル》

民族的ノルウェー語ニーノシュクで歌う Sognametal 後継者！

ノルウェー ソグン・オ・フィヨーラネ県 ソグンダール　2003 ～　André Raunehaug (Vo,Gt), Espen Bakketeig (Key,Vo), Stian Bakketeig (Gt), Oliver Øien (Vo), Tomas Myklebust (Dr), Bjarte Breilid (Ba)

ノルウェーのソグンダール自治体のカウパンゲル村で、Espen Bakketeig と André Raunehaug の二人が結成したブラック / ヴァイキングメタルバンドが Mistur だ。この名はアイスランド語で「霞」や「霧」を意味する。これらの自然現象は神秘的で夢のようで、バンドを形容するに相応しいとの理由から、ノルウェー語の霧である「skodde」をバンド名にしようとしたが、すでに同名バンドがいたため、アイスランド語にしたとのこと。設立メンバーがソグンダール出身で、後に ex.Windir の Strom（Stian Bakketeig）が加入することもあり、彼らは Windir の Valfar が掲げた Sognametal の遺志を継ぐバンドの一つだ。

2005 年夏に、4 曲入りのデモ CDR『Skoddefjellet』（霧の山）を発表する。歌詞はノルウェーで公認の二つの文語のうちの一つ、ニーノシュクで書かれており、北欧神話やヴァイキングを題材としている。このデモは各種レビューサイトなどで高評価となり、ノルウェー国内外でトータル 800 枚以上を売り上げた。08 年 9 月にはアルバム『Attende』の制作に取り掛かり、ドイツの Einheit Produktionen から 09 年 8 月に発売された。これは 2,500 枚以上のヒットとなった。さらに、16 年には 2nd アルバム『In Memoriam』を発表している。

Attende
Einheit Produktionen　2009

デモに続く 1st アルバム。このタイトル曲は、夫と子どもたちを戦いで失った女性が、唯一残った息子を離したくないと願うが、息子はヴァイキングとしての道を歩むことを望み、女性はやがて彼が二度と帰らぬことを知る、という内容。『Attende』とは「戻って」という意味合いである。ジャケットはカウパンゲルから望む風景であり、この地がヴァイキング時代に交易所だったのを描いたもの。音楽性としては Windir に近いメロディック・ブラックメタルで、ピアノや幻想的なシンセ、女性 Vo も登場するエピックな作風で聴きやすい。

CLAIM《クレイム》 THE《ザ》 THRONE《スローン》

歴史希薄なオーストラリア人が人類に対する地球の怒りを訴える！

オーストラリア 西オーストラリア州 パース　2004 〜
Lord Jim (Ba, Vo), Baronaxe (Vo, Gt), Jesselina (Key, Vo), Oscarius (Dr), Dysie (Gt, Vo)

正当な歴史や文化的背景を持つバンド以外がやるべきではない

2004 年にオーストラリアのパースでボーカルとギターの Brendon Capriotti（Baronaxe）、ベーシストの Jim Parker（Lord Jim）、ギタリストの Oliver Soos（Havanti）、女性キーボーディストの Nicole Capriotti（Nicolina）、ドラマーの Brenton Pedler（Brentonious）の 5 人によって結成されたエピック・メロディックデス / フォークメタルバンドが Claim the Throne だ。バンド名は「玉座を狙え」といったところか。音楽的には Wintersun、Moonsorrow、Suidakra、Dissection などの影響を受けており、Bal-Sagoth や Cradle of Filth、Blind Guardian といったナレーションを取り入れた世界観重視のバンドが好きだという。「ペイガン / ヴァイキングメタルは正当な歴史や文化的背景を持つバンド以外がやるべきではない」との一部のメタルファンのスタンスに彼らは同意しており、ヴァイキングの歴史や北欧神話は扱っておらず、歌詞のテーマはファンタジーとなっている。それゆえ、彼らの音楽はヴァイキングメタルではないのだが、特にここ日本ではヴァイキングメタルだと思われがちなバンドの一つだ。実際、初期は勇壮なメロディック・デスメタルの要素が強く、広義のヴァイキングメタルだと考えても、強ち間違いではないかもしれない。もともとは仲間内で集まってフォークの要素を取り入れたメタルを、オーストラリアで実験的にやってみよう、ライブができたら儲けものという程度の遊びだったのが、いつしか Bane of Isildur と並んでオーストラリアにおけるペイガン / ヴァイキングメタル的なバンドの先駆けとなった。

オーストラリアの Song of the Year にノミネート

2008 年 9 月には自主制作で、デビューアルバムにして一大コンセプトアルバムの『Only the Brave Return』を発表する。この作品は当時のオーストラリアではまだペイガン/ヴァイキングメタルが斬新な存在だったこともおそらく一因となり、地元で好評を博した。本作のリリース後に Nicolina と Brentonious が脱退、それぞれ Jessie Millea（Jesselina） と Ashley Large（Oscarius）が後任に就いた。とりわけ Jesselina は女声ボーカルも担うため、彼女の加入は重要な出来事だ。バンドは地元のレーベル Prime Cuts Music との契約を交わし、09 年 9 月に DVD 付きの EP『Aletales』を発売する。本作に収録の「Set Sail on Ale」は大流行し、オーストラリアの楽曲コンテスト WAM's Song of the Year のヘヴィメタル部門にノミネートされた。

EP リリース後に Havanti が脱退したが、所属レーベルの運営者である Glenn Dyson（Dysie）が加入、バンドは 10 年 12 月に 2nd アルバム『Triumph and Beyond』をドロップ。Alestorm のサポートの形でオーストラリア国内をツアーでまわり、人気を着実に上げていく。12 年には Bandcamp などでのデジタルオンリー・リリースで初のアコースティックアルバム『Cabba Sings Claim the Throne』を発表した。Cabba とは Brendon Capriotti の愛称で、本作は彼が全パートを一人でこなしている。13 年には人類に対する地球の怒り、そして人類の破壊と再創造を念頭に置いて制作された 3rd フルアルバム『Forged in Flame』をリリースした。さらにバンドは Blodgecast なる自身のポッドキャストを開始、活動の幅を広げる。14 年にはフィンランドのメロディック・ブラックメタルバンド Catamenia の日本ツアーのサポートで初来日も果たした。17 年には 4th アルバム『On Desolate Plains』を発売、Wintersun のサポートアクトで 3 度目の来日を実現。ここ日本でも人気と知名度を上げており、今後の活躍が期待されるバンドの一つだ。

Only the Brave Return
Independent　2008

自主制作によるデビュー作。Brendon と Oliver による同タイトルのファンタジー小説が執筆・発表されており、本作はそれに基づいた作品だ。本作時点では以降の作品ほどキャッチーでアップテンポの曲はなく、民謡メロやアコースティックギター、クリーンボーカルによる歌唱などフォーク色はそれなりに見られるものの、どちらかと言えばミドルテンポで勇壮ないわゆるヴァイキングメタル的な要素が強い。小説はもともと紙媒体での発表だったが、Bandcamp で本作のデジタル音源を買うと、PDF バージョンが付属する模様。

Triumph and Beyond
Prime Cuts Music　2010

音楽性を大きく変えてキャッチーで陽気なフォークメタルを提示した EP『Aletales』を挟んでの 2nd アルバム。デジパック仕様。EP で提示した音楽性と、ソリッドなメロディック・デスメタルを融合させ、バランスよく仕上がった。「戦いの勝利とその先（にある宴)」とはまさに本作の音楽性を端的に表したタイトルと言えよう。音質含め 1st と比較して格段にクオリティが向上、その 1st からの再録も 1 曲収録されている。13 年に EP との 2in1 仕様で再発されたため、彼らの作品を最初に手にするなら本作が良いだろう。

On Desolate Plains
Independent　2017

再び自主制作での発表となった 4th アルバム。デジパック仕様。北欧由来のフォーク/ヴァイキングメタルをベースに、オーストラリアのエッセンスを盛り込もうと試みた結果、荒れ果てた砂漠の旅がテーマとなった。広大な砂漠におびき出された男が脱水症状になり、決して辿り着くことのない小川の幻覚にとらわれ、最後には彼を砂漠におびき出した肉食鳥の餌食となる物語が綴られた。前作から Jesselina による女声ボーカルパートの比重が高まったが、今作も彼女の歌とシアトリカルなピアノが彩るメロディック・デスメタルの好盤。

Claim the Throneインタビュー

回答者：バンド全体

Q：みなさんはオーストラリアにおけるフォーク／ペイガン／ヴァイキングメタルの先駆者的バンドの一つかと思います。当時はClaim the ThroneとBane of Isildurしか同ジャンルにいませんでしたから。でも最近は特にパイレーツをテーマにした若手のフォークメタルバンドがたくさん登場していますよね。みなさんの周囲の状況はどのように変わったと感じていますか？

A：俺たちがバンドを始めた頃、俺たちやBane of Isildurといったバンドは別々の影響を受けていたんだ。その数年後、パーティ／パイレーツ／フォークメタルのシーンが世界的に大盛り上がりしたから、新バンドたちがそれらのジャンルに踏み込むのは納得だね。オーストラリアはパーティを好む雰囲気が強いから、当然このバンドは試してみようと思うだろうね。俺たちも実際ステージ上で酒を飲んだりふざけたりして楽しむしね。でも俺たちの音楽は新興のパイレーツをテーマにしたバンドのいくつかとは同じカテゴリーにはうまくフィットしないと思ってるよ。

Q：みなさんは正当な文化的背景がないバンドはペイガン／ヴァイキングメタルをプレイするべきではないという意見に同意しており、それゆえみなさんの歌詞は主としてファンタジーだとどこかで読みました。私の拙い意見としては、自身の文化的背景や経験を踏まえて北欧神話やヴァイキングの信仰に独自の解釈を与えるのもまた一興かと思います。いかがでしょうか？

A：それは個々人が決めることだと思うね。Claim the Throneの場合は、よその歴史や神話に十分な知識や経験がないから、俺たちが熱意を持っていない物事について書きたくないってわけさ。でもそうだね、ためらいなくできるなら、異なる文化的背景から洞察を与えるのも面白そうだというのには同意するよ。

Q：みなさんはファンタジー小説をリリースしており、1stアルバム『Only the Brave Return』はその本に基づいた内容でした。それがデビュー作だということを踏まえると、珍しいケースかと思います。Baronaxeと旧メンバーのHavantiはClaim the Throneを始動する前から少なくとも本のアイデアがあったのでしょうか？　彼らはミュージシャンであると同時に小説家でもあるのでしょうか？

A：音楽が先に生まれたのだけど、コンセプトアルバムを書くことがいつも頭にあったんだ。それからすごくたくさんの歌詞のアイデアがあって、だんだんと大きな物語を形作っていって、本が生まれたと。彼らは小説家ではないよ。単にちょっとした楽しみのためと何かユニークなことにチャレンジするためにやっただけさ。どのアルバムについても小説を書こうと本気で計画していたのだけど、あまりにも大変だし、もっと音楽に時間を割きたいと思ったんだ。

Q：十分な英語のスキルがあれば、歌詞からストーリーを把握したり、詳細に物語を理解するために本を読み通したりできるかと思うのですが、あいにく日本の人々は英語が堪能でなかったりします。なので『Only the Brave Return』のストーリーの概要を教えていただけますでしょうか？

A：いや、単に対立した二つの王国についてのシンプルなファンタジーストーリーだよ。大まかに言うと、戦士の一団が敵を倒す方法を求めて、道中で困難に出くわすというその旅を追った物語だね。それぞれの章がアルバムのそれぞれの曲について書かれているんだ。

Q：初期の頃は、みなさんの曲はどちらかと言えば長尺で、勇壮で、ミドルテンポで、私たちがヴァイキングメタル・スタイルと呼ぶようなものでした。しかし『Aletales』以降、みなさんの音楽性はもっとメロディックで、フォークの要素がたくさんあって、ファストなものへと変化しました。1st アルバムの発売後にメンバーチェンジがあったはずですが、音楽性の変化の背景にある理由の一つはやはりそれでしょうか？　音楽性の変化についてお話しいただけますでしょうか？

A：1st アルバムでは俺たちにまだ豊富な作曲経験がなくて、その時点でのベストを尽くして、ヴァイキングメタルとメロディックデス / ブラックメタルを混ぜ合わせて、エピックな曲を生み出したんだ。その後、シンプルな曲を作る訓練や、より良い音質への取り組みを要して、さらに MV を作成したんだけど、それらの結果が『Aletales』なんだ。それからメンバーが徐々に替わっていって、以前より速くてやりがいのある音楽を演奏して経験を積んで、頑張って俺たち自身のスタイルを明確にし始めようとしてきたんだ。俺たちの音楽性は今でもデス / ブラックメタル色のあるヴァイキング / フォークメタルともっとメロディックなメタルとの混合だと感じているよ。

Q：たぶん先程の質問と重なるところがあるのですが、「Set Sail on Ale」という曲はオーストラリアの音楽シーンで絶賛され、WAM's Song of the Year にノミネートされたのですよね。これはバンドにとってターニングポイントだったとお考えでしょうか？

A：その曲は俺たちが MV を作成した最初の曲で、俺たちのいつもの音楽から大きくスタイルを変えた曲だったんだ。実際のところ、そんなに流行るなんてびっくりしたよ。これが流行ったから、ライブをしたりツアーをしたりする機会が増えたんだ。この曲は間違いなく、俺たちがツアーをもっと真剣に捉えるようになって、ファンベースを築くのに役立ったターニングポイントだったね。

Q：みなさんはアコースティックアルバムをデジタルオンリーでリリースされました。ストリーミングやデジタルダウンロードで音楽を楽しむ人は日々増えており、フィジカルメディアの売れ行きは減っています。個人的には音楽はブックレットなどがあることでより一つの芸術になると思うのでフィジカルメディアのほうが好きなのですが、制作者としてはどのようにお考えでしょうか？

A：俺も充実した芸術体験のためにフィジカルメディアのほうが好きなんだけど、ストリーミングも好きなんだ。音楽をすごくお手軽に聴けるようになるし、小さいバンドの音楽がより多くの潜在的なファンの耳に届くからね。アコースティックアルバムに関して言うと、あれは物理製品をプリントするためのお金の出費をしたくないサイドプロジェクトだから、デジタルフォーマットでリリースしたというだけさ。

Q：『Forged in Flame』は自然を破壊する人々へ向けた強い警告のメッセージのように感じます。他のアルバムにも同様に何かしらのメッセージが込められているのでしょうか？

A：そうだね、俺たちはどのアルバムにもコンセプトを持たせようとしているんだ。それは必ずしもはっきりとわかるようにはなっていなくて、むしろリスナーが自分で考えられる余地を与えるためにオープンにしてあるのさ。『Triumph and Beyond』は戦闘の勝利とその後の宴についてで、『Forged in Flame』は地球そのものの強さについて、『On Desolate Plains』は荒涼とした厳しいオーストラリアの地勢についてさ。

Q：みなさんの 2017 年の『On Desolate Plains』は、オーストラリアの自然の一部である砂漠における物語を扱ったコンセプトアルバムということで、オーストラリアのエッセンスが含まれています。自分を含めオーストラリアと言えば海という固定観念を持った人もいて、実際オーストラリアのフォークメタルバンドにはしばしばパイレーツなど海に関連するテーマを扱うバンドがいますので、このコンセプトはユニークで斬新だと思います。私はオーストラリアの伝承や神話、歴史にも関心があるのですが、そういった歌詞を書くことについてはどう思われますか？

A：ああ、地勢の厳しさは、寒々とした音のスタイルにふさわしかったから、オーストラリアの砂漠に基づいたコンセプトを持つ好機だと思ったんだ。オーストラリアの内地は時に荒涼として閑散としているように思えるけど、実際にはとても人間にとって好ましくない何が起きるかわからない場所なんだ。多くの人が起こりうる危険を過小評価している。こういう歌詞のテーマが好きなら、Alchemistというバンドをオススメするよ。彼らにはオーストラリアの自然についての歌詞のコンセプトで良いものがいくつかあるからね。

Q：Jesselinaの女声ボーカルとシアトリカルなピアノがみなさんの音楽において、より重要な役割を果たすようになってきたように思います。彼女とOscariusは、Elderflowerという新しいメロディック・デスメタルバンドを始められましたよね。今も活動しているのかわかりませんが、BaronaxeもRed Descendingというメロディック・デスメタルバンドに参加していることにも気づきました。これらは他のバンドに参加することがClaim the Throneに何かしらプラスになるものをもたらすからでしょうか？　それともClaim the Throneでは実現できないことがあるからでしょうか？

A：クリエイティヴであり続け、アイデアをもっと思いつく手助けとして、他のプロジェクトをやることは健全だと感じるよ。思いついたすべてのものを逐一Claim the Throneに詰め込むのではなく、他のプロジェクトに使って、Claim the Throneの楽曲をより一貫してがっちりした状態に保てるからね。間違いなくElderflowerはチェックする価値があるよ。素晴らしいメロディとすごくヘヴィなデスメタルボーカルが一体になっているからね。

Q：みなさんはライブのために3度来日されています。回数を重ねるにつれてオーディエンスの雰囲気は変わりましたでしょうか？

A：日本を訪ねる機会が3度もあってとてもありがたいよ。日本は素晴らしい場所だね！　回数を重ねるにつれてお客さんが少しずつ増えてるし、より熱狂的になってるよ。だから日本に行く度にファンが増えているように感じられるね。日本の人々はとても友好的で協力的で、いつもプロモーターにすごく手厚くもてなされるんだ。また次のアルバムが完成したら日本をツアーでまわれるよう願ってるよ。

Q：最後になりますが、日本のファンや読者に何かメッセージをお願いします。

A：日本の健全なメタルシーンを引き続きよろしく頼むよ！　地元のバンドをサポートして、彼らを広めてやってくれ。日本には優れたメタルバンドがいくつかいるからね。Claim the Throneに素晴らしい思い出をありがとう。また近いうち居酒屋で一緒に騒ごうぜ！

FOLKEARTH《フォークアース》

一時は最大 30 人のメンバーを擁した国際的プロジェクト！

インターナショナル　2004 ～　流動的だが Hildr Valkyrie (Key, Vo), Marios Koutsoukos (Key, Vo) などが中心

かつては Eluveitie も参加

Folkearth は欧米限定だが国際的なフォーク / ヴァイキングメタル・プロジェクトだ。「Folk」と「Earth」を組み合わせたバンド名がそのコンセプトを象徴しており、世界中からフォーク / ペイガン / ヴァイキングメタルバンドのメンバーを集めて、コラボレーション作品を発表している。そのため、作品ごとにメンバーは流動的で、一つの作品でも曲ごとに参加メンバーが異なる。バンド全体としては大所帯だが、創作活動は小さなグループごとにそれぞれで実施している。レコーディングした素材をやり取りしながら、他のメンバーがアレンジや独自のパートを付け加えたり、というスタイルで制作しているとのことだ。歌詞のテーマとしては北欧神話、ケルト神話、ギリシャ神話などが主であるが、エンターテインメント的なプロジェクトで、深い意味のあるメッセージを発信する類のものではない。歌詞はほぼ全て英語で書かれている。多様な民族楽器が使われているのが特徴の一つだ。なお、プロジェクトの特性上、ライブ活動は一切行っていない。

リトアニアで Ravenclaw というヴァイキングをテーマにしたアンビエント・プロジェクトをやっていた Ruslanas Danisevskis が、2004 年 2 月に Folkearth のコンセプトを考えたのが、本プロジェクトの始まりである。各地のアーティストたちとの交渉の末、プロジェクトは実現に向けて走り出し、春頃にはレコーディングが開始された。結果として 6 ヵ国総勢 14 人ものメンバーを集めて、同年12月には最初の作品『A Nordic Poem』を、ロシアのレーベル Stygian Crypt Productions からリリースした。比較的有名な参加メンバーを挙げると、当時はまだ無名だったスイスのフォークメタルバンド Eluveitie のフロントマン Chrigel Glanzmann がイーリアンパイプス、ティンホイッスル、バウロンといった民族楽器で、イギリスのアングロ・サクソンメタルバンドの Forefather の Athelstan がギターとドラム、Wulfstan がギター、ベー

ス、ボーカルで、スウェーデンのフォークメタルバンドYggdrasilのMagnus Wohlfartがギター、ベース、キーボード、マウスハープ、ボーカルで参加している。

リーダーの死を乗り越えて

1stアルバムの発表により、プロジェクトは名を上げて、さらに参加メンバー数を拡大して2006年8月に2枚目のアルバム『By the Sword of My Father』を発表した。この作品には8ヵ国総勢31名ものアーティストが参加した。これは彼らの作品の中でも最多参加メンバー数だ。現在も中心人物であるギリシャの女性ボーカリスト/キーボーディストのHildr Valkyrieが初参加したのもこの時である。07年には前作に匹敵する11ヵ国30名ものアーティストが参加して3作目『Drakkars in the Mist』を発表、08年には1月に『Father of Victory』、6月に『Songs of Yore』、11月に『Fatherland』と、1年に3枚ものフルアルバムをリリースする。参加メンバー数は4枚目で20名と前作より大きく減少、5枚目・6枚目はそれぞれ16名と11名で、これ以降の作品ではいずれも10名程度に落ち着くこととなる。また、同年にRuslanasはFolkearthの姉妹プロジェクトFolkodiaを発足させている。この頃がFolkearthの全盛期だった。

09年10月に『Rulers of the Sea』、10年6月に『Viking's Anthem』、11年3月に『Sons of the North』、同9月に『Minstrels by the River』、12年11月に『Valhalla Ascendant』とハイペースに作品を発表するが、似たような作品を出し過ぎなためか、大きな話題となることはなく、13年6月30日、プロジェクトの発案者かつリーダーだったRuslanasが癌との闘いの末に命を落としてしまう。しかし、参加メンバーたちは彼の遺志を受け継ぎ、活動を続けることを宣言し、14年には追悼作品『Balder's Lament』を発表した。

A Nordic Poem
Stygian Crypt Productions 2004

デビュー作。初めての国際交流的なレコーディングだったせいか、オリジナル盤は音質が悪く、06年にリマスタリング盤が発売された。もともとは60分程度の作品になるはずだったが、20分ほどのデータが喪失したらしく、イントロとアウトロのインスト2曲を含む10曲40分弱の作品となった。作曲者により音楽性もマチマチだが、概して民族楽器が盛り込まれたフォーク+メロディック・デスメタルといった音楽性で、男女クリーンボーカルのパートも多々登場する。本作には唯一スウェーデン語詞の曲があるが、以降も含め他はすべて英語詞。

Drakkars in the Mist
Stygian Crypt Productions 2007

3枚目のアルバムで、かつてはSoundholicからボーナストラック1曲を追加した最初で最後の国内盤もリリースされていた。17曲で70分近いトータルランニングタイムを誇るのだが、全体的に雰囲気重視の曲が多く、語りが入るということもあって、シネマティックなBGM的な印象が強い。11ヵ国の多国籍プロジェクトの割に、それぞれの国の特色が活かされているとは言い難いのが難点。なお、Drakkarとは中世のヴァイキングやサクソン人が海岸や内陸の集落を襲うために用いていた船（ロングシップという）の一種だ。

Balder's Lament
Stygian Crypt Productions 2014

12枚目のアルバム。前年に亡くなったプロジェクトリーダーのRuslanasの追悼作品。3曲目『From Volga to Bosphorus』には、彼が生前に録音していた歌声が使用されている。彼を含めて8ヵ国11人のアーティストが制作に携わっている。Balder（バルドル）はオーディンの息子で、悪神ロキの奸計で命を落とすが、世界中が彼を追悼するなら蘇るという神話が伝わっている。以前の作品よりストレートなメロディック・デスメタル色が強まり、ヘヴィでアグレッシヴなアップテンポの楽曲中心の作品となった。

HEATHEN《ヒーゼン》 FORAY《フォレイ》

内陸国オーストリアの伝説や歴史扱う広義のヴァイキングメタル！

オーストリア シュタイアーマルク州 グラーツ　2004 ～
Robert Schroll (Vo), Jürgen Brüder (Gt), Alex Wildinger (Gt), Markus Wildinger (Ba), Markus Kügerl (Dr)

異教徒の侵略

2004 年、二人のギタリスト Daniel Koinegg と Jürgen Brüder によって、オーストリアのシュタイアーマルク州の州都グラーツで結成された広義のヴァイキングメタルバンドが Heathen Foray だ。バンド名は「異教徒の侵略」といった意味合いである。この二人はもともと Plethora というバンドでともに活動していた仲だった。メンバー探しを始めてほどなく、ドラマーの C. Michael Hofbauer とベーシストの Markus Engert が加入してバンドはリハーサルを開始した。しかし Daniel が脱退、代わりに Safet Pehlic が加入、その後ボーカリスト Robert Schroll が加わり、06 年春にバンドとしての布陣が固まった。

バンドはリハーサルを重ねて、同年 12 月には初のライブも実施、デモ音源をレコーディングすることになる。このデモのレコーディング中に Safet が脱退、Bernd S. Zahn が後任に入り、07 年 8 月に初のデモ音源『Forest』を発表した。翌 08 年にはベーシストが Markus Wildinger に交代、フォーク / ペイガンメタル系のフェス Peganfest 2008 で Ensiferum、Moonsorrow といった大御所バンドのサポートアクトを務めた。その後、彼らはデモ音源に続く初のフルアルバム『The Passage』のレコーディングに入り、ドイツのレーベル Black Bards Entertainment と契約を交わし、09 年 4 月にリリースした。このアルバムは各種メディアで、70 ～ 90 点の高い評価を獲得することとなった。その後ドラマーが脱退して、バンドは後任に Franz Löchinger を迎え入れる。

09 年には二度のヨーロッパツアーを実施して、アルバムの成功を実感した彼らは、次作の制作に入る。そうして 2 枚目のフルアルバム『Armored Bards』は、10 年 9 月に世に出る運びとなった。同作を引っさげて、バンドは Black Messiah やレーベルメイトの Adorned Brood などといったバンドとともに再びヨーロッパをまわり、フォークメタル系のフェス Heidenfest のオープニングアクトを飾った。このアルバムは、各種レビューメディアで前作を超える平均 90 点もの高評価で受け入れられ、ここ日本でも評判となった。

不発弾の処理

2011 年春にはバンド結成の地グラーツで 5 周年記念ライブを実施したのだが、なんとこの日ライブハウスから 200 メートルの距離で、第二次世界大戦時の不発弾が発見された。その処理のために警察が立入禁止区域を設置、そのせいでバンドはライブハウスから出ることができず、ファンはライブハウスにアクセスすることができず、という状況になった。幸いにも 22 時に爆弾処理が終わって、ライブは無事に行われたようだ。ちなみに、このライブハウスは皮肉なことに、ドイツ語で「爆発的な」を意味する Explosiv という名前だったそうだ。

2nd アルバムの成功の真っ只中に Jürgen と Franz が脱退、Jürgen の後任にはこれまでにすでにツアー時のサポートミュージシャンとして、バンドに参加していた Alex Wildinger が、Franz の後任には Markus Kügerl が加入した。なお、Alex はベーシスト Markus と兄弟である。このラインナップで彼らは、3 作目となるアルバム『Inner Force』を制作する。所属レーベルが閉業してしまったがために、本作は自主制作で 13 年 9 月にリリースされた。

15 年にはドイツの老舗レーベル Massacre Records と契約を交わし、4 枚目のフルアルバム『Into Battle』をリリース。本作の制作費はファンからのクラウドファンディングで賄われた。このアルバムのリリース後、長年活動をともにした Bernd が脱退、バンドは 3 年にも及ぶ活動休止期間に入る。2018 年初頭、バンドに初期メンバー Jürgen が再加入して活動再開、4 枚目の『Weltenwandel』(世界の変革)を完成させ、20 年 2 月に同作をドロップした。

Armored Bards
Black Bards Entertainment 2010

出世作の 2nd アルバム。前作の延長線上で、民族楽器などは導入せず、あくまでツインギターを前面に押し出した、リフオリエンテッドなメロディック・デスメタルを貫いている。Amon Amarth に近いと評されることが多いが、本人たちいわく、もっとテクニカルで、初期の Children of Bodom や Wintersun の方が近いとのこと。歌詞は英語メインでドイツ語が少々。オーストリアの伝説や歴史がモチーフなので、広義でのヴァイキングメタルだ。前作同様、2018 年に自主制作によるデジパック仕様で再販された。

Inner Force
Independent 2013

自主制作による 3rd アルバム。オーストリアの神話や歴史以外に、バンドはメインメッセージに「自由」を掲げている。誰もが自分が幸せになることをするべきとの考えから、タイトル曲にはリスナーに力や強さ、楽しい気分を与えるというコンセプトがある。そのほか、北欧神話、家族や生まれの地、旅など歌詞は多岐に渡るが、そのすべてをまとめあげるのが「内なる力」だ。バンドにとってはファンが「内なる力」とのことで、本作はファンへの賛歌でもある。音楽性は前作と大きく変わっていないので、過去作が気に入れば安心して聴けよう。

Into Battle
Massacre Records 2015

レーベル移籍後は初となる 4th アルバム。これまでよりクリーンボーカルの比率が格段に高まっており、メロディック・パワーメタル+ペイガンメタルのような様相を呈している。アルバムのラストには雄大なインスト曲が配され、シークレットで 1st 収録の『Winterking』のアコースティックバージョンが収録されていたりと、硬派なメロディック・デスメタルにこだわっていた以前よりも音楽性が柔軟になった印象を受ける。メロディック・デスメタルファンのみならず、フォークメタルファンへの訴求力も高まったのではなかろうか。

KROMLEK《クロムレック》

スーツ着用顔面ウォーペイント施すアーバン・ペイガンメタル！

ドイツ バイエルン州 シュヴァインフルト　2004 ～ 2012
NhéVaN (Gt), Hrísdólgr (Key), Forað (Gt), T'Bog (Ba), SgrA (Dr)

ドイツのバイエルン州で Puritan Disbelief（清教徒の不信）というブラックメタルバンドをやっていたメンバーが、2004 年 3 月にそれを解散させて新結成したのが Kromlek だ。バンド名は環状列石を意味する Cromlech の綴りを変えたもので、ボーカルの Mr.Alphavarg はこれを別世界への門だと捉えているそうだ。05 年初頭、彼らは地元の新人バンドフェスに出場して見事に優勝、同年後半には Trollzorn Records との契約に至る。そして 11 月にアルバム『Kveldridhur』（悪夢を見せる精霊）でデビューとなった。

当初はステージで兜を被ったり、一般的なヴァイキングメタルのイメージ通りだった彼らだが、他との差別化のためかスーツに身を包んで顔にはウォーペイントを施すなど、奇を衒ったことをやり始める。07 年 3 月には『Strange Rumours... Distant Tremors』を発売。08 年夏にはボーカルが方向性の違いから脱退、しかし後任が入るまでもなく 09 年 4 月に彼は復帰した。この頃から彼らは自らの音楽性を「Urban Pagan Metal」と呼び始める。11 年 4 月に 3rd アルバム『Finis Terræ』（地球の終わり）を発売したが、12 月にボーカルが再度脱退してしまう。結果として 12 年 3 月にバンドは、その 8 年の活動に幕を下ろすこととなった。

Strange Rumours... Distant Tremors
Trollzorn Records　2007

2nd フルアルバム。Finntroll を思わせるフンパ / ポルカ調の曲や、中東風のメロディを取り入れた曲など、民謡要素が強かった 1st からの流れを汲むが、よりヘヴィでメタリックになり、ヴァイキングメタル的な勇ましさも強まった。多言語による歌詞も彼らの特徴で、アラビア語やサンスクリット語まで取り入れた次作ほどではないが、ドイツ語と英語のみならず、スウェーデン語の曲も収録された。次作では電子音を取り入れたモダンなエピック・メロディック・デスメタルへと変貌を遂げるため、バランスが取れた本作がオススメだ。

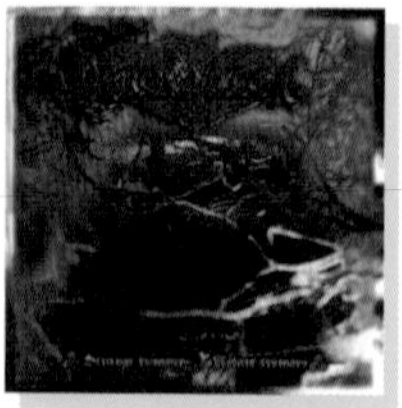

NEBELHORN《ネベルホルン》

ドイツの一人ヴァイキングがクラウドファンディングでリリース！

ドイツ バーデン＝ヴュルテンベルク州 ムルハルト　2004～　Wieland (Vo, All Instruments)

Nebelhorn はドイツの一人ヴァイキングメタル・プロジェクトで、Wieland（Gordon Schuricht）なる人物が全パートを担当している。バンド名はドイツに実在の山で、「霧の山頂」の意。北欧神話の魔剣ティルヴィングのように、この山は強大な力を与えるがやがて裏切るものだという創作神話を彼は考案しており、そういうものとしてこの名を選んだそうだ。彼は初期 Thyrfing、Einherjer、Enslaved など、ブラックメタル色が強かった頃のヴァイキングメタルに影響を受けているらしい。

2000 年頃、ヴァイキング文化や北欧神話、そしてメタルへの熱意から、このプロジェクトの構想が生まれ、バンドロゴの作成のほか、詞や曲など素材を蓄積、04 年に初作品となる EP『Utgard』（北欧神話の巨人の住む都市）を発表した。この時点では、彼はギターとベースのみを担当、ボーカルに Thorsten、ドラムに Frank というバンド編成（アコースティックギターで Patrick Damiani も参加）だった。しかし、方向性について意見が割れ、一人プロジェクトとなった。05 年に『Gen Helwegs Grund』、07 年に『Fjordland Sagas』（フィヨルドの地の伝承）とアルバムを発売。18 年にはクラウドファンディングにより、実に 11 年ぶりの 3rd『Urgewalt』（原始の力）を世に送り出した。

Gen Helwegs Grund
Skoll Records　2005

自主レーベルからリリースされた 1st フルアルバム。「冥途の底へ」と題されたタイトル曲は、ロキの奸計により命を落としたバルドルを救うために弟ヘルモーズがヘルヘイムを目指すエピソードを綴ったもの。いぶし銀的なジャーマン・ブラックメタルの要素が強く、玄人好みのバンドだと思われがちだが、雄叫びや漢らしいコーラス、クリーンボーカルによる歌唱、民族楽器の音色の導入など、わかりやすいヴァイキングメタルの要素も用意されており、決してとっつきにくい作品ではない。ラストには完全アコースティックの民謡曲も収録された。

GALAR《ガラール》

プログレッシヴ・ブラックメタルにも通じる２人プロジェクト！

ノルウェー ホルダラン県 ベルゲン　2004 〜
Slagmark (Vo, Gt, Ba), Fornjot (Vo, Key, Piano, Bassoon), Tomas (Dr)

2004 年にボーカル / ギター / ベース担当の Slagmark と、Sveinung B. Johnsen なる人物（詳細不明）が結成したフォーク / ヴァイキングメタルバンドが Galar だ。当初はスタジオプロジェクトだった。バンド名は北欧神話に登場するドワーフの名で、賢者クヴァシルを殺害してその血で詩人にひらめきを与える蜜酒を造ったことで知られる。結成翌年には Slagmark と過去にバンドをやっていた Fornjot が加入、最初のデモ音源『Galar』を発表した。ちなみにバンド結成の一因は女性にもてたかったからとのこと。

ドラムの Tordenskrall が加入して、06 年にドイツの Heavy Horses Records と契約を結び、アルバム『Skogskvad』（森の詩）でデビューを飾る。ドラムは短期間で脱退してしまったのだが、4 年の沈黙を経て 10 年には地元の Karisma Records から 2 作目となる『Til alle heimsens endar』（すべての世界が終わるまで）を発表した。正式メンバーは 2 人であったが、数々のゲストミュージシャンを起用して制作をしており、この頃には初のライブも実施している。14 年には Mistur にも在籍しているドラマーの Tomas が加入して、15 年に 3 作目『De gjenlevende』を Dark Essence Records からリリースした。

De gjenlevende
Dark Essence Records　2015
「生き抜いているものたち」といった意味の 3 作目。北欧の厳しい冬から春への移り変わりを通して、そこに住む人間や動植物の生きるための奮闘を描いたコンセプトアルバム。扱っているテーマが重いためか、過去 2 作よりもブラックメタル成分が強まり、ジャケットもそれを反映して暗めのアートワークとなった。ピアノやヴァイオリンなどによるクラシカルなパートと、生々しいブラックメタルパートが見事に融合しており、プログレッシヴ・ブラックのファンにも訴求する作品。なお、本作のドラムは Aeternus の Phobos によるもの。

CHAPTER 3

NEW GENERATION

ヴァイキングメタル新世代

2005～

本章では、2005年以降をヴァイキングメタル新世代として、この時期に誕生したバンドを紹介する。バンドが飽和して、似たり寄ったりの曲にリスナーもマンネリを感じ始めた時期で、ジャンルとしてやや停滞感がある。この状況を打破するようなバンドはいまだ出現してはいない。だが、Skálmöld や Grimner といった高品質なバンドは生まれており、若手の創造力と感性で今後シーンを牽引する新たなバンドが出てくることを願ってやまない。

OAKHELM《オークヘルム》

オレゴン州でアイルランドを目指す冒険譚歌うもスイスに移住！

アメリカ オレゴン州 ポートランド　2005 ～（活動状況不明）
Pete Jay (Ba, Vo), Elias Bloch (Dr), Kody Keyworth (Gt), Donald Stanley (Gt)

アメリカのオレゴン州ポートランドで、メロディック・ブラックメタルをやっていた Fall of the Bastards というバンドが 2005 年に解散した。そのギタリストの Donald Stanley と Kody Keyworth、そしてドラマーの Elias Bloch が、ベーシスト兼ボーカルに Pete Jay を迎えて新たに結成したのが Oakhelm だ。彼らの歌詞は、アイルランドの神話でしばしば島として描かれる理想郷を目指す冒険譚（Echtra と呼ばれる）に影響を強く受けているので、一般的なヴァイキングメタルとは異なる。Pete と Elias は Folkearth への参加でも知られている。また、17 年には Kody が自給自足生活で知られるカスカディアン・ブラックメタルバンド Wolves in the Throne Room に加入している。

Oakhelm は 06 年にデモ音源を制作したのち、翌 07 年には Forest Moon Special Products からデビューアルバム『Betwixt and Between』をリリースした。セカンドアルバム『Echtra』も 08 年にはレコーディングまでは完了していたようだが、アートワークを依頼したデザイナーの家族の訃報など、諸処の問題で制作に時間がかかり、発売は 11 年 8 月のこととなった。以降は表立った活動がなく、Elias がスイスに移住してしまったがために活動が停滞しているようだ。

Betwixt and Between
Forest Moon Special Products　2007

デビュー作。フォーキーなインスト 2 曲を含む 6 曲 42 分。ペイガン・フォークブラック寄りになる次作と比較して、本作は民族楽器などは用いず、エピックで勇壮なブラックメタルを披露している。ラストの「Immram」とは船での冒険譚を指すアイルランド語で、ここではアイルランドを目指すも座礁してしまう物語が綴られている。主人公が何者なのかはわからないが、曲調的にも歌詞の内容的にもヴァイキングメタルっぽいのは間違いない。タイトルの「どっちつかず」とは侵略により境界線が曖昧になった様であろうか。デジパック仕様。

CRAVING《クレイヴィング》

キエフ大公国オリガ妃やスターウォーズについて英独露語で！

ドイツ ニーダーザクセン州 オルデンブルク　2005 ～ 2006 (as Erbos), 2006 ～
Ivan Chertov (Gt, Vo), Wanja Gröger (Dr) , Jonas Papmeier (Gt)

2005 年にドイツのオルデンブルクで結成された Erbos というバンドが、翌年改名して Craving が誕生した。これは「渇望」を表し、音楽への彼らの渇望という意味合いだそうだ。彼らの曲は北欧神話を扱っているわけではないが、フォークの要素のあるメロディックデス / ブラックメタルで、ヴァイキングメタルだと思われがちな音楽性だ。

結成時はギターの Ivan Chertov のほか、セカンドギタリスト、ドラマー、ボーカリストという構成だったようだ。デモの制作とともに幾度かのラインナップチェンジを経て、良いボーカリストが見つからなかったため、Ivan がギターボーカルとなり、08 年に『Revenge E.P.』を発表する。さらにメンバーが抜け、Ivan とドラマー Maik Schaffstädter の二人でサポートの力を借りてアルバム『Craving』を制作、Apostasy Records との契約に至り、12 年にこれを発売する。同年、ベースの Leonid Rubinstein とセカンドギタリスト Thorsten Flecken を加え、13 年に 2 作目の『At Dawn』を発売するも Thorsten が脱退、16 年に先行 EP と 3rd アルバム『By the Storm』をドロップした。しかし、Maik も Leonid も後に脱退してしまい、新ドラマー Wanja Gröge と新ギタリスト Jonas Papmeier を迎えて次の活動に備えているようだ。

At Dawn
Apostasy Records　2013

2nd アルバム。前作で見せた民謡メロディを織り込んだメロディックデス / ブラックメタルを順当に進化させ、アコースティックギターやシンセを効果的に取り入れて叙情性を高めている。前作同様、英語、ドイツ語、ロシア語の 3 ヶ国語で歌詞が綴られている。キエフ大公国の妃オリガについての詩人ニコライ・グミリョフの作品の引用や、『スター・ウォーズ』のルーク・スカイウォーカーによるデス・スター攻撃作戦など歌詞のテーマは多岐に渡る。ジャケットはオリガによる暗殺された夫の 4 つの復讐のイメージとして描かれたものらしい。

SLEIPNIR《スレイプニル》
(CULT OF FREY)《カルト オブ フレイ》

奥さんが地元のパブで引き合わせ ヴァイキング兄弟の物語設定！

イギリス ヨークシャー州 ホーンシー　2005 ～ 2020, 2020 ～ (as Cult of Frey)
Darklord (Gt, Ba, Key), Tossell (Vo)

Sleipnir は Darklord と Tossell の二人によるイギリスのヴァイキングメタルバンドだ。バンド名はオーディンが乗っている 8 本足の馬。1992 年頃、この二人は同じ CD ショップに足繁く通っていた。Darklord は当時そこの店員とバンドをやっていて、マイナーなブラックメタルばかり注文していたから店員にそう名付けられたという。Tossell は彼を知ってはいたものの交流はなかったのだが、ある日地元のパブで、Tossell の奥さんが「Darklord さんですか？」と話しかけて二人を引き合わせたそうだ。彼はスキンヘッドで、メタルファンには見えず怖かったと Tossel は当時を語る。Darklord が当時やっていたオーディン崇拝系のバンド Cult of Frey が活動停止してしまったこともあり、同じ音楽的嗜好だと判明した二人は意気投合してバンドを結成する。その後数年間、Mjollnir の名で創作活動を始めたが実を結ぶことはなく、2005 年に Sleipnir として新たに曲作りを始めることとなった。バンドは 08 年に『Bloodbrothers』、13 年に『Oaths Sworn in Blood & Mead』と 2 枚のアルバムを発表、20 年に 3 作目の『By the Blood of Odin』を出す際に、別物だったはずの Cult of Frey 名義を使用、二つのバンドは同化した。

Bloodbrothers
Independent　2008

彼らのデビュー作。2010 年にロシアの Gardarika Musikk から再発された。結局後に同化するが、Cult of Frey が北欧神話に重きを置いていたのに対し、Sleipnir は二人のヴァイキングの兄弟の物語という設定らしい。Bathory や Manowar の影響を受けているそうで、ミドル / スローテンポの勇壮な楽曲に、雄々しいコーラスと世界観を演出するアトモスフェリックなシンセが入る。フォークメタルバンドはすでに世に大勢存在しているということで、過度にフォーキーな要素は意図的に避けたらしい。

ASENBLUT《アーゼンブルート》

人種差別的なレーベルから決別した「アース神族の血」！

ドイツ ニーダーザクセン州 ゲッティンゲン　2006 ～ 2007, 2007 ～
Tetzel (Gt, Vo), Claus Cleinkrieg (Gt), Balrogh (Dr), Sash (Ba), Stan Ro (Gt)

ギタリスト / ボーカリストの Tetzel、ベーシスト Jan、ドラマー Schlecki の 3 人が 2006 年末に名もなき音楽プロジェクトを開始した。学業との兼ね合いでこれは数回のリハーサルのみで活動停止に追いやられたが、Tetzel はギタリスト Claus Cleinkrieg とともに再び活動を志した。そうして 07 年にヴァイキング / メロディック・デスメタルバンド Asenblut が誕生し、新ドラマー、次いで新ベーシストを迎えてバンドの骨組みが完成した。バンド名は「アース神族の血」の意。Claus はスラッシュメタルや正統派ヘヴィメタルのファンで、Tetzel はブラックメタルやペイガンメタルを好むという。08 年のデモ『Kampfruf』（戦の呼び声）を経て、09 年にアルバム『Aufbruch』（旅立ち）で Asatru Klangwerke からデビューした。このレーベルは人種差別的なイデオロギーが強かったために決別して、11 年に MDD Records と契約、メンバーの脱加入や Tetzel の闘病などの苦難に見舞われたが、13 年に 2nd『Von Worten und Taten』（云為について）を世に出した。15 年に Devil's Wall Trophy フェスで優勝、翌年 AFM Records との契約に漕ぎ着けて『Berserker』（ベルセルク）、20 年には『Die wilde Jagd』を発表した。

Die wilde Jagd
AFM Records　2020

デジパック仕様でリリースされた 4th アルバム。タイトルは伝説上の狩猟団が空を渡る伝承を指すワイルドハント。トレモロリフなどブラックメタル由来の要素と、ザクザクと刻まれるギターなどメロディック・デスメタル由来の要素をベースに、時折スラッシーなパートを挟み込むという、一筋縄では行かない音楽性が初期の彼らの特長であった。だが、作を重ねるにつれて、普遍的なメロディック・デスメタルへと歩み寄り聴きやすさを増し、本作は Amon Amarth に勝るとも劣らない高品質なヴァイキング / メロディック・デスメタルとなった。

VARG《ヴァルグ》

KoЯn に影響受け Amazon 1 位にもなったウルフメタル！

ドイツ バイエルン州 コーブルク　2005 ～
Freki (Gt,Vo), Fenrier (Dr), Morkai (Gt), Garm (Gt), Fylgja (Vo)

馬と接触して車が大破

Varg は 2005 年にドイツのバイエルン州北部の都市コーブルクにてギターの Freki とドラムの Fenrier によって結成された。ここにベースの Nivel、ボーカルの Frost、ギターの Da'ath が加入して 5 人体制でバンドはスタートする。Varg とはスウェーデン / ノルウェー語で「狼」の意。彼らの音楽性は当初はペイガン / ヴァイキングメタルだったが、後に様々なメタル内外のサブジャンルの影響を取り込み、「Wolf Metal」と自ら形容する音楽性となっている。具体的にはメロディックデス / ブラックメタルを下地としながらも、メタルコアやパンクを取り込んでいるのが特徴と言えよう。彼らはファンとの距離が近いことでも知られ、ファンのことを「Wolfpack」と呼んでいる。

結成年に早くもライブ活動を開始した彼らは、06 年に Nivel から Geri へとベーシストの交代、そして Da'ath の脱退を経て、デモ音源『Donareiche』（ゲルマン異教の神聖な木）を制作、オフィシャルサイトで無料ダウンロードという形で公開する。その後ベーシストの Skoll が加入して、Geri はギターへとパートチェンジした。07 年、バンドはドイツの新興レーベル Heiden Klangwerke の第一弾アーティストとして契約を交わす。Frost 脱退により、Geri がボーカルを兼任、バンドはロシアの Nomans Land と同郷の Thrudvangar とともに、ドイツとオランダで初めてのツアーを敢行する。オランダへと車で向かう途中、馬が飛び出してきて車が大破したのだが、幸いにもメンバーは多少のかすり傷のみで無事だった。3 月にはアルバム『Wolfszeit』でデビューを飾り、Wolfszeit Festival を開催するなどバンドは着実に大きくなっていった。この時の映像は後に『Live am Wolfszeit Festival』の名の下に DVD がリリースされる。

Wolf Metal の第一人者へ

2008 年には Geri と Skoll がバンドを脱退

するが、ライブメンバーとして旧知の仲だったベースのManagarmとギターのHatiが後任に加入する。またGeriが兼任していたボーカルの座はDraugrが後任として加入した。この布陣で、バンドは同郷のペイガンブラックMinas MorgulとのスプリットBA作品をTwilight Distributionから発表した。

09年、Draugrが脱退、Minas MorgulのボーカルRicoのヘルプの下、ライブ活動を続けていたが、やがてFrekiがボーカルを兼任することを決意する。同年バンドはドイツの大手レーベルNuclear Blast Recordsとの契約に成功するが、レーベルと意見が合わず、双方折れなかったためにすぐに契約解除、2枚目の『Blutaar』（血の鷲。スカルド詩に登場する処刑方法）は翌10年1月にNoiseArt Recordsからリリースされる運びとなった。なお、このタイミングでギターのSkalliが加入している。このアルバムは彼らの出世作となり、Amazonのデス/ブラックメタルカテゴリの売上で一位を獲得したほどだった。バンドはその後Paganfestでツアーや Wackenのようなメジャーなフェスへも出場するようになる。11年には3枚目の『Wolfskult』（狼の礼賛）を発表、幾多のライブやフェスに参加して、オフィシャル・ファンクラブ『Varg Wolfe Horde』を開設するまでに至った。

12年には4枚目のアルバム『Guten Tag』を発表、ヨーロッパのみならず北米やカナダでもツアーを実施した。13年にSkalliが脱退するが、15年7月には大手レーベルNapalm Recordsと契約、10月にEP『Rotkäppchen』（赤ずきん）、16年に5枚目のアルバム『Das Ende aller Lügen』（すべての嘘の終わり）、17年にEP『Götterdämmerung』（神々の黄昏）とコンスタントにリリースを重ねている。18年に長年活動をともにしたManagarmとHatiが脱退してしまったが、MorkaiとGarmを後任に迎え、20年には初の女性ボーカルFylgjaを加えてアルバム『Zeichen』を発表した。

Wolfszeit
Heiden Klangwerke 2007

デビュー作。タイトルはドイツ語で「狼の時代」の意味だろう。この時点では、後の作品に見られる様々なジャンルの影響を感じさせない、ピュアなペイガン/ヴァイキングメタルを聴くことができる。設立メンバーの2人は、バーでEquilibriumのデモ音源を聴いてこの手の音楽をやりたくなったのだとか。メロディック・ブラックメタルファンにも訴求する内容で、本作が最高傑作だという向きもある。歌詞はすべてドイツ語。2019年に発売された再録盤では大幅にプロダクションも向上し、曲の良さがより伝わりやすくなっている。

Guten Tag
NoiseArt Records 2012

「こんにちは」と題された4thアルバム。2008年に加入したギタリストManagarmは、最初に買ったCDがKoЯnの『Issues』ということで、モダンなメタルの要素が入り込んでいったのは彼の影響のようだ。タイトル曲は特にメタルコア/パンクからの影響が色濃く、他にもRammsteinあたりからの影響を感じる曲も。一方でKorpiklaaniのJonneをゲストに迎えた土着的なメロディの曲や、EluveitieのPäde Kistlerがバグパイプを吹く曲もあり、全体的にまとまりに欠ける内容となっている。

Zeichen
Napalm Records 2020

1stの再録を含めると7枚目のアルバム。タイトルは「記号」の意で、ジャケットに描かれた記号は狼、そして現在のVargを表すオリジナルのルーン文字だそうだ。本作をもってVargが帰ってきたという意味合いが込められている。二人のギタリスト交代や、デビュー作の再録の経験により、音楽性が初期のペイガン/ヴァイキングメタルに回帰した印象を受ける。新加入の女性ボーカルFylgjaはコーラスなどで美声を披露しているほか、「Fara til ránar」（海の女神ラーンのもとへ）ではリードボーカルも務めている。

CRIMFALL《クリムフォール》

元パワーメタル女性ボーカル含む映画サウンドトラック風！

フィンランド ウーシマー県 ヘルシンキ　2007 ～ 2018　Jakke Viitala (Gt, Ba, Orchestrations), Janne Jukarainen (Dr), Mikko Häkkinen (Vo), Helena Haaparanta (Vo), Miska Sipiläinen (Ba)

最初は自己表現の場のためのデモプロジェクトだった

Crimfall はフィンランドの首都ヘルシンキで、ギタリスト Jakke Viitala の自己表現の場のためのデモプロジェクトとして、2007 年に始まったフォーク / ヴァイキングメタルバンドだ。もともとは「気味の悪い秋」を意味する Grimfall というバンド名だったが、バンド名を綴った時の見た目が良くないと感じて頭文字を C に変更して Crimfall になった。

ひとまず作曲してみたものの、ボーカルに関して助けが必要になり、同郷のペイガン・ブラックメタルバンド Draugnim のボーカリスト Mikko Häkkinen に作詞とスクリーミングボーカルを頼んだ。さらに女声ボーカルも入れたほうがいいと考えて、当時プログレッシヴ / パワーメタルバンド Tacere を抜けたばかりの Helena Haaparanta に、一か八かでコンタクトを取ってみて、運良く歌録りに参加してもらった。そうして 08 年には最初の 3 曲入りデモ音源『Burning Winds』を発表する。

これが幸運にもオーストリアの名門レーベル Napalm Records の目に留まり、この契約時にデモプロジェクトから正式なバンドへと昇華した。その後、アルバム制作に入るが、Jakke が交流があった Moonsorrow/Finntroll の Henri Sorvali にベースを弾いてもらったのを始めとして、数多くのセッションミュージシャンの助けを借りて、09 年 2 月にデビュー作『As the Path Unfolds...』をリリースした。Jakke は様々なタイプの音楽を聴くが、映画音楽に一番影響を受けているとのことで、彼らの音楽はサウンドトラック的な側面もあるのが特徴である。同年、初のライブを実施するにあたり、このアルバムの制作時にドラムを担当した Janne Jukarainen が正式メンバーに加入。Henri は他のバンドで忙しく、ライブの手伝いをする余裕がなかったため、Helena が音楽を勉強している学校でベースを勉強していた Miska Sipiläinen に頼んで加入してもらった。

1st アルバムリリース後にツアーに出さ

せてもらえず、PVも制作させてもらえなかったということもあり、バンドはNapalm Recordsを離れて地元のSpinefarm Recordsと契約を結び、11年3月に2枚目の『The Writ of Sword』をリリースした。このアルバムのリリース後には、TurisasのStand Up and Fightツアーのサポートアクトという形で、ツアーで各地をまわることとなった。13年にはデモ音源『Victory or Death』を制作するが、その後Helenaが突如として脱退、バンドは活動休止となる。14年には後任の女性ボーカリストSara Strömmerを迎えて、活動を再開、配信限定シングル「Waves upon Their Graves」を発表。しかし、彼女もまた長くはバンドに在籍せずに脱退してしまう。バンドはめげることなく、レコーディング可能なパートからアルバム制作を続け、制作途中の楽曲をYouTubeで公開するなどして、話題が途切れないようにする。

信じられないほど売れなかった

そして16年元旦にはHelenaが復帰するとの吉報をFacebookで告げ、5年間ほど制作中だった3枚目のアルバムの制作の続きをHelenaとともに実施する。9月にはレコーディングを終えるが、これをリリースするレーベルがなかなか決まらず、17年3月に老舗レーベルMetal Blade Recordsと契約が成立、アルバム完成から一年近くが経過した同年8月に『Amain』をリリースした。しかし、どうやらこのアルバムが信じられないほど売れなかったそうで、バンドにとってもレーベルにとっても痛手となって、バンドは資金難に陥った。次のアルバムの作曲は終えていたようだが、それを世に出す周囲からのサポートも得られず、18年11月23日、彼らは約12年の活動に幕を下ろすこととなった。バンドのメンバーたちは、音楽は常に自分たちにとって刺激であったし、何者も奪いされないものだとして、今後も何かしらの音楽制作に携わると述べているので、次の活動が期待されるところだ。

As the Path Unfolds...
Napalm Records　2009

デモから2曲の再録を含むデビューアルバム。インスト3曲を含む11曲46分。ヴァイオリン、チェロ、アコーディオンなどを取り入れた一大フォーク・シンフォニックメタル絵巻といった内容で、映画音楽的な側面もありながら、決してメタルとして退屈な内容にはなっていない。男性スクリーミングボーカルと、伸びやかな美声女性ボーカルの対比を活かしたドラマティックな楽曲が並ぶ。とにかくHelenaの歌が上手いので女性ボーカルファンにもオススメだ。このバンドの作品は、最初に本作、次に次作と順番に聴いていくのが良いだろう。

The Writ of Sword
Spinefarm Records　2011

地元レーベルに移籍して発売された2枚目。前作の最後に収録された「Novembré」(11月)からの続きで、「Dicembré」(12月)から始まる。冬と戦争がテーマになっており、前作よりダークでヘヴィだが、基本的には前作を順当に進化させた荘厳で劇的なメタルだ。前作に続きゲストミュージシャンが大勢参加しており、Turisas、Moonsorrow、Finntrollといった同郷のフォーク・ヴァイキングメタル界隈の著名バンドのメンバーの名も。なお、今作のジャケットはMikkoの兄弟が手がけている。

Amain
Metal Blade Records　2017

再びレーベルを移籍して、6年ぶりに発表された3rdアルバム。戦争の悲惨さや敗北がテーマにあるとのことで、ジャケットの裸で傷ついた一人佇む戦士は、オーディエンスの前に曝された彼らの状況にも重なるらしい。この売れ行きが芳しくなく、解散の原因となったのは皮肉な結果だが、決して質が低いわけではない。タイトルが意味する「全力で」の通り、4部構成でトータル16分に及ぶ組曲「Ten Winters Apart」を含む力作。テーマのせいか、これまでより物悲しさが漂うゴシックメタル寄りの作風だ。デジパック仕様。

HAMMER《ハンマー》 HORDE《ホード》

アメリカ出身なのに北欧ペイガニズムへの憧れからヴァイキング化！

アメリカ オハイオ州 トレド　2007～　Jayson Cessna (Dr, Key), Ryan Mininger (Gt, Key), Derik Smith (Gt, Vo), Jason Reynolds (Ba), Brock Bickelhaupt (Vo)

メロディック・デスメタルバンドForever Lostのドラマーと、ギタリストだったJayson CessnaとDerik Smithが、2007年に結成したメロディックデス/ヴァイキングメタルバンドがHammer Hordeだ。北欧のペイガニズムへの関心と、音楽としてのこのジャンルへの愛から、アメリカ出身ながらヴァイキングメタルをやり始めたとのこと。JaysonとともにデスメタルバンドA Gruesome FindでプレイしていたRyan Miningerが二人目のギタリストに、Ben McGeorgeがベーシストに、Forever LostのTom Sturnioloがボーカリストに加入して、バンドは結成翌年には5人体制となった。

この布陣でバンドは09年に、Ryanが運営するStorm Surge Recordsからフルアルバム『Under the Mighty Oath』でデビューを飾った。11年にBenが脱退するが、Ryanがベースを弾いて2ndアルバム『Vinlander』を制作する傍ら、後任にA Gruesome FindのJason Reynoldsを加入させ、同作を12年にリリースした。このタイトルはヴァイキングがアメリカ大陸をヴィンランドと呼んだことに由来する。13年のTomの脱退という危機を、後任にBrock Bickelhauptを迎えて何とか乗り越え、15年に3作目となる『Fed to the Wolves』を発表している。

Fed to the Wolves
Storm Surge Records　2015

ボーカルの入れ替わりを経て制作された3枚目。新ボーカルの低音グロウルを活かした作風としたためか、フォーク要素がやや減退して、Amon Amarthスタイルの無骨なメロディック・デスメタルにより近づいた。過去2作が1時間ほどのボリュームだったのに対して、今作はインスト2曲を含んで35分程度のコンパクトな作品となった。本作で特筆すべきはManowarの「Hail and Kill」のカバーが収録されていることであろう。4曲目の「Unholy Harbingers of War」はPVも制作された。

FOLKODIA《フォーコディア》

Folkearth メンバー増え過ぎで登場した汎ヨーロッパ主義！

フランス、イタリア、アルゼンチン、ドイツ、アメリカ、ギリシャ、ロシア、スイス、モナコ　2007～
流動的だが Gianluca Tamburini (Ba, Gt) や Hildr Valkyrie (Vo) が中心

Folkearth を 2004 年に立ち上げたリトアニアの Ruslanas Danisevskis（Metfolvik）が、その姉妹プロジェクトとして 07 年秋に設立したのが Folkodia だ。当時 Folkearth は全盛期にあり、参加メンバー数が増え過ぎたがために、二つに分けたという経緯である。だが、それ以外にもコンセプトの違いとして、Folkearth が北欧の神話・伝承やヴァイキングをメインテーマとしているのに対して、Folkodia は汎ヨーロッパ主義的なテーマを扱っている。

また、メンバーいわく、音楽的にも前者の方がヴァイキングメタル色が強く、後者はエピックメタル寄りらしいが、実際のところ大きな違いは感じられず、こちらも広義のヴァイキングメタルと言えよう。なお、二つに分けたとは言え、Gianluca Tamburini や Hildr Valkyrie といった中心メンバーを筆頭に、両方に参加しているメンバーも多い。

Folkodia も Folkearth と同様、08 年の 1st アルバム『Odes from the Past』を皮切りに、ロシアの Stygian Crypt Productions から多数の作品をリリースしている。13 年には設立者にしてリーダーの Metfolvik が癌との闘病の末に亡くなってしまったが、Folkodia は彼の遺志を受け継ぎ、17 年に 4 年ぶりのアルバムを発表した。

Battle of the Milvian Bridge
Stygian Crypt Productions　2017

リーダーの Metfolvik の死によるしばらくの活動休止を乗り越えて、前作から 4 年ぶりに発表された 7 枚目のアルバム。10 曲 43 分。紀元前 5 世紀のギリシャ艦隊とペルシア艦隊のサラミスの海戦、4 世紀の分担統治時代のローマ帝国で勃発したミルウィウス橋の戦い、ギリシャの探検家ピュテアスの世界の果てトゥーレへの航海、ローマ帝国軍により陥落させられたユダヤ人の最後の砦マサダ、などなど様々なヨーロッパの史実を歌詞のテーマに扱っている。3、8、10 曲目には、亡くなった Metfolvik の歌声も収録されている。

ÁRSTÍÐIR《アルスティジル》 LÍFSINS《リフシンス》

中世アイスランド学ドイツ人修士が現地アイスランド人巻き込む！

インターナショナル　2008～
Stefán (Gt, Ba, Piano, Vibraphone, Vo), Marsél (Vo), Árni (Dr, Percussion, Viola, Cello, Organ, Vo)

ドイツのペイガンメタルバンド Kerbenok の設立者 Stefán が、音楽で北欧の文学や芸術、歴史に取り組みたいと考えて 2008 年に始めたのが Árstíðir Lífsins だ。当時彼はアイスランド大学の、中世アイスランド学の修士課程の学生であった。そうしてアイスランドのドラマー / ヴァイオリニスト Árni と出会って曲作りを開始、地元ドイツのヴァイキング・ブラックメタルバンド Drautran のボーカル Georg と、ペイガン・ブラックメタルバンド Helrunar のボーカル Marsél が後に加入する。バンド名はアイスランド語で「人生の四季」の意で、彼らの曲の歌詞のバックボーンを象徴するものらしい。彼らの作品では物語の主人公が冬の終わりに生まれ、やがてまた冬に死ぬのだが、その間に起こる様々な出来事が人生だという。このバンド名には、彼らの歌詞が中世北欧の暮らしや歴史、神話を象徴的な形で表現するスカルド詩のオマージュだという意味合いもあるとのこと。バンドは Ván Records と契約を交わし、10 年に『Jǫtunheima dolgferð』でデビューする。12 年に 2 作目『Vápna lækjar eldr』（比喩的に「戦い」の意）を発表するが、Georg が私的な理由で脱退となった。以降は 3 人ですべてのボーカルパートをこなし、20 年までに合計 5 枚のフルアルバムを発表している。

Jǫtunheima dolgferð
Ván Records　2010

豪華デジブック仕様でリリースされた彼らのデビュー作。アイスランド大学合唱団の団員によるアイスランド叙情詩の歌唱を含む、9 曲 70 分超の大作。西暦 910 年頃のアイスランドの農夫の人生を描いたもので、タイトルの「ヨツンヘイムへの険しい旅路」は彼の人生の比喩表現だ。飢えと寒さで家族と家畜が死に逝き、農夫も冬の波に飲まれて溺死してしまう。アコースティックギターやヴィオラを効果的に配したメランコリックなブラックメタルで、1 曲の中でも起伏に富む。曲調こそ違えど、初期の Enslaved あたりにも通ずるだろう。

NOTHGARD《ノスガルド》

メロデスに変化後も雄々しいメロディがヴァイキングメタル系！

ドイツ バイエルン州 デッゲンドルフ　2008 ～ 2009 (as Nordavind), 2009 ～
Dom R. Crey (Vo, Gt), Skaahl (Gt), Felix Indra (Dr), Jan Jansohn (Ba)

2008 年にボーカルの Dom と、ドラマーの Toni によって Nordavind（北風）なるバンドが結成された。ほどなくして意見の相違によるメンバーの脱加入を経て、ノルウェーに同名のバンドがいたこともあり、彼らは改名の必要性を感じて、09 年秋頃にエピック・メロディック・デスメタルバンド Nothgard が誕生した。このバンド名は古の剣戟である Nothgarde に由来し、ペイガン / フォークのシーンにもっとメタルを持ち込み、楽曲に攻撃性を持たせたいという思いを意図したものとのこと。11 年の 1st アルバムの時点ではユグドラシルを想起させるバンドロゴにも窺えるように、北欧神話をモチーフとした、初期の Ensiferum のような土着的なメロディック・デスメタルをプレイしていた。以降はソリッドなバンドロゴに変えるとともに、モダンで硬質なメロディック・デスメタルへと音楽性を変化させている。ペイガン / フォークの要素はほぼ消失してしまったが、時折顔を覗かせる雄々しいメロディは依然としてヴァイキングメタルファンへの訴求力があるだろう。これまで毎作品異なるレーベルからの発売なのだが、18 年には Metal Blade Records と契約して 4th アルバム『Malady X』（人間社会を蝕む不治の病）を発表した。なお、14 年から Dom は同郷の Equilibrium にも加入している。

Warhorns of Midgard
Black Bards Entertainment　2011
彼らの音楽性が最もヴァイキングメタルらしかったデビュー作。Myspace で 09 年に公開されていたデモからの 2 曲の再録（うち 1 曲は改題）を含む 12 曲入り。中盤のクリーンボーカルによるコーラスが熱い「Arminius」（ローマ軍と戦ったゲルマン諸部族のリーダーの名）や、キャッチーな民謡リフが展開される「Under the Serpent Sign」など、特に前半は彼らの初期衝動が詰まった粒揃いだ。レーベル閉業に伴い CD はやや入手困難化したが、主要な配信サービスにも登録されているので一聴されたい。

GRIMNER《グリームニル》

ビデオゲーム愛好家、アコースティック作品も出してしまう！

スウェーデン エステルイェータランド県 ムータラ　2008 ～　Ted Sjulmark (Gt,Vo), Henry Persson (Dr), Kristoffer Kullberg (Key), Johan Rydberg (Flute etc), David Fransson (Ba), Martin Welcel (Gt,Vo)

ビデオゲームの大ファン

Grimner はスウェーデン南部の都市ムータラにて、リードギターおよびバッキングボーカルの Ted Sjulmark と、ドラムの Henry Persson、リードボーカルおよびベースの John Egnell の 3 人を中心に結成された。この 3 人はもともと Mortum Hatred というメロディック・デスメタルバンドを一緒にやっており、活動を続けるうちに、もっと特別なことをやりたいという話になった。Ted が北欧神話、民族音楽、ヴァイキングの伝承などへの興味を持ち始めた結果、バンドの音楽性はフォークメタルへと変遷していった。だが、その音楽性の変化を良しと思わなかった他のメンバーらは脱退、2008 年に同バンドは解散してしまった。そうして、最後まで同バンドに残った 3 人が、フォーク / ヴァイキングメタルバンドとして新たに結成したのが Grimner というわけだ。これは北欧神話の主神オーディンが人間に名乗った名前の一つで、神々と人間の繋がりを追求していきたいという思いからこのバンド名にしたそうだ。なお、彼らは特定の宗教や思想に染まっているわけではなく、単に神話や伝承が好きで、そういう物語を伝えたいだけとのことだ。Ted がビデオゲームの大ファンであることも関係しているのかもしれない。

10 周年を迎えるまで

結成から 2 年のうちに、リズムギター担当の Robin Österberg が脱退して Martin Petterson が加入、ヴァイオリニストの Cecilia Pintar が脱退、キーボーディストの Kristoffer Kullberg が加入、2010 年には自主制作で初のデモ音源である EP『A Call for Battle』を発表。この時点では英語の曲も存在したが、これ以降彼らは母語のスウェーデン語での歌詞にこだわるようになる。このデモは無料ダウンロードという形で公開され、好評を博した。このデモのリリース後、バンドはライブ活動も精力的にこなしていくが、John と Martin が脱退し、Ted がバッキングボーカルからリードボーカルに移行、リードギターとバッキングボーカルには Marcus Asplund Brattberg が後任に加入した。また、フルートやマンドラ、バグパイプなどの民族楽器を担当する Johan Rydberg が加入したのも同年のことだ。12 年にはベーシスト David Fransson が加入、スウェーデン語で旅を意味する 2 枚目の EP『Färd』を再び自主制作で発表、今作は正式な音源として販売され、好セールスを記録した。EP の成功でさらに多くのステージに立てるようになった彼らは、ロシアのレーベル Stygian Crypt Productions との契約に成功し、14 年 3 月に初のフルアルバム『Blodshymner』をリリースした。このアルバムを引っさげ、バンドは初となるツアーを実施、北欧諸国をまわり、デンマークの Vanir や同郷の King of Asgard、ベルギーの Ithilien、オランダの Encorion といった、フォークあるいはヴァイキングメタルバンドと共演を果たした。これにより、彼らはさらに知名度を上げ、15 年にはフィンランドのフォークメタルの大御所 Korpiklaani とも共演を果たす。また、同年には自主制作でアコースティック EP『De kom från norr』（彼らは北から来た）も発表している。かつて同郷のヴァイキングメタルバンド Månegarm のアコースティックカバーを路上で演奏している動画を公開したところ、反響が大きかったため、アコースティック EP を制作したとのことだ。16 年にはバンドは地元の Despotz Records と契約を交わし、出世作となる 2nd アルバム『Frost mot eld』を発表する。本作は世界的にウェブジンやブログで高い評価を獲得し、ここ日本でもそのクオリティの高さから話題となった。本作により彼らはヨーロッパの様々なフェスに呼ばれるようになる。17 年には 7 年間在籍した Marcus が脱退してしまうが、新たにギターとクリーンボーカルを担当する Martin Welcel が加入、バンド結成 10 周年の節目となった 2018 年に、3 枚目のアルバム『Vanadrottning』を発表している。

Blodshymner

Stygian Crypt Productions 2014

1st フルアルバム。過去に出した自主制作 EP『Färd』からの再録 2 曲や、結成当時の楽曲のヴァイオリンパートをフルートに差し替えたリメイクなどを含む、この時点での集大成的な全 10 曲。タイトルは「血の賛美歌」を意味する。ヴァイキングとキリスト教徒の抗争や、北欧の神々への生贄の儀式といったテーマを扱っているために、こういうタイトルになったのではないかと思われる。フルートを大々的に取り入れた音楽性は、マニアの間で話題となった。2018 年に Despotz Records から 2 枚組 LP もリリースされた。

Frost mot eld

Despotz Records 2016

地元のレーベルに移籍後、初のリリースとなった 2nd アルバム。デジパック仕様で発売された。タイトルは直訳すると「霜 vs. 炎」で、北欧神話の神々の最終戦争ラグナロクをテーマとしたコンセプトアルバムだ。デジタルシングルとして先行リリースされていた「Eldhjärta」（炎の心）は MV も制作された。扱っているテーマのせいか、ダークでメランコリックな歌詞が多めであるが、それに反してキャッチーで聴きやすい楽曲が多く、フォークメタルファンへの訴求力が高い楽曲が並んでいる。彼らの人気を確たるものとした傑作。

Vanadrottning

Despotz Records 2018

フルアルバムとしては 3 作目。今作もデジパック仕様。前作同様、神話や歴史がテーマだが、コンセプトアルバムではない。ギターを前面に出して、これまでよりヘヴィな楽曲がメインとなった。タイトルは北欧神話のヴァン神族の女王グルヴェイグを指し、アース神族とヴァン神族の戦争において、彼女は体を槍で貫かれ 3 回焼かれたが、その度に灰から蘇生したと言われている。ジャケットはそれを描いたもの。Månegarm の Erik Grawsiö がシグルズの神話に因む「Fafnersbane」（竜殺し）でゲストボーカルに参加。

Grimner インタビュー

回答者：バンド全体

Q：まず初めに、時間を取ってインタビューに回答していただいてありがとうございます。
Ted と Henry は Grimner の前に Mortum Hatred というメロディック・デスメタルバンドをやっていたんですよね？　メロディック・デスメタルを含め、みなさんに影響を与えたバンドや音楽についてお聞かせください。

A：どういたしまして！　ああ、そのとおりさ。俺たちが Mortum Hatred を始めたときには、はっきりとした影響がいくつかあったんだ。主として Children of Bodom、Wintersun、それから Amon Amarth だね。時が経って、Grimner を始めた頃に近づくと、まだそれらの影響はあったけど、Ensiferum や Månegarm、Thyrfing といった、もっとフォーク志向のバンドも見つけ始めたのさ。

Q：みなさんの歌詞はヴァイキングの歴史や北欧神話に基づいていますが、それらは有限だと思うのです。なので、時には他のバンドがすでに題材にしているのと同じモチーフについて歌詞を書かないといけないこともあるかと思います。他のバンドの歌詞と違いを出すために何か工夫はされていますのでしょうか？

A：それは確かに。北欧神話は歌詞を書くための無限の資源ではないね。スカンジナビアの古代の歴史についても同じことが言える。でも俺たちはいくつかの点で、他のバンドの歌詞と違いを出すために意識して努力しているんだ。例えば、本に載っているまま物語を語り直すのではなく、他とは違った見方からだったり、哲学的な要素を交えたりして昔の物語についての歌詞を書くのはよくやってるよ。時には他の方法で独自のひねりを加えたり、ごくたまには、北欧神話から強い着想を得た独自の物語を綴ったりもする。それにスウェーデンには古い民話がたくさんあって、それらの民話に基づいた曲を書いたりもしてるよ。古い物語に対して誠実でありつつ、それでいて陳腐にならないようにする方法はたくさんあると思うよ。

Q：みなさんは他の文化や地域の伝説や神話にも興味をお持ちでしょうか？　また、そういった物語を Grimner の歌詞のモチーフに利用する予定はございますか？

A：もちろんさ！　世界の大半の場所の神話はいつだって興味深いね。例えば他の多くの宗教が着眼していない死に強い焦点を置いた古代エジプトの宗教はとても興味深いよ。日本や他の東の国、アジアの神話も極めて魅力的だね。たぶん Grimner では北欧神話以外の物語は使わないだろうけどね。それは単純にこのバンドを北欧神話の上に築いたからで、北欧神話からだけでもシーンにたくさんのことを伝えられると感じているからなんだけど。

Q：Ted は King of Asgard でもギターを弾いていますよね。ではそちらからの影響もあったりするのでしょうか？

A：うーん、Ted は King of Asgard と一緒に演奏し始める以前から、彼らのファンだったから、曲作りに関して言えば、常に彼らから何かしらの影響はあったね。Grimner の音楽への影響はいつもあれこれと変化してきたけどね。でも手短かに答えれば、そうだね、どちらにせよ King of Asgard は間違いなく一役買ってるね。

Q：Ted は大のビデオゲームファンだとどこかで読みました。どのゲームジャンルが一番お好きですか？　また、お気に入りのゲームがもしあればオススメを教えてください。

Ted: 実際そのとおりだよ！　日本の RPG とアクション RPG がたぶんお気に入りのジャンルかな。RPG 全般と言ってもいいかな。お気に入りのゲームの話だと、今長いことハマって

るのはフロム・ソフトウェアのゲームだね。特に『Bloodborne』と、彼らの最新作『SEKIRO: SHADOWS DIE TWICE』、それに『DARK SOULS』シリーズもね。不変のお気に入りは『Mass Effect』シリーズと『ゼルダの伝説』シリーズだけどね。どんなゲームもこれらに代わることはないと感じているよ。あっ、新しい『ゴッド・オブ・ウォー』も素晴らしいね！　この作品にはすごく興味深い北欧神話の解釈があって、それがものすごく面白いんだ。

Q：それぞれの作品についてもお聞かせください。

以前はBandcampで『A Call for Battle』は無料配布、『Färd』は販売されていたのを覚えていますが、今はそれらの作品は公開されていませんよね。これはみなさんが、初期の作品に満足していないからでしょうか？　また、再録して再発する予定はございますでしょうか？

A：それらがなければ今いる場所に俺たちはいなかっただろうという意味では、それらの作品に今でも満足しているよ。もちろん、最近の作品ほどそれらがしっかりしているとは思わないけど、俺たちの歴史の一部だからね。それらの作品がもはや今日のGrimnerを表さなくなるところまで、俺たちの音は進化してきたから、もうそれらをそんなに宣伝しないし、プレスもしないってことだよ。俺たちが思ってるよりはるかに高い需要があるとしたら、もっとプレスするかもしれないけどね。再録に関しては、『Blodshymner』で聴くことができる「Färd」や「Forna dagar」、それから『Frost mot eld』用に再録された「Muspelheims härskare」（以前は「Eldvärldens härskare」だった）のようにすでに何曲かはリリースしてるんだよ。今後リリースするためにもう何曲か古い曲を再録する話はしているのだけど、たぶん『A Call for Battle』と『Färd』全体として再録盤をリリースすることはしないだろうね。

Q：『A Call for Battle』では歌詞は主として英語で書かれていましたが、今ではみなさんはスウェーデン語の歌詞を強く好まれているように感じます。この移り変わりの背景にある心の変化を説明していただけますか？

A：その理由は極めて単純だよ。俺たちが歌詞を書いている内容は実際俺たちの母語でのほうがより良く機能すると感じるんだ。スウェーデン語のほうが英語よりも古ノルド語に近いからね。英語にはうまく対応する語が存在しない単語もいくつかあるし、登場する場所や人物の名前の多くがスウェーデン語で書かれた歌詞とのほうが実際うまく馴染むんだ。実験的にまた何曲か英語の曲を書いてみることに関して話し合ってきたけど、どうなるかはわからないな。たとえやったとしても、俺たちの曲の大部分はスウェーデン語のままだろうね。

Q：『Färd』には「Bastu」（サウナ）がボーナストラックに収録されていました。スウェーデンのサウナはこの曲のように楽しく大騒ぎするような場所なのでしょうか？　日本ではサウナは静かでリラックスできる場所なので、この曲がサウナについての曲だと知って少し驚きました。

A:はいとも言えるし、いいえとも言えるね。スウェーデンのサウナは間違いなくリラックスして静かにじっとする機会としても使えるのだけど、一般に俺たちがサウナを使うとき、特に冬だと、それはある種のパーティみたいなものなんだ。サウナでビールを飲んで、酔っ払って、外に出て、雪の上を転げ回る（もしくはサウナ小屋が湖の近くだった場合は、凍てつく水に浸かる）、というこの一連のプロセスを数回繰り返す。雪も湖も簡単にアクセスできない場合は、通常近くにシャワーがあって、それで体を冷やすんだ。でもそういう場合でさえ、酒を飲んでワイワイやるのがやはり一般的だね。

Q：『Blodshymner』は世界的に流通した最

初のCDですね。この作品の最後の曲のタイトル「Hinn heiðinn siðr」はアイスランド語で「ペイガニズムの道」を意味すると推察されます。ここでスウェーデン語ではなくアイスランド語を使ったのはなぜでしょうか？

A：ああ、そうだね。アイスランド語はフェロー語と並んで、古ノルド語に最も近い言語だから、アイスランド語バージョンがペイガニズムの道のオリジナルに最も近いんだ。「Hinn heiðinn siðr」はインストゥルメンタルでの古の風習への礼賛で、歌詞がないから、タイトルにアイスランド語を使うことに決めたんだ。

Q：『De kom från norr』はメランコリックで美しいアコースティック作品でした。みなさんはYouTubeでMånegarmのアコースティックカバーを公開したら、良い反応が得られたからアコースティックアルバムを作ったとどこかで読みました。アコースティック作品を再度作る予定はございますでしょうか？

A：ありがとう。ああ、そのとおりさ。それらのカバーには多くのポジティブな反応が寄せられたし、フォークメタルのファンはメタルだけではなくアコースティック作品も好むことが多いというのはすごくいいことだね。またアコースティック作品を作ることはこれまで議論してきたけど、まだ単なる議論の段階で決まったことは何もないよ。今は他の何よりも新しいフルアルバムを完成させることに焦点を当ててるからね。でも少なくともMånegarm Open Air 2020では、アコースティック用に書き直された他の数曲とともに『De kom från norr』からの曲の大半を含む、初のオリジナル曲でのアコースティックセットリストをプレイするつもりだよ。これは楽しいだろうね！

Q：このアコースティックアルバムに収録された「Sorgesaga」（悲しみに満ちた物語）は戦争の悲劇的な側面を強調した曲かと思います。個人的にはこの曲は反戦のメッセージのように感じられました。北欧神話やヴァイキングに基づいた歌詞に社会的なメッセージを込めたりはされているのでしょうか？

A：誰もが自分の好きなように俺たちの歌を解釈することができる、それがリリシズムと音楽の美だよ。誰もにとってどんなものにでもなりうる。でもこの曲に関しては、俺たちは無防備な村人たちの視点からヴァイキングの襲撃の物語を綴りたかっただけなのは極めて明らかだと思うよ。多くの場合、戦闘の経験がない非武装もしくは貧弱な装備の人々を虐殺した単なるテロリストでしかないヴァイキングを、絶望的な状況を恐れず戦った戦士として栄光の光の中に見ることほど滑稽なことはないからね。俺たちはそれでもヴァイキングの征服と戦いの物語を楽しむけれどね。そして今日まで存続する歴史と神話を愛するよ。そうは言っても、俺たちは政治的なメッセージを念頭に置いた曲は書いたことがないし、これからもいつだって歌詞において中立であるつもりだよ。でもたとえ経験したことがなくても、戦争の現実は本当に恐ろしいものだということにはみんな同意できると思うな。

Q：『Frost mot eld』はラグナロクについてのコンセプトアルバムでした。これは「炎に対する霜」という意味であってますか？タイトル曲の歌詞の「Nu rämnar varje värld i en storm av frost och eld」（今やすべての世界が霜と炎の嵐に陥落する）が示すように、実際の北欧神話では霜の巨人も炎

戦争の現実は本当に恐ろしいものだ

の巨人もどちらも世界を破壊するものだと思います。ですので、なぜみなさんが「och（英語のand)」ではなく「mot（英語のagainst)」を使ったのか不思議に思いました。ご説明いただけますか？
また、私はこのアルバムのカバーアートが好きなのですが、この霜の軍隊と炎の軍隊が対決するシーンは作品中に登場しないのではないかと思います。このアートワークについても説明をお願いいたします。

A：両者とも世界の破壊者なのは確かだね。でも「Frost mot eld」はこの場合、ほぼシンボル的なフレーズなんだ。つまり最後の戦いでエインヘリヤルたちとムスペルの子らがそうしたように、二つの強大な力が激突して何も残らなくなるまで均衡した力で戦い合うというアイデアのね。だからこの場合、「霜」は霜の巨人ではなくて、むしろヴァルハラのオーディンの戦士たちのシンボルの意味合いなんだ。それから俺たちはラグナロクの戦いにおいてムスペルヘイムのそばに倒れた戦士たちというアイデアが好きで、それがあのアルバムのアートワークになったんだ。どちらももともとは人間だった二つの軍隊、ひとつは霜の軍隊でもうひとつは炎の軍隊が、神々と並行して、燃えかすと水しか残らなくなるまで戦い合う。さっき言ったように、物事にひねりを加えて、哲学的あるいは象徴的な側面を扱いたいんだ。

Q：このアルバムはGrimnerの初めてのコンセプトアルバムでした。コンセプトアルバムを作るにあたって、どのような工夫や苦労があったか教えていただけますか？

A：そのアルバムを出してからもう数年になるけど、実際のところ、普通のアルバムよりもコンセプトアルバムを作るのが大変という

ことはなかったのを覚えているよ。コンセプトアルバムはバンドのみんなが賛成したことで、そのプロセスはとても自然に感じられたね。一番骨が折れたのはたぶん、アルバム全体を通して続く歌詞のコンセプトを思いつくことだったかな。それは普通のアルバムであれば何ら強制されないことだから。それに俺たち以前に他のバンドがすでにやったのとまったく同じものはやりたくなかったから、ラグナロクについての物語を別の視点から、そして出来事についての俺たち独自の見方を加えて書くことに決めたんだ。前も言ったように、何度も何度も同じように語られた物語を再度語りたくはないからね。

Q：『Vanadrottning』はこれまでの作品よりヘヴィな曲が増えました。「Sången om grimner」（Grimnerの歌）はオーディンが人間たちの前に現れ、自分が本当は何者なのかを語ったという物語についての曲ですよね？　この曲のタイトルは、みなさんがこれを代表曲にしたいと思っていることを示唆していると感じました。そのような意図はございますか？

A：正しいよ、うーん、それよりはもう少し複雑なのだけど、彼が自身の正体を明らかにするところで物語が終わるのは確かだね。実際にはちょっとした偶然の一致で、俺たちはこの昔話からバンド名を採ったのだけど、急にその物語についての曲も書いてみたくなって、このタイトルが曲にぴったりとフィットしたんだ。この曲はライブでまったく演奏したことがないし、実際ヒットシングルでもないから、そういう風に俺たちの代表曲にしようという意図があったとは思ってないよ。何よりこの曲はアルバムのエピックな締めくくりとしてうまく機能したとは実際考えているよ。

Q：日本についてもお聞かせください。日本のメタルで知っているバンドはございますでしょうか？　あるいは日本の音楽で好きなものはございますか？

A：当然さ！　俺自身、伝統楽器を使った日本のフォークミュージックが大好きで、曲を書く時にインスピレーションを得ることも多いんだよ。メタルに関して言えば、パーティとかで和楽器バンドを聴くこともあるね。あと俺はとりわけ 9mm Parabellum Bullet（どちらかと言えばポストハードコアだけどそれでも）とマキシマムザホルモンも聴くよ。でも日本からの良いメタルバンドをもっと見つけたいね。スカンジナビアでは大抵日本のメタルはあまり宣伝されてないんだ。

Q：みなさんは日本のフォーク / ヴァイキングメタルファンの間でどんどん人気を増しているように感じます。なので日本にライブをしに来る予定はありますでしょうか？

A：それを聞いて本当に嬉しいよ！　直近での予定はないのだけど、それはいつも需要の問題だからね。日本のプロモーターが俺たちを招聘する価値があると感じるぐらい俺たちの日本での人気が高まれば、ああうん、絶対に日本に行くつもりだよ。できるだけ早くそのチャンスを手にできるよう願ってるよ！

Q：もし来日することがあれば、日本で行ってみたい場所ややってみたいことについてお聞かせください。

A：そうだな、Koff（キーボーディスト）はすでに何度か日本に行ったことがあるから、彼は自分が何をしたいかわかってると思うね、はは。俺たちは通常、訪れるどの国であっても、そこの本物の文化を体験したいだけさ。日本にはとても豊かな歴史があるから、遺跡や建物など日本の歴史や遺産に関連する所を訪ねたいよ。それから食べ物や飲み物も大好きだから、本格的な郷土料理はマストだね！　あと俺たちはたぶん観光好きだから、時間と機会があれば嵐山に行きたいね。

Q：最後になりますが、日本の読者とファンに何かメッセージをお願いいたします。

A：読んでくれてありがとう。これらの質問に答えるのは楽しかったよ、Grimnerとフォークメタルのサポートと布教を続けてくれよ！　そしたら願わくばそう遠くない未来にみんなに会えるだろうから。神々に万歳！

DRAUGÛL《ドローグル》

トールキン愛好マルタ人、スウェーデン移住しヴァイキング化！

マルタ ▶ スウェーデン ヴェステルボッテン県 シェルレフテオー 2009 ～
Hellcommander Vargblod (Vo, All instruments, Drum programming)

Draugûl はマルタ共和国の Hellcommander Vargblod なる人物が 2009 年頃に立ち上げたワンマン・ヴァイキング / ブラックメタル・プロジェクトだ。彼はもともとブラックメタルをやっていたが、J・R・R・トールキンの作品や北欧神話に触発されてこれを始めたという。バンド名は『指輪物語』に登場する人工言語の暗黒語で「狼の呪い」のような意味らしい。6 歳からメタルを聴き始め、Slayer に一番影響を受けたが、本プロジェクトは Bathory と Burzum に着想を得たそうだ。

ドイツの Pesttanz Klangschmiede のオーナーが彼を YouTube で見つけて契約に至り、13 年にアルバム『The Voyager』でデビューを果たした。翌 14 年に 2 作目『Tales of Loot and Plunder』を発表、この頃に彼は自然を求めてスウェーデンに移住した。15 年の『Chronicles Untold』を最後に同レーベルを離れ、17 年に『Winterspell』を Vegvisir Distribution から発表、以降再度レーベルを移籍してポルトガルの一人ヴァイキングメタル Antiquus Scriptum とのスプリットや EP『Plagueweaver』を発表している。なお、彼は 13 年に Khaospath、19 年に Myronath というブラックメタルバンドも立ち上げている。

The Voyager
Pesttanz Klangschmiede 2013

500 枚限定で発売されたデビュー作。Bathory の「One Rode to Asa Bay」のカバーを含む 10 曲 56 分。ミドル～スローテンポ中心の楽曲にうっすらとシンセが被さり、ヴァイキングメタル期の Bathory からの影響が見え隠れするが、ブラックメタルの要素が色濃い楽曲も。「Kazikly Voyvoda」（串刺し公。ヴラド・ツェペシュを指す）や「The Curse of Heoroth」（牡鹿の宮殿の呪い）など、語りや女声ボーカルを取り入れたり、楽曲をエピックでドラマティックにしようという思いが感じられる。

KING《キング》 OF《オブ》 ASGARD《アスガルド》

元 Mithotyn、Falconer が再度集い、数々の有力者が参入！

スウェーデン エステルイェータランド県 ミェルビュー　2008～
Karl Beckmann (Vo, Gt), Jonas Albrektsson (Ba), Mathias Westman (Dr), Ted Sjulmark (Gt)

旧友との再会

スウェーデンのミェルビューを拠点とするヴァイキング / ブラックメタルバンド Mithotyn は 1999 年に惜しくも解散してしまった。そこでギタリスト兼キーボーディストのポジションにあった Karl Beckman は、バンドの解散後、それまでとは何か違ったことをやりたいと思い、しばらくの間、Judas Priest のカバーなどを演奏していたらしい。その流れで 2002 年にヘヴィメタルバンド Infernal Vengeance を立ち上げたが、このバンドはデモ音源をいくつか制作したのみで、それ以上の発展的な活動には至らなかった。

Mithotyn 解散後にフォーク / パワーメタルバンド Falconer で活躍していた当時のバンドメイトでドラマーの Karsten Larsson と、彼は再びバンドをやりたくなり、何度かコンタクトを試みるも Karsten が多忙なためになかなか実現しなかった。そこで、2007 年にやりたい音楽をある程度形にして提示した上で、今一度オールドスクールなヴァイキングメタルをやってみないかと再度持ちかけ、その結果誕生したのが King of Asgard（北欧神話のアース神族の国アスガルドの王）だ。Karl はそのバンド遍歴においてマイクを取っていたこともあり、このバンドでもボーカルとギターを担当している。

二人で意気投合してレコーディングに勤しんだ結果、09 年 1 月には 7 曲入りのデモ CD『Prince of Märings』を完成させた。ちなみに、これはスウェーデンに現存する Rök というルーン石碑に登場する表現で、Märings は東ゴート族の一味、全体としておそらくテオドリック大王を指すと思われる。同年 11 月には、かつてスラッシュ / デスメタルバンド Indungeon でベーシストとして Karl と活動をともにしていた Jonas Albrektsson が加入、3 人体制となった彼らは、より真剣に活動を検討するようになった。そうした中で、先のデモ音源が所々のメタルレーベルの関心を惹き、12 月にはアメリカの大手レーベル Metal Blade Records との契約が成立した。

Mithotyn の影を乗り越えて

2010 年 3 月にはスウェーデンの Sonic

Trainスタジオで、デビュー作となるフルアルバム『Fi'mbulvintr』のレコーディングを行い、同年8月にリリース、あわせてそのプロモーションのために、収録曲「Einhärjar」（死せる戦士エインヘリヤル）のミュージックビデオを作成してYouTubeで公開した。これにより、当然のことながらMithotynの再来だと、彼らは当時のシーンで話題になった。ただ、実際当初はMithotynのスタイルを念頭に置いていたし、影響があるのは自然なことだが、曲作りを重ねるにつれて考えが変わっていったとKarlは語っている。

バンドはその後のライブ活動のために2人目のギタリストが必要だと判断し、Karstenとともにかつてメロディック・ブラックメタルバンドDawnで活躍（当時はベーシスト）したLars Tängmarkを2010年8月に加入させる。こうして盤石の布陣となった彼らは、10年から11年にかけて、数々のフェスやライブハウスでのギグで成功を収める。12年初めには2枚目のフルレングス『...to North』のレコーディングを完了させ、同年7月にリリースした。これはJonasがより深く作曲に携わるようになり、前作より楽曲の幅に多様性が出たアルバムとなっている。次いで14年には3rdアルバム『Karg』をリリースと、順調かに見えた活動だが、15年、KarstenとLarsが脱退してしまう。

ドラマーの後任にはJonasが並行して在籍しているデスメタルバンドVanhelgdのMathias Westmanを、そしてギタリストには同郷の若手フォーク/ヴァイキングメタルバンドGrimnerの中心人物Ted Sjulmarkを迎え入れ、彼らは活動を続ける。16年にはドイツのフォーク/ブラックメタル系の小規模レーベルTrollmusicに移籍、同年リリース予定だった4枚目のアルバム『:taudr: 』は、当初の予定より半年近く延期することになったが、翌17年3月に無事リリースされている。

Fi'mbulvintr
Metal Blade Records　2010
デビュー作。タイトルは「フィンブルの冬」の意で、北欧神話では世界の終末ラグナロクの前兆として、3度の冬が続くと言われている。国内盤も『大いなる冬』の題で発売された。民謡フレーズがそこかしこに取り入れられ、Mithotynを思わせるようではあるが、シンセによる装飾はなく、ブラックメタルよりメロディック・デスメタル寄りのメタリックでヘヴィな音になっている。本作にはかつてMithotynに短期間在籍した女声ボーカリストで、FalconerのMathiasの兄弟のHelene Bladもゲスト参加。

Karg
Metal Blade Records　2014
スウェーデン語で「不毛」を意味する3rdアルバム。Bathoryの「Total Destruction」のカバーをボーナストラックに含む9曲入り。今作も北欧神話や歴史を題材としたもので、このタイトルは年月の経過や難事に打ちのめされて、荒涼としつつもどこか誇らしくそこにある風景や、困難が付き物だったヴァイキングの時代の空気感を表そうとしたものとのこと。そういうわけで、本作はダークでブラックメタル色が強まり、メロディも控えめな作風となった。「The Runes of Hel」はMVも制作された。

:taudr:
Trollmusic　2017
レーベルを移籍して発表された4作目は、5曲33分というフルアルバムにしては少々物足りなさを感じるリリースとなった。デジパック仕様。このタイトルは造語で、彼らの地元にある石にルーン文字で刻まれたtautherという死を意味する語を、古スウェーデン語で死を意味するdöderの綴りや発音に近づけたものらしい。それゆえ本作は、死や死後の世界がテーマである。ライブのプロモーターからのMithotynの曲を演奏してほしいとの要請に答える形で、「Upon Raging Waves」のセルフカバーが収録された。

SKÁLMÖLD《スカウルモルド》

サーガ形式に則った歌詞でアイスランド交響楽団ともコラボ！

アイスランド レイキャヴィーク　2009 ～　Snæbjörn Ragnarsson (Ba,Vo), Björgvin Sigurðsson (Vo,Gt), Jón Geir Jóhannsson (Dr,Vo), Baldur Ragnarsson (Gt,Vo), Þráinn Árni Baldvinsson (Gt,Vo), Gunnar Ben (Key,Vo,Oboe)

もう若くないと思った

アイスランドの首都レイキャヴィークで2009年8月に、幼少からの親友で過去にバンドをともにしたこともあるベースのSnæbjörn Ragnarssonと、ボーカルのBjörgvin Sigurðssonにより結成されたのがSkálmöldだ。ほどなくしてドラムのJón Geir Jóhannsson、ギターのBaldur Ragnarsson（ベースの弟）、同じくギターのÞráinn Árni Baldvinssonの3人が加入、当初は趣味的な活動のつもりだったが、もう若くない（当時彼らの平均年齢は約30歳）と思った彼らは一転、デビュー作の構想を練り始める。結成から数ヶ月後、キーボードのGunnar Benが加入してバンドの布陣が固まった。特にGunnar Benの加入は、彼がクラシックのバックグラウンドを持っていたがために、バンドの音楽性に新たな色合いを添えることになった。

バンド名は古アイスランド語で文字通りの意味としては「剣の時代」であり、転じて「無法」という意味もあるようだ。アイスランドに入植したヴァイキングたちは小さなグループごとに住み着いており、このグループの長をゴジという。「剣の時代」とは、12世紀の後半から13世紀に一部のゴジが有力化して闘争を繰り返した時代を指す。

10年1月には2曲入りのデモ音源を制作（発表はしていない）してバンドが進むべき音楽性を定め、その4ヶ月後には1stアルバムのレコーディングのためスタジオに入る。その一方でバンドは国内のレーベルとの契約を結ぼうとするが徒爾に終わったため、フェロー諸島のTutl Recordsと契約を交わし、同年11月にデモの2曲を含むアルバム『Baldur』をリリースした。これがオーストリアの大手レーベルNapalm Recordsの目に留まり、11年4月に同レーベルと契約、7月に『Baldur』はワールドワイドに再販された。この再販に加えて同年9月から10月にかけてHeidenfestというヨーロッパツアーをTurisas、Finntroll、Alestormといったメジャーなバンドとともに実施、一気に知名度と人気を上げることに成功する。

そろそろ音楽以外にも力を入れる時期

ツアーから戻った彼らは歩みを止めることなくスタジオに入り、次のアルバムの制作に着手、2012年10月には早くもセカンドアルバム『Börn Loka』を発表する。翌13年は同作のプロモーションを兼ねて、Finntrollとともにツアーで各地をまわったのだが、特筆すべきは11月にアイスランド最大のコンサートホールHarpaにて、アイスランド交響楽団とともにライブを実施したことだ。3回のライブはいずれもソールドアウトし、このうちの1回は同年12月に『Skálmöld og Sinfóníuhljómsveit Íslands』（Skálmöldとアイスランド交響楽団）というタイトルで、CD+DVD仕様でリリースされている。14年11月には3枚目のフルアルバム『Með vættum』を発表、これまでの作品より暗くて重い作品となったが、やはり好セールスを博し、バンドのシーンにおける地位を揺るぎないものとする。このアルバムを引っさげて、バンドはEluveitieやレーベルメイトのArkonaとともにツアーで各地をまわり、15年はHammerfestやRockharz Festivalなどのフェスへの出演、再度Eluveitieとのツアーなどを行う。

16年9月には4枚目のアルバム『Vögguvísur Yggdrasils』（ユグドラシルのララバイ）を発表、同日レーベルメイトのAlestormと、Skálstorm名義でお互いのカバーを収録した7"もあわせてリリース、レーベルの力の入れようが窺える。18年10月には『Sorgir』（悲しみ）をドロップしたが、19年4月に、12月21日をもって活動を休止すると Facebookで発表する。10年活動してきて、そろそろ音楽以外の物事にも力を入れる時期だと感じてのことだった。無期限ということで今後の活動が心配されたが、この休止は思いのほか短期間で、20年に活動再開、10周年記念ライブ作品を発表している。

Baldur
Tutl Records 2010

デビュー作。架空のヴァイキングBaldur（バンドのギタリストの名に因む）の物語を、アイスランドに伝わるサーガに則った形式の歌詞で歌い上げている。悪魔のような生物に国を滅ぼされ、家族を殺されたBaldurは二人の友を携え、復讐の旅に出て勝利を収めるが、深手を負って命を落としてしまう。彼はヴァルハラで家族と再会するのだ。ミドルテンポ主体の漢臭いメタルサウンドだが、民謡成分たっぷりで聴きやすい。Napalm Recordsからの再発盤には、タイトル曲を含む2曲がボーナストラックに追加収録された。

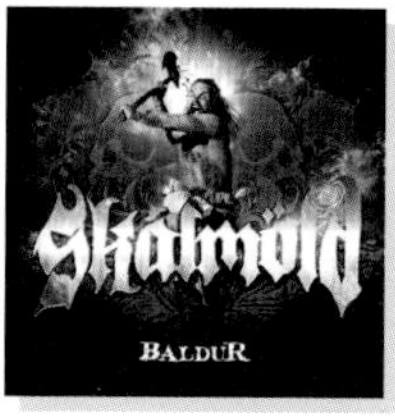

Börn Loka
Napalm Records 2012

レーベルを移籍して発表された2作目。デジパックの限定盤には、ボーナストラックを1曲追加。タイトルは「ロキの子どもたち」の意で、フェンリル、ヨルムンガンド、ヘルの3者をゲストボーカルを交え、ボーカルスタイルの差異により演じ分けている。主人公Hilmarはオーディンの命を受け、これら3者を討伐するが、ロキの復讐により彼の妹は死ぬこともできず、永遠に苦しむことになるというバッドエンドの物語が綴られた。コーラスをまとった勇壮な曲は神々しくさえある。なお、彼らのオフィシャル・ファンクラブは本作と同名だ。

Með vættum
Napalm Records 2014

3rdアルバム。キーボードのGunnar Benの娘の名に因んだÞórunn Auðnaという、架空の女英雄の生涯をテーマにしたコンセプトアルバムだ。彼女は春夏秋冬、アイスランドの北、東、南、西に向かい、それぞれハゲワシ、竜、巨人、雄牛の助けのもと、国を守るため敵と戦った。vættumはアイスランド神話に登場するこれらの超自然的存在を指し、Meðは英語のwithである。前2作よりヘヴィになり、若干キャッチーさが低減している。今作もデジパックの限定盤が発売され、ライブ音源が2曲追加収録されている。

VANIR《ヴァニア》

スカンジナビアのヴァイキングメタル不毛国デンマークで奮闘！

デンマーク シェラン地域 ロスキレ　2009 ～　Lars Bundvad (Ba, Vo), Philip Kaaber (Gt, Vo), Martin Holmsgaard Håkan (Vo), Daniel "Luske" Kronskov (Dr), Kirk Backarach (Gt), Stefan Dujardin (Key)

2009 年の冬、ベーシスト Lars Bundvad、ギタリスト Philip Kaaber、ドラマー Martin Holmsgaard Håkan の 3 人が、ジャムセッションを行ったのがフォーク / ヴァイキングメタルバンド Vanir の始まりだった。その後、ヴァイオリニストの Sabrina Glud が加入してメタル＋フォークという方向性が定まりだし、バグパイプやフルートを担当する Sara Oddershede、同じくフルート担当の Amanda Natalie Rasmussen、ボーカルとキーボード担当の Andreas Bigom、ボーカリスト Mike Pedersen が加わって 8 人の大所帯となった。覚えやすくて北欧神話関連のバンド名がいいということで、ヴァン神族を指すこの名にしたとのこと。

バンドは 10 年にデモ音源『Jörmungandr』（ヨルムンガンド）を発表し、Mighty Music と契約を締結、11 年に『Særimners kød』でデビューを果たした。以降数々のメンバーチェンジやパートチェンジを繰り返しながら、20 年までに 5 枚のフルアルバムを発表している。初期はフォークの要素が強かったが、ヴァイオリニストやフルート奏者脱退の影響もあってか、シンセの装飾はあれど、次第に無骨なデス / ブラックメタルの要素が強まった。5 枚目『Allfather』ではついに国内盤デビューも果たした。

Særimners kød
Mighty Music　2011

1st アルバム。タイトルは「セーフリームニルの肉」の意で、これは北欧神話に登場する猪で、アース神族やエインヘリヤルたちの食料とされている。ジャケットはエインヘリヤルが戦場から帰還して、宴でその肉を食べているシーンを描いたもので、本作を含めバンドのアートワークはすべてベーシスト Lars が手がけている。本作では Korpiklaani の系譜にある陽気なフォークメタルの要素が強いが、後の音楽性への移行を感じさせる攻撃性も兼ね備わっている。本作から順番に聴いていくと、音楽性の変遷を受け入れやすいだろう。

Vanir インタビュー

回答者：Martin

Q：デンマークはユトランド半島に属しており、数多くの伝承や神話があるかと思われます。しかし、ことヴァイキングメタルの話となると、特にノルウェーやスウェーデンと比べて少ししかバンドがいません。私が知る限り、みなさんと Heidra だけがデンマークにおけるヴァイキングメタルバンドかと思います。みなさんの国のメタルシーンについてどのように思われますでしょうか？

A：ヴァイキングメタルシーンは他のスカンジナビアの国々より小さいよ。どうしてなのか常々不思議に思っているんだ。俺が思うには、デンマークの音楽産業と関係があるんじゃないかってね。メタルシーン全般が小規模だし、縁故主義が強いからな。そうは言っても、芽が出つつあるバンドはたくさんいるし、もっと激しいメタル勢が日の目を見ることを願ってるよ。でも Vanir はデンマークの先頭に立つヴァイキングメタルバンドとしてカラスの旗（訳注：ヴァイキングがよく用いていた）を掲げ続けるけどね！

Q：みなさんは 8 人組バンドとしてスタートしたのですよね？　初期の頃は、ヴァイオリンや民族楽器を演奏するメンバーがいましたが、今はいません。みなさんの音楽性は陽気なフォークメタルから、徐々にソリッドなメロディック・デスメタルへと変遷してきました。これはそのメンバーチェンジが理由でしょうか？　それとも、みなさんは音楽性を変更したくて、その結果としてメンバーチェンジが発生したのでしょうか？　もし後者だとすると、なぜ音楽性を変更したかったのかご説明いただけますでしょうか？

A：フォークメタルからメロディック・デスメタル（ヴァイキングメタル）へと俺たちが変化したのはそのとおりさ。俺たちがバンドを始めた頃は、演奏していて楽しいバンドを目指していて、ライブに重きを置いていたんだ。年月とともに俺たちはそれに飽きて、他のサウンドを試してみたくなった。Vanir の民族楽器担当メンバーたちは 2014 年に脱退して、それから俺たちは今日の Vanir への旅路に就いたんだ。これまでで最強のラインナップでね！　俺たちにとっては『Allfather』が Vanir のサウンドなんだ。でも 2020 年には昔の曲のいくつかを新しい Vanir の音で録り直した 10 周年記念デジタル EP を出したんだ。

Q：みなさんは 1st アルバムではすべての歌詞をデンマーク語で書かれていましたが、2nd アルバム以降では英語も使っています。これはより多くのリスナーをターゲットにしたからでしょうか？　個人的にはペイガン / ヴァイキングをテーマにしたメタルバンドは母語の歌詞に英語訳をつけるのがベストだと思っています。

A：それはデンマーク国外の多くのファンからの要望だったんだ。それと、その曲の元ネタが英語で思い浮かんだって場合もある。でも俺たちはいつだって母語に焦点を合わせていくだろうね。

Q：みなさんの 1st アルバムは主として北欧神話についてだと思います。タイトルがエインヘリヤルが戦いに勝利した後にセーフリームニルの肉を食べるシーンについてなので、このアルバムには陽気なフォークメタルの曲がたくさん収録されていました。2nd アルバムの『Onwards into Battle』は神話だけでなくヴァイキングの歴史、特に遠征やキリスト教に対する戦いにも焦点をあてました。そういうわけで前作より勇ましくてヘヴィなサウンドなのかと思われます。それで 3rd アルバムの『The Glorious Dead』なのですが、この作品のコンセプトやテーマについてご説明いただけますでしょうか？　タイトル曲の歌詞を読んだのですが、何についての曲なのかがわかりませんでした。おそらくこのアルバムは 2nd アルバムの延長線上にあって、神話やヴァイキングの歴史のダー

クな側面を取り上げたのかと思いますが、合ってますでしょうか？

A：3rdアルバムは後期鉄器時代や、ゲルマン民族とヴァイキングの歴史上の、それからローマとD-Day（訳注：「Fall of the Eagle」がゲルマン民族の首長アルミニウス、「The Flame of Lindisfarne」 が教会を襲撃したヴァイキング、「The God Emperor」がおそらくローマ皇帝ネロ、「Overload」がノルマンディー上陸作戦についての曲。

鉄器時代後期は明確ではないが「The Glorious Dead」に伝説が鉄に刻まれるというくだりがある）における様々な種類の英雄についてなんだ。俺たちはもっとダークな音のアルバムを作りたかったし、歴史上で倒れていった戦士たちに賛辞を送りたかった。メインフォーカスとしては、ヴァイキング/フォークメタル・サウンドをいかにダークにすることができるかという実験だったんだ。例えば「Blood Sacrifice」はオーディンに捧げられる人間の血についての歌だしね。

Q：4thアルバムの『Aldar Rök』についてもコンセプトやテーマの解説をお願いできますでしょうか？　少なくともこのタイトルはラグナロクに関連があって「人類の定め」や「時代の終焉」のような意味なのかとは思います。本作も2ndアルバムからの延長線上

にまだあって、前作からさらにダークになったのでしょうか？

A：『Aldar Rök』はまさにそのとおりだよ。古いVanirの終焉であり、新しいVanirの開闢である。新しいロゴ、ラインナップ、などなどね。「Black Legion」はラグナロクの際に蜂起する死者の軍隊についてで、アルバム全体として新たなるよりダークでよりヘヴィな音で2ndアルバムのテーマを延長したものとして捉えてもらっていいよ。Vanirが当時どこに向かっていたかの証左だね。

Q：みなさんの最新アルバム『Allfather』は主としてデンマークの双叉髭王スヴェン1世についてですよね。彼は異教を信仰して、父青歯王ハーラル1世（訳注：彼はキリスト教化を進めた）と戦いました。また、最新デジタルシングルの「MCCXIX」は1219を表すローマ数字で、その年にはリュンダニの戦い（訳注：デンマーク軍とエストニア軍の戦い）が勃発しました。多くのヴァイキングメタルバンドが北欧神話について綴るので、ヴァイキングメタルバンドは音楽だけでなく歌詞の点でも独自色を打ち出すことが大切だと思います。この意味において、みなさんがデンマークの歴史に言及したのはとても良いと感じました。みなさんはどうお考えでしょうか？

A：俺たちは歴史や祖先に歌詞のメインフォーカスを当てているよ。俺たちは基本的に歴史をすごく重んじていて、だから歴史について書いているんだ。『Allfather』は君が言ったようにスヴェン1世とその盛衰についてだね。彼は最後のヴァイキング

王の一人で、時には彼の父に並ぶほど重要な人物なんだ。彼は自由な信仰をする権利のために戦った戦士の王なのさ。シングル「MCCXIX」は神からのお告げとしてデンマーク国旗が空から降ってきた戦い（訳注：それまでエストニア軍相手に苦戦していたのが、この旗が空から降ってきて形勢逆転して勝利したとの言い伝えがある）についてだね。歴史のコマ全体が誤りで、キリスト教のプロパガンダだから、俺たちは白いキリスト（訳注：ヴァイキングはキリストをWhite Christと呼んだ）の名のもとに行われた大量虐殺について別の物語を伝えたかったんだ。歴史は一面的で、「批判的になることなく信じるにたるものだ」と考えてるやつらみんなに対する批判としてね。

Q：みなさんはAmon Amarthからの影響を公言されてますよね。また、最新アルバムにManowarの曲（訳注：「Thor（The Powerhead）」）のメロディック・デスメタルカバーを収録されましたので、Manowarの影響も受けたのかと思います。カバーにManowarを選んだ理由を説明していただけますでしょうか？

A：俺たちは実際のところ、たくさんのバンドに影響されてるんだ。Black Sabbathがすべてのリフを生み出したことをメタルファンなら誰でも知っているようにね……って冗談はさておき、俺たちにとってその他大勢より意味を持つバンドがいるのは確かだよ。Manowarをカバーしたのは曲のテーマ（訳注：北欧神話のトール）のためと、メロディック・デスメタルサウンドにしたら面白くなりそうだと思った古い曲だからかな。

Q：Lars（訳注：Vanirのベーシスト）によるアートワークが大変気に入りました。それぞれのアルバムのジャケットについて解説をお願いできますでしょうか？

A：1stアルバムのジャケットはセーフリームニルを食べているヴァイキングで、2ndはスルトと戦う（1stアルバムと同じ）ヴァイキング、3rdアルバムは同じヴァイキングが歴史上の戦士たちのそばに一人で立っていて、『Aldar Rök』は一つに融合したオーディンのカラス（訳注：フギンとムニンの二羽のカラス。それぞれ思考と記憶を意味する）、そして最新の『Allfather』は片目から血を流すオーディンの仮面で、これはスヴェン1世と彼の父親との戦いで流れた血を象徴しているんだ（訳注：オーディンはミーミルの泉に片目を捧げて叡智を得た）。

Q：彼の名をネットで検索すると、SF作品やボードゲームのアートワークが出てきました（これらがVanirのLarsと同じ人物によるものなのかは不確かですが）。みなさんはバンドとして神話や歴史以外にも関心をお持ちでしょうか？

A：Larsは仕事としてデザインをやっているから、それらは彼の作品かもしれないね。でもVanirは神話や歴史を中心としたバンドだから。それから異教徒の信念体系の諸相についてもね。

Q：みなさんはアーティスト写真においてヴァイキング戦士のようなコスチュームにもこだわっていますよね。バンドの文字通りの見た目も重要だとお考えでしょうか？

A：これまでの回答のひとつでも言及したように、ライブは俺たちにとって常々重要だったんだ。ライブを、そしてバンドに対して抱く感触を良い体験とすることがね。だからコスチュームはそれを確かにするためのの、そして俺たちの音楽の歴史的な焦点を強調するためのひとつの手段だと言えると思うよ。それに鎖帷子、剣や斧が好きじゃないやつなんていないだろ!?

Q：最後になりますが、日本のファンや読者に何かメッセージをお願いします。

A：やあ、日本のみんな！　極寒の北の地からみんなに敬礼を！　そしていつの日か君たちの素晴らしい国でライブして、日本の強きエインヘリヤルとヴァルキュリヤたちに加われることを願ってるよ！
父なる神に万歳を。

FESKARN《フェスカーン》

SoundCloud と YouTube が主戦場の電子音楽制作漁師！

スウェーデン ウプサラ県 ウプサラ　2010 ～　Niklas Larsson (Vo, Gt, Mouth Harp, Programming)

Feskarn はスウェーデン中部に位置する都市ウプサラで、Niklas Larsson なる人物が 2010 年に立ち上げた一人フォーク / ヴァイキングメタル・プロジェクトだ。彼自身 Feskarn と名乗っており、Feskarn とは方言で漁師を意味する模様。本プロジェクト以前に彼は様々なジャンルの電子音楽の制作をしては SoundCloud に投稿しており、Feskarn もその延長線上で、当初は SoundCloud での楽曲公開がメインの活動だった。

転機となったのは 12 年 10 月頃、ドイツのメタルレーベル Pesttanz Klangschmiede と契約を交わしたことだ。すでに曲のストックが充分あったこともあり、同年 12 月にはアルバム『Raise Your Swords』でデビューを果たした。本作の発表後、彼はすぐさま次作の制作に取り掛かり、13 年夏にはほぼ制作を終えていたようだ。しかし、前作からの期間が短か過ぎたためか、レーベルとの話し合いの結果、14 年初頭まで待って 2nd アルバム『Östra Aros』が世に出る運びとなった。16 年にウプサラのライブハウスでマウスハープの演奏をするなどしたようだが、2nd アルバム発売以降、他のメタルバンドのライブ動画や、ゲームのプレイ動画を YouTube に投稿しているだけの状態が続いていた。しかし、21 年にようやく 3 作目『Ravens Way』が発表された。

Östra Aros
Pesttanz Klangschmiede　2014

前作同様 500 枚限定で発売された 2nd アルバム。タイトルは Feskarn の地元ウプサラのかつての呼び名で、メーラレン湖の「東の河口」のような意味合いらしい。ざらついたギターに大々的にシンセを取り入れたサウンドで、デスボイスオンリーだった前作に対し、今作はクリーンの歌唱も導入されてメリハリが出た。チープだが民謡メロ全開のシンセを前面に押し出したサウンドが、一部マニアに受け入れられた前作と比べると、今作は音のバランスが改善されたが、雰囲気重視で地味な曲がやや増えた印象。いずれにせよマニア向けの作品。

ÆTHER《イーサー》 REALM《レルム》

アメリカ出身だけど北欧語どうしても入れたくて「Æ」バンド名に！

アメリカ ノース・カロライナ州 グリーンビル　2010～
Donny Burbage (Gt), Tyler Gresham (Dr), Heinrich Arnold (Gt, Vo), Vincent Jones (Vo, Ba, Orchestrations)

Æther Realm は 2010 年初頭にボーカルの Vincent Jones とギタリストの Heinrich Arnold を中心に結成されたフォーク / メロディック・デスメタルバンドだ。彼らは Sakrament というスラッシュメタルバンドをやっており、こちらはサイドプロジェクトの位置づけだったそうだが、いつしか比重が逆転した模様。Vincent は北欧のバンドを聴き込んでいたため、北欧諸国の文字を入れたいと思って「Æ」のつくこのバンド名にしたそうだ。Æther 自体が王国の意を含むため「天空の王国の王国」となり、意味の重複に後から気づいたらしく、「当時 17 歳のバカがつけたバンド名の呪いだけど今では気に入っている」と彼は笑う。歌詞はファンタジーや感情の内省などを扱うが、北欧神話やヴァイキングモチーフの曲もあり、音楽面でも Ensiferum などに近いものがある。13 年に『One Chosen by the Gods』、17 年にコンセプト作『Tarot』を発表、18 年に Napalm Records と契約した。日本では作品のクオリティ以外にも Heinrich が Twitter で「よしお」と名乗っていたことで話題になった。Facebook でも Heinrich Yoshio と名乗っているようなので、実は本当のミドルネームなのかもしれない。個人サイトのドメインは www.hyosh.io というこだわりようだ。

Redneck Vikings from Hell
Napalm Records　2020

デジパック仕様の 3rd アルバム。自ら「not from Finland」と注記するぐらいの、北欧のきらびやかなメロディック・デスメタル影響下のサウンド。だが、前作以降、シンセウェーブ・リミックスを発表するなど、新たな音楽性の模索も行っており、そのフィードバックも垣間見える意欲作。表題曲は過去作で見せた勇ましいメロディを踏襲しつつ、凝った展開で終盤にかけて高揚感を増す佳曲。Facebook のファングループ名を冠する「TMHC」では、コロナ禍による都市封鎖下のファン投稿映像を繋ぎ合わせた MV も制作された。

VALHALORE《ヴァルハロア》

来日も果たしたオーストラリアのエピック・ヴァイキングメタル！

オーストラリア クイーンズランド州 ブリスベン　2013 ～　Matthew Grimley (Ba), Anthony Willis (Gt), Lachlan Neate (Vo, Cello, Mandolin), Sophie Christensen (Wind instruments), Morgan Cox (Dr), Lucas Fisher (Gt, Vo)

Valhalore は 2013 年にオーストラリアのブリスベンで結成されたフォーク / ヴァイキングメタルバンドだ。バンド名は「Valhalla」と「Folklore」を組み合わせた造語だ。オーストラリアなので、彼らのルーツにヴァイキングは存在しないが、北欧のヴァイキングメタルに感化されたエピック・ヴァイキングメタルだ。バンドは大学での知り合いのギタリストの Anthony Willis とボーカリストの Lachlan Neate を中心に結成された。その後ベーシスト Matthew Grimley、管楽器奏者の Sophie Christensen、さらにギターの Michael とドラムの Blake が加入して 6 人でバンドは活動を始める。

15 年に EP『Valhalore』を制作、Eluveitie のオーストラリアツアーで前座をこなすなどして、知名度を上げていく。しかし、16 年に Michael と Blake が脱退してしまう。すぐさまドラムの募集を始め、ほどなくしてドラマー Morgan Cox が加入、また Michael の後任には Lucas Fisher が就くこととなった。彼らは結成から 4 年間を制作にあてたアルバム『Voyage into Eternity』を 17 年に発表、ここ日本を含めてシーンで話題となった。彼らは 18 年 1 月、Pagan Metal Horde vol.2 で奇跡の来日を果たしている。同年にはアコースティック EP『Solace & Solitude』も発表した。

Voyage into Eternity
Independent　2017

先に出した EP の 3 曲とデジタルシングルの再録を含む 10 曲入り 1st フルアルバム。デジパック仕様。アルバムタイトルには、より上を目指そうというバンドの思いが込められている。収録曲「Across the Frozen Ocean」はライブ映像をもとにした PV が制作された。笛が乱舞するフォーク＋シンフォニック＋メロディックデス / パワーメタルといった音楽性で、新人とは思えない完成度のためマニアの間で大きな話題を呼んだ。自主制作のため流通が悪いのが難点だが、デジタル音源が Bandcamp 等で購入可能。

Valhalore インタビュー

回答者：Anthony

Q：まず最初に、時間を取ってインタビューに回答していただいてありがとうございます！
Anthony は Wintersun や Peter Crowley（訳注：ケルト / ファンタジー音楽を手掛けるフランスの作曲家）といったバンドや作曲家に影響を受けたとどこかで読みました。あなたは Valhalore 以前に他のバンドやグループでも演奏されていたのでしょうか？もしそうだとしたら、どういった種類の音楽をプレイされていたか教えていただけますか？

A：こんにちは（訳注：原文が Kon'nichiwa）、誉史！　君との会話の機会とインタビューへの回答を俺に頼んでくれて本当にありがとう。ああまさにそうさ、Wintersun、Peter Crowley、それから Adrian von Ziegler（訳注：シンフォニックメタルやケルト音楽にインスパイアされた楽曲を発表しているスイスの作曲家）、Antti Martikainen（訳注：フィンランドの作曲家。やはりシンフォニックメタルやファンタジー音楽を発表している）といった作曲家が、曲の作り手としての俺に影響を与えているよ。それに俺は As I Lay Dying や Falling in Reverse（訳注：アメリカのポストハード・コアバンド）といったもっとメインストリームなバンドいくつかにも深く影響されているんだ。同様に、Valhalore 以前に俺は（メタルコア、プログレッシヴ・メタル、Djent などの）もっとメインストリームなメタルをプレイしていた（たぶん）5つのバンドで演奏していたんだ。そのうちの一つで、幸運にも 2015 年初頭に日本を訪ねることができて、その旅以来、日本を再訪するのが待ちきれなかったんだ！

Q：みなさんの 1st アルバム『Voyage into Eternity』の制作には４年かかった、そしてこのタイトルはより上を目指そうという意志を表している、とどこかのインタビューで読みました。このアルバムはみなさんの初期衝動が詰まっており、少なくともこれがデビュー作であることを勘案すれば名盤の一つかと思います。レコーディングの最中に二人のメンバーが入れ替わっているのではないかと思いますので、制作は難航したと推測されます。このデビュー作についてお話をお聞かせください。

A：Wintersun の Jari とちょうど同じように、俺は（ギターやベース、デジタル楽器など）大半の楽器を自分でレコーディングできるんだ。ちょうどこのアルバムのドラムを地元のスタジオでレコーディングするときに、俺たちはすごく幸運にも、今のドラマーの Morgan（初代ドラマーと入れ替わりで加入した）を見つけることができたんだ。これがたぶん最大の障害だったね。もし Morgan を見つけていなかったら、このアルバムのドラムは生ドラムじゃなくて MIDI になっていただろうと思うよ。アルバムにまつわる他の面白い事実なんだけど、Lachlan と俺はアルバム向けにまさに文字通りの意味での物語（映画のようなもの）を書いたんだ。アルバムのそれぞれの曲がその物語の新しい部分を表すようなね。これは物語を綴る他の多くのフォークメタルの曲と似た感じだね。俺個人としては、曲が聴き手にもっと共鳴してほしくって、俺自身が曲にもっと繋がりを持ちたかったんだ。それによって、聴き手にとって曲を個人的なレベルでもっと隠喩的で想像を掻き立てるものにするための、歌詞の語調におけるスイッチが促進されるんだ。これは新しいシングル「Legacy」といった俺たちの最近の音楽でも行き届いているよ。この曲には、人生におけるあらゆる困難に立ち向かい、打ち勝つ勇気を人々に奮い立たせる狙いがあるんだ。

Q：『Voyage into Eternity』のアートワークはとてもプロフェッショナルな出来映えだ

と感じます。これは Justine Malcontento によるものですよね？　彼は Lagerstein や Rumahoy のアートワークも手掛けたみたいですが、どのようにして彼と出会ったのでしょうか？

A：Justine は素晴らしいよ。俺たちは Lagerstein と親友（どっちもブリスベン出身だからね）で、彼らが Justine を俺たちにオススメしてくれたんだ！

Q：みなさんはこれまで作品を自主制作でリリースされてきましたよね。どこかのレコードレーベルと契約する予定はあるのでしょうか？

A：それは俺たちの音楽がどう受け取られるかにすべてかかっているね。今日日のバンドは少しの運があればレーベルは必要ないと俺は信じているんだ。そうは言っても、申し分のない流通契約なら嬉しいけどね。俺たちはレーベルがあろうがなかろうが率直に音楽を作り続けるつもりで、それでもしどこかのレーベルが申し分のない契約を俺たちに提示してきたら、その時にどうなるかは誰もわからないよ。

Q：オーストラリアのヴァイキングメタルバンドは比較的珍しいと思います。ヴァイキングメタルは定義がとても難しく、その歌詞も非常に多岐にわたるのは理解しています。しかし、神話や歴史、自然に言及するバンドがしばしば見られます。オーストラリアの神話や歴史、自然についての歌詞は書きますでしょうか？

A：素晴らしい質問だね。実際のところ、この質問には二つめの質問で半分答えたと思ってる。オーストラリアの神話や歴史、自然について書くこととしては、何百万人もの人に関係があるオーストラリアの当面の問題は、国で急速に広まっている恐ろしい山火事（訳注：2019 ～ 20 年に大規模森林火災が発生）だね。Lachlan と俺はこの山火事とその衝撃について語る歌に取り組んできたんだ。過去の曲については、特別「オーストラリアに関連する」ものは何も書いていないよ。

Q：みなさんは『Solace & Solitude』というアコースティック EP を（訳注：フルアルバムを 1 枚しか発売していないのに）リリースされました。他のフォーク / ヴァイキングメタルバンドでもアコースティック作品を発表しているバンドがいますが、恐縮ですがもう少し非アコースティックアルバムを何枚かリリースしてからというのが通常のように思います。なぜそんなに早くアコースティックEPの発表を決めたのかご説明いただけますか？
A：もちろんさ！　その理由は、俺たちのバンドとしての多才ぶりをみんなに示したかったからさ！　俺たちがヘヴィ・フォークメタルをどのようにプレイできるかを今示したかと思えば、もう次はエモーショナルなアコースティックソングをどうプレイできるかを示す。俺たちのアコースティック音源が好きな人たちをワクワクさせ続けるために、フルアルバム毎にアコースティックEPをリリースする可能性について実は議論しているんだ。実際、Spotifyで一番人気の曲（訳注：累計再生回数が一番多いわけではない）はアコースティックEPに収録で俺が書いたお気に入りの1曲の「Solitude」だからね。こんなにたくさんの人がその曲や、EPの他の曲を楽しんでくれて俺はとても嬉しいよ。
Q：『Solace & Solitude』ではEluveitieとBlind Guardianのカバーを発表されました。この2バンドを選んだのはなぜでしょうか？
A：まだ片手で数えられるほどのライブしかこなしてなかった頃に俺たちはEluveitieと共演したんだ（初ライブが2015年11月で、Eluveitieとの共演が2016年5月）。これは地元で認知される絶好の機会で、これがオーストラリア中の数多の他の機会につながったと感じているよ。カバー曲は2曲やりたかったんだけど、だからEluveitieの曲を選ぶのは俺たちにとって完全に筋が通っているのさ。Blind Guardianについては、実は俺たちはバンドとしてのBlind Guardianのパフォーマンスをいつも見ているんだ。彼らの「The Bard's Song」でのパフォーマンスはいつも俺たちを、もっと大きな事を成し遂げてやろうと奮い立たせるから、そういうエピックな点で俺たちに影響を与えてくれたことに対してBlind Guardianに敬意を表したかったんだよ。
Q：みなさんは2018年に来日公演を行い、とても盛り上がったのを覚えています。日本でのライブはいかがでしたか？
A：日本への旅はすごく短かった（5日間！）んだけど、まったく信じられないぐらい素晴らしかったよ。俺たちみんな、美しい人々、神々しい食べ物、そして光栄にもプレイできた素晴らしいライブをすごく好ましく思ったよ。東京での最初のライブで俺たちは圧倒されたね。日本のみんなから受けた凄まじい反応がとても嬉しかったよ！　また日本に行ってライブするのが待ちきれないよ！
Q：ライブ以外で日本での滞在中に一番記憶に残ったことはなんでしょうか？
A：正直に言うと、たぶんValhaloreとしての初めての海外ツアーの経験かな。この経験はそれ以降のツアー、そして来たるべきツアーを形成するのに役立ったよ。この点で、日本に招聘されたことにすごく感謝しているよ。
Q：最後になりますが、日本のファンや読者に何かメッセージをお願いします。
A：やばい（訳注：原文がYabai）!!　こんにちは（訳注：原文がKon'nichiwa）、日本のValhaloreファンと読者のみんな！　俺たちの音楽とバンドをすごく支持してくれて本当にありがとう。可能ならいつでも日々をやり抜くことを忘れるな、そして自分の前に立ちはだかるどんな障害にも打ち勝つ力をみんな持っていることを忘れるな！　日本を再訪して、みんなのためにエピックなライブをもっとプレイするのが待ちきれないよ。もし君が俺たちのバンドを初めて知るのなら、俺たちはオーストラリアのブリスベン出身のエピック・フォークメタルバンドだ！　Ensiferum、Wintersun、Nightwish、あるいはEluveitieが好きなら、俺たちをチェックしてくれよ。日本ですぐ君のためにライブをできるよう願ってるから！　さようなら（訳注：原文がSayōnara）！

VARANG NORD《ヴァランノルド》

神道メタル「黄泉」も掛け持ちするロシア系ラトヴィア人！

ラトヴィア ダウガフピルス　2004 ～ 2008 (as Балагуры), 2012 ～
Alyona (Accordion), Khurr (Ba), Sokol (Gt), Wolf (Gt, Vo), Aig (Dr), Slava (Percussion)

2004 年にラトヴィアの都市ダウガフピルスでギターとボーカルを担当する Maxim Popov らにより、Балагуры（道化師）というペイガン / フォークメタルバンドが結成された。このバンドは 2nd アルバムの制作途中の 08 年に活動休止を決意、各々のメンバーが他のバンドで修行を積むことになった。そして 12 年に Maxim はバンドを復活させることを決意、もっとシリアスで北欧っぽいバンドにしようと、バンド名を Varang Nord に変更した。残ったメンバーは Maxim（Wolf）と Sokolov（Sokol）だけだったが、Maxim が休止中に参加した Begotten のベーシスト Khurr とアコーディオン奏者 Alyona が加入した。彼らは 14 年に EP『Fire of the North』を制作、15 年 5 月にリリースした。制作から発売までの間にドラムの Aig が加入し、アルバム『Master of the Forest』をレコーディング、同年 12 月に自主制作で発表した。その後ロシアの大手レーベル Soundage Productions と契約、同作は 16 年に再発された。16 年には EP『Call of Battle』を発表、17 年にそれを拡張して同名の 2nd アルバムを発表している。Khurr は東洋の歴史や文化への関心が強く、神道をテーマにしたフォークメタルバンド Yomi（黄泉。参考『東欧ブラックメタルガイドブック 2』）での活躍でも知られる。

Master of the Forest
Independent　2015

ミドルテンポのシリアスでヘヴィな楽曲と、アコーディオンが大々的に取り入れられたメロディックな楽曲がバランス良く配され、アルバム通して飽きさせない構成となっている。『Beer and Vodka』(Пиво с водкой) はお祭りドリンキングソングで、PV は一見の価値あり。『Warchant of the Forests』(Боевой гимн лесов) も中世の決闘のような PV が制作された。自主制作盤はほとんど流通していないため、Soundage Productions からの再発盤を入手するとよいだろう。なお、再発盤はタイトルがロシア語の『Хозяин леса』に変更されている。

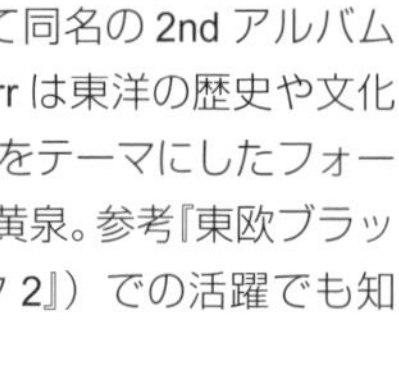

CHAPTER 4

DISC GUIDE

ディスクガイド

ここではこれまでの章で紹介できなかったバンドの作品を紹介する。明らかにヴァイキングメタル作品と呼べるものだけでなく、ヴァイキングメタルだと思われがちな作品、リスナーが好みそうな周辺ジャンルの作品もなるべく載せるようにした。ヴァイキングメタルというジャンルの多様性が感じられるであろう。無論、ここに載っていないバンドもたくさん存在するので、ぜひ新たなバンドを探求していってほしい。

Aasfresser

Under the Black Scythe ドイツ
A Fine Day to Die Records 2013

2007年より活動するドイツの一人ブラックメタルの1stアルバム。バンド名は腐肉食動物の意。13年にデジタルリリースされ、19年にCD化された。18年にテープ化された際に、レーベルからアトモスフェリック・ヴァイキング・ブラックと紹介されたが、ミドルテンポの曲に若干ペイガンっぽさは感じるものの、ヴァイキングを想起できる要素はほとんどなく、どちらかというと寒々しく荒涼とした景色が浮かぶロウなブラックメタルだ。次作ではシンセがより神秘的になり、ポーランドのEvilfeastあたりにも通ずる音楽性に。

Aegir

Ringhorn フランス
Independent 2017

2007年に結成されたパリのヴァイキング/デスメタルバンドのデビュー作。バンド名は北欧神話の海の巨人で、アルバムタイトルはオーディンの息子バルドルの船フリングホルニ。ボーカルこそデスメタルらしい低音グロウル主体ではあるが、楽曲はあまり重さや激しさは感じさせず、ゆったりとしたアトモスフェリックなサウンドが中心となっている。朗々としたクリーンでの歌唱パートがあるのが、ヴァイキングメタルらしいところだろうか。ラストの「What the Fork ?」は何かの曲を早送りにした遊び心溢れるトラック。

Alfar

Twilight of the Gods ベラルーシ
Soundage Productions 2015

ミンスクのペイガン/フォークメタルバンドWarthaのベーシストだったDmitry Pinchukが、2014年に始動した一人ヴァイキング/デスメタルの2ndアルバム。前作は自主制作だったが、今作はレーベルからのリリース。バンド名は古アイスランド語で「妖精たち」。過度に甘くならない程度にメロディを織り込んだ、勇壮なゆったりめのデスメタルをベースに、うっすらとシンセを被せたサウンドはAmon Amarthあたりのファンにオススメだろうか。なお、彼はWarthaの改名後のVojstrauには不参加。

Alphayn

Wanderschaft オーストリア
Independent 2018

2012年から活動しているウィーンのヴァイキングメタルバンドの2ndアルバム。タイトルは「放浪」の意。バンド名は「アルプスの森」を意味するドイツ語に由来するらしい。女性ハーディ・ガーディ奏者がメンバーにいるが、ラストのインスト曲以外ではフォーク色はそれほど強くなく、ストレートで骨太なメロディック・デスメタルを聴かせる。女声含むコーラスが多めなのが個性だろうか。本作の制作後に脱退してしまったが、Heathen Forayのボーカリスト Robert Schrollがこちらでもマイクを取っている。

Antiquus Scriptum

Imaginarium ポルトガル
Vegvisir Distribution 2017

1998年結成のアルマダのSacerdos Magusを中心とするヴァイキング/ブラックメタルバンドの2017年作。彼らはスプリットやコンピレーションの大量発表で有名で、本作もオリジナルアルバム扱いだが、後半はDarkthroneやRunning Wildなどのカバーが収録されている。また、ナレーションやインスト曲も大量にあり、14曲中歌入りのオリジナル曲はわずか3曲。本作以外も、Rawブラックメタル作品やチープなものもあり、注意が必要。20年に昨今の音楽シーンに失望して興味を失い、解散したが、すぐまた復活したように見受けられる。

Arvinger

Helgards fall ノルウェー
Independent 2003

2001年に結成されたスタテルのフォーク/ヴァイキング/ブラックメタルバンドのデビュー作。もともとMP3.comで公開していた6曲が好評を博したため、3曲を追加してCD化したもの。バンド名は「継承者たち」の意。ボーカル及び作詞担当と楽器全般担当の二人構成だが、フィドル奏者や女声ボーカルをゲストに加えて、スカンジナビア民謡を織り込んだアトモスフェリックなブラックメタルを聴かせる。作詞者がクリスチャンということで、ヴァイキングがキリストの名のもとに救済をもたらすなど、独特の世界観も興味深い。

Asathor

Die Wölfe heulen wieder オーストリア

Division Nordwolf 2008

2004 年結成のウィーンのヴァイキングメタルバンドのデモ EP『Nordic Tale』に続く 1st フルアルバム。バンド名は「アース神族のトール」で、タイトルは「狼たちが再び吠える」の意。メロディックデス / ブラックメタルをベースに、骨子がしっかりとしたメタリックな楽曲を聴かせる。バンド名を冠した「Asathor」の泣きのギターソロは秀逸。一部の曲には民謡パートもあり。レーベルが閉鎖されたこともあり、ほとんど流通していないが、Bandcamp でストリーミング配信されている。

Baldrs Draumar

Magnus オランダ

Independent 2019

2008 年結成のドックムのフォーク / ヴァイキングメタルバンドの 4th アルバム。バンド名は「バルドルの夢」。彼らの地元にかつて居住していたフリジア人の伝説上の最初の指導者で、「フリジアの自由」の実現に重要な役割を果たした Magnus Forteman にまつわるコンセプト作。歴史学者の協力のもと、正しい歴史的文脈で神話を再構築したそうだ。音楽的には、アコーディオンやアコースティックギターを取り入れた勇壮なメロディック・デスメタル。本作に関連して Skelte Braaksma による漫画も発売された。

Bane of Isildur

Black Wings オーストラリア

Independent 2010

2006 年にシドニーで結成され、11 年には来日も果たしたメロディック・デス / ブラックメタルバンドの 1st アルバム。バンド名の「イシルドゥア殺し」とは『指輪物語』の中心となる指輪の別名で、登場人物イシルドゥアの死の原因となったことに由来する。オーストラリアにおけるペイガン / ヴァイキングメタルの先駆けの一つとされるが、彼らは「勝利の戦メタル」を標榜しており、ミドルテンポ中心のヒロイックな曲を聴かせる。ハモンドオルガンの導入が特徴的で、「Born to Scorch the Earth」の間奏などはヴィンテージロックを思わせる。

Barbarians

Dawn of Brotherhood イタリア

Underground Symphony 2009

1991 年に結成、97 年から活動休止を経て 2004 年に活動再開したアレッサンドリアのヴァイキング / パワーメタルバンドの初の流通作品。06 年のデモからの 4 曲を含む 11 曲入りで、デジパック仕様でリリースされた。ミドルテンポの勇ましいリフを中心としながらも、メロディックなギターを織り込んだ聴きやすい楽曲に、だみ声のボーカルが乗るスタイル。「Flames of War」などスピードメタル的な曲もあり、飽きさせない工夫がされている。まずはドラマティックな「Last Battle」あたりを聴いてみてほしい。

Bethzaida

A Prelude to Nine Worlds ノルウェー

Season of Mist 1997

1993 年に結成されたトロンハイムのデス / ブラックメタルバンドの EP。2 本のデモからの 5 曲を収録。バンド名は狩猟場を意味する語に由来し、この語は新約聖書に出てくる地名で、そこで反キリストが育ったという。「Nine Worlds」の歌詞に一部北欧神話に取材した内容はあるものの、全体としてヴァイキングメタルと呼べるような世界観ではなく、音楽的にもフルートを一部の曲に取り入れたダークメタルといった様相。だが、なんといってもシェイプドディスク仕様で、トールハンマーを取り込んだ形の CD のインパクトが大きい。

Bloodaxe

Bloodthrone カナダ

White Legends Productions 2001

ノルウェーにルーツを持つカナダ人 Nordavinden Lien によるヴァイキング / ブラックメタルバンドの 1st アルバム。バンド名はノルウェー王エイリーク 1 世の異名「血斧王」に因んだもの。ドラムは結成メンバーの Rati が叩いているが、ほぼ Lien のワンマンバンドで、本作には彼の初期衝動が詰め込まれた。インスト曲を除くとメイントラックは 5 曲しかなく、一発録りでミスもそのままのファストな Raw ブラックメタル・サウンドとなっている。10 曲 26 分というトータルランニングタイムからも本作のスタンスが窺えよう。

Bloodshed Walhalla

Ragnarok イタリア
Hellbones Records 2018

2006年からマテーラで活動する、Drakhenなる人物による一人ヴァイキングメタルの5thアルバム。100枚限定でのリリース。以前から長尺な曲は散見されていたが、今作は4曲65分と大作志向が極まった作品となった。もともとはBathoryのカバープロジェクトとしてスタートしたらしく、前作はカバーアルバムだった。ただ、南イタリア出身の彼がヴァイキングメタルをやるにあたり、北欧の様々なバンドを聴き込んだということで、Bathory以外にMoonsorrowあたりからの影響も見え隠れする。出世作となった名作。

Blot

Ilddyrking ノルウェー
Independent 2015

2007年結成のクリスチャンサンのフォーク/ヴァイキング/ブラックメタルバンドの1stアルバム。バンド名は「生贄」で、タイトルは「火の崇拝」だろうか。ベースはデス/ブラックメタルだがプロダクションは良好で、スカンジナビア民謡を織り込んだゆったりとした楽曲は、メロディックで耳馴染みが良い。アコースティックギターや口琴も装飾過多に陥ることなく、叙情性を高めている。ラストのDissectionの「Where Dead Angels Lie」のカバーも、もともと民謡色のある曲だけに違和感なく溶け込んでいる。

Brothers of Metal

Prophecy of Ragnarök スウェーデン
Independent 2017

2012年結成で、トリプルギターに男女混合トリプルボーカルを擁する8人組という大所帯のスウェーデンのヘヴィ/ヴァイキングメタルバンドのデビュー作。14曲51分。女声クリーンボーカルをメインに据えた、サビで合唱できそうなキャッチーなパワーメタルに、力強い男性だみ声ボーカルが絡むスタイル。民謡っぽいメロディの曲もあり。もともとは自主制作での発表だったが、18年にAFM Recordsからジャケット描き直しの上で再発された。再発盤の通常盤は4曲カットされているので注意されたい。20年にキングレコードから国内盤も発売。

Crifotoure Satanarda

Still Alive the Desecration 日本
Nekrokult Nihilism / Battlelord Productions 2012

スラッシュメタルバンドTerror Fectorのメンバーらが、2000年に開始した日本は長崎のヴァイキング/ブラックメタルバンドの、デモテープから実に12年ぶりの音源となる3曲入りEP。手書きのナンバリング入りで限定666枚での発売。日本人好みのエピックなクサメロを奏でるシンセを導入した勇壮なブラックメタルで、シンプルなジャケットからは想像しにくいが、ブラックメタルは苦手という人でも聴きやすいサウンド。彼らは日本初のヴァイキングメタルバンドだと考えられており、デモのCD化再発とあわせてチェックしておきたい。

Crom

When Northmen Die ドイツ
Pure Steel Records 2017

ランツフートのメロディック・ブラックメタルバンドDark Fortressのベーシスト/ギタリストだったCromが、1997年より始めた一人ヴァイキング/パワーメタルの3rdアルバム。当初はサイドプロジェクトの位置づけだったようだ。彼の名はロバート・E・ハワードの『英雄コナン』シリーズに登場する神らしい。伸びやかなクリーンボイスで歌われるミドルテンポのパワーメタルで、Bathory影響下だが、過度に長尺ではない楽曲は聴きやすく、歌も上手い。スリップケース仕様の限定盤にはOld Man's Childのカバーを追加収録。

Dagaz

From Ancient Wisdom カナダ
Independent 2012

モントリオールで2004年に結成されたヴァイキング/メロディック・デスメタルバンドのデビュー作。バンド名は日や夜明けを表すルーン文字。メンバーは本作をロックとプログレッシヴメタルの要素を混ぜたデスメタルと評している。また、好きなバンドにAmon Amarth、Cannibal Corpse、Gorefestを挙げており、本作はその中でもAmon Amarthの影響が色濃く出ている。彼らならではの個性や特長などはあまり感じられないが、硬派なメロディック・デスメタルが好きなら、聴いてみると良いかもしれない。

Dark Forest

Aurora Borealis カナダ

Independent 2006

最近ではイギリスの同名パワーメタルバンドが有名だが、こちらは 2003 年に結成されたカルガリーのブラックメタルバンドの 1st アルバム。David Parks なる人物が全パートを一人でこなしている。もとは自主制作だったが、07 年に Bleak Art Records から『Demo 2005』の 4 曲を加えて再発された。朗々としたクリーンボーカルの歌唱パートや、勇壮なミドルテンポのリフ、剣戟の音などにヴァイキングメタル感があるが、高品質なシンセ入りアトモスフェリック・ブラックメタルとしてもオススメできる佳作。

Demonaz

March of the Norse ノルウェー

Nuclear Blast Records 2011

オスロのブラックメタルバンド Immortal の Demonaz が 2007 年に立ち上げたソロプロジェクトのデビュー作。後に手術で回復するが、当時は腱鞘炎でギターが弾けなかったため、彼は作詞作曲と歌を担当、ギターとベースは Enslaved の Arve Isdal が弾いている。ドラムは Immortal の初代ドラマーによるもの。ブラストビートで寒々しく疾走する Immortal のサウンドとは異なり、ミドルテンポ主体の勇ましいヴァイキング / ブラックメタルを低音ダミ声で歌い上げる。本人いわく Manowar の要素が多いとのこと。

Destroy Destroy Destroy

Battle Sluts アメリカ

Black Market Activities 2009

2003 年にテネシー州ナッシュヴィル近郊マーフリーズボロで結成され、すでに解散したメロディック・デスメタルバンドの 2nd アルバム。「ヴァイキングボーカル」と自ら呼称する雄々しいコーラスが時折入るなど、楽曲的な面でヴァイキングメタルにも通ずる作風で話題になった。特にミドルテンポでフォーキーな本格チューンの「The Return of the Geishmal Undead」と、酩酊状態で録音されたという「Battle Slut Drinking Song」は一聴の価値あり。本作発表後にボーカルが交代したようだが、これが最終作となった。

Drautran

Throne of the Depths ドイツ

Lupus Lounge 2007

1996 年より活動するキールのヴァイキング / ペイガン・ブラックメタルバンドの 1st アルバム。Árstíðir lífsins にも在籍していた Blutaar がボーカルを務める。バンド名は何かしらの自然現象の言い換えらしいが、独自の解釈をしてもらって構わないとのこと。荘厳なシンセが入ったシンフォニック / メロディックなブラックメタルに高音絶叫ボーカルが乗るスタイルで、バンドは Emperor や初期の Enslaved からの影響を認めている。民謡調のメロディや、朗々としたクリーンボイスでの歌唱パートもあり。

Durothar

Auf See ドイツ

Independent 2016

2009 年に結成されたハンブルクのヴァイキングメタルバンドのデビューアルバム。バンド名は設立者にして本作以前に脱退したベーシストが、ゲーム『World of Warcraft』のプレイヤーで、どうもそれに関連するものらしい。音楽的にはメロディックデス / ブラックメタルで、やはり Amon Amarth とよく比較されるらしいが、もう少しメロディが薄めだろうか。「海で」のタイトル通り、ヴァイキングの航海や、海で遭遇する困難などについて歌われているようだ。5 曲目は落水して溺死するというユニークな切り口の歌だ。

Dusius

Memory of a Man イタリア

Extreme Metal Music 2017

2010 年に結成されたパルマのフォーク / ヴァイキングメタルバンドの 1st アルバム。デモ音源の 3 曲を含む 13 曲入り。コンセプト作で、ゲーテの『ファウスト』にヒントを得た物語が綴られている。ジャケットの鹿はバンド名の森の精霊の象徴であるとともに、毎年角が生え変わるのでアイスランドの神話で縁起が良いものだと言われているらしい。音楽的には笛が乱舞するハッピーなメロディック・デスメタルだが、勇ましさも兼ね備えている。歌詞の英文法がおかしかったりするが、ネイティブでない日本人にはあまり気にならないだろう。

Elexorien

Elexorien オランダ

Trollzorn Records 2007

2004年から11年まで活動したフローニンゲンのフォーク/ヴァイキングメタルバンドの唯一のフルアルバム。バンド名はカナダのナイフデザイナー/ファンタジーアーティストKit Raeが考案した剣の一つ。3曲入りデモの全曲再録を含む10曲入り。デモの表題曲だった「Rising of the Storm」の間奏など節々にTurisasからの影響が窺えるサウンド。Iné Zijlstraの女声ソプラノとLainedilによる男声ハーシュのツインボーカルだが、前者の比重が高いので女声ボーカルファンにもオススメ。

Fimbulthier

The Battle Begins ドイツ

Trollzorn Records 2007

当初はPurifying Fireの名でデスメタルを志していたという、2004年結成のアンベルク＝ブッフホルツのヴァイキングメタルバンドのデビュー作。本作の時点ではツインボーカルで、若干のクリーンボーカルパートを交えて民謡メロディを織り込んだメロディック・デスメタルを聴かせる。なお、次作『Rise』は路線変更したジャケットやスーツに身を包んだアーティスト写真からも窺えるように、ヴァイキングメタルの名残は数曲にあれどメタルコア色が強まり、「Fuck You」を意味する民謡チューン「Two Words」を披露するなど迷走。

Fimbultyr

Gryende tidevarv スウェーデン

Unexploded Records 2008

2005年結成のダーラナのヴァイキング/ブラックメタルバンドの1stアルバム。バンド名はオーディンの別名で「全能の神」のような意。タイトルはスウェーデン語で「始まりつつある時代」だ。デモ『Ändlösa frågor』(終わりなき問い)からの再録3曲を含む全8曲。本作の時点ではキーボーディストが在籍しており、メロディックでドラマティックな聴きやすいブラックメタルを芯として、アコースティックギターやクリーンボーカル、コーラスなどを若干取り入れたサウンド。地味なジャケットで損をしている作品。

Fjoergyn

Ernte im Herbst ドイツ

Black Attakk Records 2005

2003年結成のイェーナのアヴァンギャルド・ブラックメタルバンドのデビュー作。バンド名は北欧神話のトールの母で、「地球」を意味するらしい。タイトルは「秋の収穫」で、人間と自然の関係、とりわけ人間を襲う自然の厳しさが歌詞のモチーフとなっている。フォーキーなパートやクリーンボーカル、勇壮なメロディなど、この当時は音楽的にはヴァイキングメタルとも呼べる音楽性で、実際ショップなどでヴァイキングメタルとして売り出されていた。ただ、シンフォニック・ゴシックメタルの要素も感じられ、やはり一筋縄ではいかない作風だ。

Fjorsvartnir

Mzoraxc' forbandelse デンマーク

Grom Records 2015

コペンハーゲンのFjorgynnなる人物が2007年に始めた一人ブラックメタルの2ndアルバム。バンド名は北欧神話の夜の女神を運ぶ馬車馬の名前。今作の歌詞は北欧神話とFjorgynn自身の世界や神話を交えたものらしく、タイトルの「Mzoraxc」は彼が以前にやっていたブラックメタルバンドの名前だ。神秘的な女声ボーカルや、シアトリカルなシンセを織り込んだメロディック・ブラックメタルで、わかりやすいヴァイキングメタルの要素は少なめ。17年に「メゾラックスの呪い」の邦題でHidden Marly Productionから再発された。

Forest King

Crossing the Myrkwood アメリカ

Independent 2020

2012年にアイダホ州カー・ダレーンで結成されたヴァイキングメタルバンドの2ndアルバム。バンド名は中心人物のギタリストTyler Haagensonが、アイダホ州の森や山で多くの時間を過ごしたことから浮かんだそうだ。前作発表後にボーカルが脱退したため、彼がボーカルを兼任している。彼の歌はブラックメタル的なしゃがれたグロウルで、低音グロウルで表現力も多彩だった前任と比較して、迫力不足でやや単調に感じる。音楽的には前作と同じく、甘さ控えめなメロディック・デスメタルなのだが、前作よりダークで起伏に乏しい印象を受ける。

Forge

Heimdall　スイス
Independent　2018

2015年より活動しているベルンのシンフォニック/ヴァイキングメタルバンドのデビューアルバム。タイトルは北欧神話の光の神で、神話をモチーフとするメロディック・デスメタルをベースとした音楽性だ。クラシック畑からの出身のヴァイオリニストが在籍しており、彼が作曲しているらしいので、どちらかと言えばおとなしめの曲がメインだ。涙腺を刺激するヴァイオリンもあいまって、若干ゴシックメタルにも近い雰囲気を感じる。2020年には、本作のセールスの半分をコロナ禍で苦境にあるライブハウスの支援に使ったそうだ。

From North

From North　スウェーデン
Downfall Records　2017

2016年結成のヴァールベリのヴァイキングメタルバンドのデビュー作。表題曲は古楽器を取り入れた壮大なフォークメタル・サウンドだが、中心人物2人がグルーヴメタルバンドをやっている影響か、「Volund the Smith」（鍛冶師のヴェルンド）など他の曲にはモダンなテイストが見え隠れする。時折挿入されるクリーンボーカルも、勇ましい朗々としたものというよりは、メタルコア方面由来に思われる。歌詞はメンバーではなく、スカンジナビアの歴史や神話に明るいAndreas Lindvallなる人物が手がけた。

Forlorn

The Crystal Palace　ノルウェー
Head Not Found　1997

1992年結成のスタヴァンゲルのヴァイキング/ブラックメタルバンドのセルフタイトルのEPに続くフルアルバム。EPの2曲を含む8曲入り。UlverのGarmがマスタリングを手掛けた。アコースティックギターやコーラスを効果的に取り入れたエピックなサウンドで、高らかにクリーンで歌い上げられる「Ærefull ferd」（名誉の旅路）を始めとして、ゆったりとした曲がメイン。本作以降はロゴやアートワークが変化して、シンフォニック/メロディックブラックへと方向性を変えていくため、本作とEPをチェックされたい。

Frostmoon

Tordenkrig　ノルウェー
Sound Riot Records　1999

1997年から2000年まで活動していたノルウェー最北端トロムス・オ・フィンマルク県のヴァイキング/ブラックメタルバンドのEPやスプリット、未発表曲を収録したコンピレーション・アルバム。タイトルは「雷のように轟く戦」の意。バンドは自身の音楽性を「Frost Metal」（凍てつくメタル）と呼んでいたようだが、どちらかと言えばミドルテンポ主体の熱く勇ましい内容で、とりわけ「Vikingmakt」（ヴァイキングの力）は朗々と歌い上げられる珠玉のヴァイキングメタル・チューンだ。彼らは07年に再結成しており、今後の動向が気になるところだ。

Framtak

Framtak　ノルウェー
Bad Noise Records　2020

いつ結成されたのか不明だが、2020年に突如としてリリースされたスタヴァンゲルのフォーク/ヴァイキングメタルバンドのデビュー作。バンド名は「櫂船の前進行程」を指す。18年に解散したSverdkampのNattsvartが在籍している。音楽性はそちらと大きくは変わっていないが、勇壮さ以上に土着感が強く出た作風だろうか。「Sett seil」（帆を揚げよ）は屈指の名曲。レーベルからの発売だが、おそらくデジタルオンリー。そのせいかアートワークは極めて貧相だが、ノルウェージャン・フォークが好きならオススメ。

Furthest Shore

フィンランド
Chronicles of Hethenesse, Book 1: The Shadow Descends
Skaldic Art Productions　1999

Darkwoods My BetrothedのNattasettがマイクを取り、NightwishのTuomasがキーボードを弾いていることで知られる、キテーのエピック・パワーメタルバンドのデビュー作。Bathoryに捧げる作品とのことで、全編マイルドなクリーンボーカルで歌われるミドルテンポの楽曲を堪能できる。FalkenbachのVratyas Vakyasが運営するレーベルの第一弾リリース。なお、本作はBook 1と題されているが、続編は未発売で、バンドの活動状況は不明。

Gjallarhorn

Nordheim イタリア

Dragonheart Records 2005

ガラテのエピック・ドゥームメタルバンドDoomSwordのメンバーらによる2003年結成のヴァイキングメタルバンドのデビュー作。デジパック仕様。04年に亡くなったBathoryのQuorthonに捧ぐ作品で、BathoryやFalkenbach影響下のサウンド。バンド名が北欧神話の神ヘイムダルが世界の終わりラグナロクの到来を告げる角笛ということで、ラグナロクについての三部作の曲を中心に据えた作品となっている。そのほか、ノルウェーのキリスト教化やヴァイキングのヨーロッパ襲来について綴られている。

Gjallarhorn

Фолькванг ロシア

Musica Production 2011

ロシアの西シベリア南東部ケメロヴォで、2000年に結成されたヴァイキング/ブラックメタルバンドのデビュー作。タイトルの「フォールクヴァング」とは北欧神話の女神フレイヤが住む宮殿の名。民謡メロをふんだんに取り入れたキーボード入りのかなり聴きやすいメロディック·ブラックメタル。特にアウトロに「ポーリュシカ・ポーレ」のメロディを拝借した「Лес - сердце земли」(森 - 大地の心臓)は名曲。本作にはKhepherrethなるドラマーが参加していたようだが、ややチープに聴こえるのが玉に瑕か。

Greenland

Thule フランス

Thule Records 2007

2003年にTorghenなる人物が立ち上げたシャロン=アン=シャンパーニュの一人ヴァイキング/ブラックメタルのデビュー作。タイトルは古典文学に登場する伝説の地で、遥か北に存在する島とされ、グリーンランドにあるという説も。アコースティックギターやクリーンボーカルのコーラスを取り入れた「The Viking Land」を始めとして、ところどころにわかりやすいヴァイキングの要素はあるが、基本的にはほのかに勇壮味を帯びたリフを聴かせるいぶし銀的なブラックメタル。レーベルからのリリースではあるのだが、ほとんど流通していない。

Grendel

Beowulf イタリア

Narok Records 2005

ロンバルディア州コージオ・ヴァルテッリーノで2003年に結成されたヴァイキング/ブラックメタルバンドの1stアルバム。ヒロイックなクリーンボーカルによる歌唱パートやコーラス、アコースティックギターが奏でるフォーキーなイントロなどを織り交ぜたエピックなブラックメタルを聴かせる。バンドは08年に解散したが、ボーカルのMordred不在でギタリストのKlingsorがマイクも取る形で09年に復活した。本作と復活後の2ndではアングロ・サクソン系の叙事詩『ベーオウルフ』をテーマとしており、バンド名も同作に登場する怪物の名前だ。

Gungnir

Ragnarök ギリシャ

Metal Throne Productions 2018

30以上ものバンドへの在籍経験を持つマルチプレイヤーのYngveを中心として、Bathoryの作品に触発されて2016年に結成されたアテネ/スパルティのヴァイキング/ブラックメタルバンドのデビューEP。デザインも彼の手によるもの。Bandcampでは5曲だが、500枚限定でリリースされたCDにはBathoryの「Enter the Eternal Fire」のカバーが追加収録された。「Blood Fire Death」ぐらいの時期のBathoryを、ストレートなブラックメタル寄りにしたような音楽性だ。

Havamal

Tales from Yggdrasil スウェーデン

Art Gates Records 2019

2016年より活動するストックホルムのメロディックデス/ヴァイキングメタルバンドの、自主制作によるEP『Call of the North』に続く1stフルアルバム。バンド名は『古エッダ』収録の「高き者の言葉」。EPで提示した北欧神話モチーフの、シンセに彩られたきらびやかなメロディック·デスメタルに加えて、今作では「Dawn of the Frost Giants」で民謡チックなメロディも飛び出し、よりヴァイキングメタルに歩み寄った音楽性となった。ドラマティックな作風が好みであればオススメの作品だ。

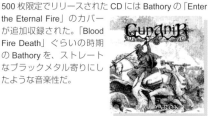

Heidra

Awaiting Dawn デンマーク

Mighty Music 2014

2006年にコペンハーゲンで結成されたヴァイキングメタルバンドのデビュー作。バンド名は古ノルド語の「名誉」に由来すると思われる。当時のデンマークにないような音楽を模索したとのことだが、ヴァイキングメタルシーン全体から見ると極めてオーソドックスな音楽性。とは言え、トレモロで奏でられる勇壮なリフは素直に格好いいし、朗々としたクリーンボーカルや、民族調のシンセなど、このジャンルの特徴が一通り揃った手堅い作品。ボーカルはブラックメタル的な高音の喚き声スタイル。ミドルテンポ中心だがMVが制作された「The Eyes of Giants」など疾走曲もあり。

Heorot

Ragnarök フィンランド

Stygian Crypt Productions 2007

2002年に結成されたマンチュハルユのフォーク/ヴァイキングメタルバンドのデビュー作。06年に設立者のボーカリストModsognirが亡くなってしまったが、彼の遺志を継ぎ、ギター/キーボード/フルート担当のTipi Nokelainenがマイクも取り、本作が制作された。バンド名は古英語で「牡鹿」を意味する。適度に緩急もつけられたヒロイックなメロディック・デスメタルを、シンセや哀愁漂う笛の音が彩る。マイナーバンドながら音質もクリアで聴きやすい。B級感が漂うジャケットに反してなかなか高品質な佳作。

Heulend Horn

The Saga of the Draugr アルゼンチン

Furias Records ¦ Orion Music Entertainment 2003

Friedrich Curwenius なる人物がほぼ一人で創作しているブエノスアイレスのヴァイキングメタルのデビュー作。ドラウグル（北欧神話に登場するアンデッド）が復讐を遂げようとするストーリーを描いたコンセプトアルバム。ナレーションの導入など、シネマティックに仕上げようとの試みが見られるが、如何せん力量不足が目立つ。10分近い大曲が並ぶが、チープな打ち込みドラムと安っぽいキーボードによる退屈なサウンドトラックに、時折邪悪なうめき声やクリーンのボーカルが乗るという完全マニア向けの作品となっている。

Hildr Valkyrie

Revealing the Heathen Sun ギリシャ

Stygian Crypt Productions 2017

Folkearth や Folkodia の中心人物であるアテネの Hildr Valkyrie のソロ 2nd アルバム。前作から実に9年ぶりに発売された。Hildr とは古ノルド語で「戦い」を意味し、この名のヴァルキュリヤが『古エッダ』に登場するそうだ。余談だが、彼女は Falkenbach の大ファンで、ファンサイトをGeoCitiesで運営していた。内容としては、メタリックな曲もあるが、ネオフォーク的な色合いも強い作品。本作のギターとベースは Folkearth でも活躍する Downcast Twilight の Gianluca Tamburini が演奏している。

Hjelvik

Welcome to Hel ノルウェー

Nuclear Blast Records 2020

ノルウェーのブラックンロールの先駆者 Kvelertak の元フロントマン Erlend Hjelvik によるソロデビュー作。彼が全作詞作曲を手掛けているという意味ではソロだが、バンド体制での作品。Kvelertak での北欧神話モチーフの曲は表面的な内容だったそうで、本作は書籍を読み込んだ上で作詞したとのこと。彼いわく「ブラッケンド・ヴァイキング・ヘヴィメタル」とのことで、曲によってそれらの割合はまちまちなのだが、本人が一番ヴァイキングメタルらしいと語る「North Tsar」をまずは聴かれたい。

Horrizon

Time for Revenge ドイツ

Yonah Records 2012

2005年結成のラインラント＝プファルツ州のメロディックデス/ヴァイキングメタルバンドのデビュー作。やや楽曲のバラエティに乏しい感もあるが、印象的なギターソロを挟みながら展開される、ストリングスに過度に頼らない漢らしい楽曲群は聴いて損はない。全編通して北欧神話や戦士を扱うヴァイキングメタル作品は本作のみで、以降は楽曲の幅とメロディの質の向上と引き換えに純度は薄れていく。3作目『World of Pain』の女性ボーカルを取り入れたドラマティックな表題曲や、クリーンパート多めのバラード曲などを聴くと変化に驚くだろう。

Hulkoff

Kven　スウェーデン
Faravid Recordings　2017

ノールボッテン県のインダストリアルメタルバンドRaubtierのボーカリスト/ギタリストPär Hulkoffgardenのソロプロジェクトのデビュー作。タイトルは彼の地元の成立に関わったとも言われる「クヴェン人の」の意だろう。北欧神話モチーフの熱いパワー/ヘヴィメタルで、どことなくロシア民謡からの影響を感じるメロディもあり、フォーク/ヴァイキングメタルファンにも自信を持って推薦できる好作。「Ibor & Aio」（ランゴバルド人の族長の名）ではSabatonのJocke Brodénがゲスト参加。

Icethrone

See You in Valhalla　イタリア
Black Tears of Death　2010

2009年より活動するジェノヴァのヴァイキング/デスメタルバンドの2ndアルバム。前作はアンダーグラウンド臭が強い、アトモスフェリック・デスメタルとでもいうような音楽性だが、盛り上がりに欠け、一方で雰囲気に浸れるほどの曲の長さもないという厳しい内容だった。今作では曲の構成力が向上しており、前作のようにいずれの曲もいつの間にか終わってしまっているように感じることはなくなった。次作『Winter Tales』では長尺な曲が増え、さらに質が上がるのだが、そちらは流通が悪く、限定50枚なのが悔やまれる。

Immorgon

As Shadows Fall　スペイン
Helheim Records　2020

2012年に結成されたバルセロナのヴァイキングメタルバンドの、レーベルと契約後初となる2ndアルバム。バンド名はスウェーデン語の「明日」の綴りを変えたもの。Amon AmarthのカバーをYouTubeに投稿していることからも窺えるように、その影響下にあるサウンドだが、もう少しメロディアスだろうか。前作ではヴァイキングの歴史や北欧神話をモチーフとしていたが、本作ではそうしたものへの直接の言及を避け、アルバム全体として地元カタルーニャの山々の雪景が浮かぶドラマティックな雰囲気を出そうとしたとのこと。

In Battle

The Rage of the Northmen　スウェーデン
Napalm Records　1998

1996～2008年に活動していたスンツヴァルのブラックメタルバンドの2作目。John Odhinn Sandinを始めとしてOdhinnのメンバーが在籍していた。そちらほどわかりやすいヴァイキングメタルの要素はなく、ファスト/メロディック・ブラックメタルになるだろう。ただ、歌詞やジャケット、参加メンバーなどから、日本のショップなどでよくヴァイキングメタルとして販売されていた。本作で高速ドラムを披露しているのは、SetherialにMolochの名で在籍したLars-Otto Viklundだ。

Incursed

Amalur　スペイン
Helheim Records　2017

2007年から活動するバスクのフォーク/ペイガン/ヴァイキングメタルバンドの4thアルバム。レーベルからの発売はこれが初。タイトルは彼らの地元バスク地方に伝わる大地の女神。かつては北欧やその他の神話が歌詞のモチーフだったが、次第に創作の物語を比喩として扱うことが増えたそうだ。フォーキーなメロディを適度に織り込んだ、ドラマティックな北欧スタイルのメロディック・デスメタルを聴かせる。イントロに続く「Cryhavoc!」（緊急事態だ！）は高揚感のある名曲。ラストの曲はスコットランド民謡のカバーだ。

Isenmor

Shieldbrother　アメリカ
Independent　2020

2014年に結成されたボルチモアのフォーク/ヴァイキングメタルバンドの1stアルバム。バンド名は古英語で「鉄の荒れ地」で、戦いの後に野に広がる壊れて打ち捨てられた武器を類推させるもの。「Gewyrdelic Folk Metal」（歴史のフォークメタル）と自ら銘打っており、歌詞は北欧由来のもの以外にアングロ・サクソンやローマ帝国など多岐に渡る。ヴァイオリニストが二人在籍しているのが最大の特長。ただ、一部の曲ではヴァイオリンが前面に出過ぎてやりすぎ感があり、メタル部分がやや退屈なのが難点だろうか。

Iuvenes

Riddle of Steel　ポーランド

No Colours Records　2000

1996年にピワで結成されたWiesławとGrey Wolfの二人によるヴァイキング/ブラックメタルバンドのデビュー作。バンド名はラテン語で「若い」の意。イントロとアウトロを除くと10分前後の曲が3曲という構成で、Bathoryあるいは同郷のGraveland影響下の、シアトリカルなシンセを被せた行進曲調のサウンドを展開する。歌はがなり声メインだがクリーンもあり。彼らはペイガン・ブラックメタルバンドWerewolfでも活躍していたが、2009年にGrey Wolfが自殺してしまった。

Kaarnekorpi

Rajankävijä　フィンランド

Independent　2018

2004年から活動するタンペレのペイガン/ヴァイキングメタルバンドの1stアルバム。タイトルは「越境者」だろうか。バンド名は「大鴉の荒野」を意味し、コルピとつくせいか、デモ音源ばかり発表していた初期から、一部のマニアの話題に上っていた。結成時は兄弟デュオで「War Metal」と自称する音楽性だったが、片方が脱退後、フルラインナップとなってフォーク色を強め、本作でもゆったりとした雰囲気重視のメタルを聴かせる。男声ハーシュと女声クリーンのツイン体制で、サビは女性が歌うことが多い。曲がやや平坦なのが難点か。

Kylfingar

Halhatatlanok　ハンガリー

Nail Records　2014

2012年から活動するブダペストのフォーク/ヴァイキングメタルバンドのデビュー作。バンド名はヴァイキング時代に実在した種族の名前で「戦棍を持つ者たち」を意味し、ハンガリーに定住したと言われている。本作は様々な北欧神話の英雄譚を扱っており、直訳すると「不死者たち」を意味するタイトルは、語り継がれることで忘れ去られることのない者たちの意味合いで付けられた。歌詞こそハンガリー語だが、北欧の本家バンド勢に比肩する高品質でフォーク色の強いヴァイキングメタルを聴かせる一枚。流通が悪いのが難だがオススメ。

Lex Talion

Funeral in the Forest　アルゼンチン

Independent　2012

2010年にマルチプレイヤーのRamiro J. Pellizzariにより結成されたラ・プラタのヴァイキング/フォークメタルバンドのEPに続く1stフルアルバム。バンド名は同害復讐法だろうか。民謡メロディを織り込んだ正統派ヘヴィメタルに、ハーシュとクリーンのツインボーカルが乗るスタイル。クリーンと比べてハーシュがやや弱いのが難。ナレーションや剣戟の音、鳥のさえずりなどのSEを導入してエピックに仕上げている。2014年 にMetal Renaissance Recordsから再発された。

Lost Legacy

Gates of Wrath　ドイツ

CCP Records　2006

1999年の結成後、幾度かの改名を経て2002年に誕生したバイエルン州フラウエナウのエピック・ヴァイキングメタルバンドの1stアルバム。歌詞は完全にファンタジーで、禁断の知識を探し求めた魔法使いのせいで、邪悪な生物たちが解き放たれて人類を滅ぼすといったストーリーのようだ。音楽的にはキーボードが彩るきらびやかなメロディック・デスメタルで、緩急織り交ぜたよく練られた高品質な曲が並ぶ。勇壮なヴァイキングメタル調のパートも若干あり。地味なジャケットで損をしている。彼らは本作以降音沙汰がなく、活動状況不明となっている。

Lost Shade

Rückkehr nach Asgard　ドイツ

CCP Records　2010

1999年結成のバーデン=ヴュルテンベルク州のヴァイキングメタルバンドの2ndアルバムで、流通作品としては初。イギリスのロックバンドSladeのカバーを含む12曲入り。タイトルは「アスガルドへの帰還」。初期の音楽性はRawブラックメタルだったらしいが、本作では邪悪なしゃがれ声のボーカルにその名残はあれど、キーボード入りのゆったりとしたメロディックなデス/ブラックメタルを提示。シネマティックなSE、アコースティックギターや掛け声の導入により、曲をドラマティックにしようとする努力は見られるが、曲ごとの出来不出来が激しい。

Men Enter Tavern

Kampflieder ドイツ
Christhunt Productions 2009

2005年から12年まで活動したベルギッシュ・グラートバッハ/ケルンのヴァイキング/ブラックメタルバンドの唯一の作品にしてフルアルバム。ボーカルは後に脱退するMarcel Valderが務めている。タイトルは「戦いの歌」。「男たちが居酒屋に入る」というバンド名の由来は不明。Rawな音質のブラックメタルをベースとしつつも、口琴やアコースティックギター、やや調子っぱずれなクリーンボイスによる歌唱や、漢臭いコーラス、ヘイ!の掛け声などを取り入れているのが特徴だろうか。かなり聴きやすいので、ブラックメタルは苦手という人も一聴されたい。

Midgard

Tales of Kreia ウクライナ
Sliptrick Records 2020

2015年にカニウでKlym Apalkovにより結成されたフォーク/ヴァイキングメタルバンドの3rdアルバムで、フィジカルCDとしてはこれが初作品。当初はソロプロジェクトだったが、前作からバンド編成となった。本作は彼のオリジナル・ファンタジー小説『From Rogue to Murderer』に基づくものらしいが、背景には不死性や人間の精神の根源と本質への哲学的な問いがあるそうだ。フォーク色の強いメロディック・デスメタルをベースに、パワーメタルやシンフォニックメタルの要素を加えたドラマティックな作品。

Miellnir

Incineration Astern ウクライナ
Stygian Crypt Productions 2014

2005年結成のムィコラーイウのフォーク/ヴァイキングメタルバンドの処女作にしてフルアルバム。バンド名は北欧神話の神トールの持つハンマーMjölnirのスペルを置き換えたものだと思われる。「Ugar Buhlo」(バカ騒ぎの酒宴)のようなアコーディオン入りのお祭りチューンもあるが、基本的にはうっすらとシンセが被さったシリアスでダークな音楽性。ボーカルが表現力豊かでブラックメタル的なしゃがれ声や低音グロウルのほか、「Stand Against」ではこの手のバンドには珍しいピッグスクイールも飛び出す。

Mjød

Пепел времён ロシア
Independent 2017

2016年から活動するモスクワのヴァイキングメタルバンドのデビュー作。バンド名は「蜂蜜酒」で、飲むと詩のひらめきがわくという北欧の神話に因んでこの名になった模様。デジタルオンリーで発表済みのEP『Первая кровь』(最初の血)からの2曲を含む10曲入り。タイトルは「時代の残骸」だろうか。ヘヴィでメタリックな楽曲に、低音グロウルとクリーンを使い分けるボーカルが乗るスタイルで、乱舞するバグパイプが個性的。もとは自主制作だったが、18年にSoundage Productionsから再発された。

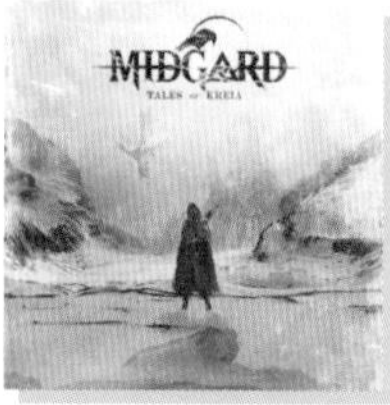

Myrkgrav

Trollskau, skrømt og kølabrenning ノルウェー
Det Germanske Folket 2006

ノルウェーで2003年から16年まで活動していたLeiðólfr(悲しい狼)による一人フォーク/ブラックメタルのデビュー作。バンド名は「暗い墓」で、タイトルは「トロールの森、幽霊、石炭焚き」だろうか。デモでは北欧神話モチーフのブラックメタル色の強い音楽性だったようだが、本作は彼の地元の歴史や民間伝承を中心とした作品となり、音楽的にも土着感が強まってエクストリーム・フォークメタルといった作風となった。ヴァイキングメタル的なヒロイックな要素も多少感じられる。特に海外で高く評価され、根強い人気の名盤。

Myrkvar

Als een woeste horde オランダ
Shiver Records 2008

2003年に結成されたナイメーヘンのフォーク/ヴァイキングメタルバンドのデビューアルバム。バンド名は「暗い」の意。タイトルの「獰猛な群れのように」とは、3曲目「Trollisfarne」でトロールたちが富を求めてやって来る様の形容で、曲名はヴァイキングたちが襲撃したキリスト教の拠点の島Lindisfarneになぞらえたと思われる。打ち込みだと丸わかりのドラムや垢抜けないボーカルなどB級感が強く、ピアノとヴァイオリンを大々的に取り入れた民謡サウンドもどこか中途半端。フォークメタルマニア向けの内容だ。

Myrkvedr

Sons of Muspell スウェーデン
Independent 2013

2010 年結成のイェーテボリのヴァイキング / フォークメタルバンドのデビューアルバム。バンド名は「闇の森」の意。15 曲 60 分の意欲作。本作発表時にはフルート / バグパイプ奏者の Runar が在籍しており、彼の素朴な音色のフルートが美しいメロディを奏でる。メタル部分のベースとなっているのは無骨なメロディック・デスメタルで、やや地味でインパクトが弱いと感じる曲も多いが、それによりフルートが一層映えているとも言える。ラストには同郷のフォークデュオ Nordman の「Vandraren」（放浪者）のカバーも収録。

Mythos Nord

Die Rückkehr der Krieger ドイツ
Independent 2006

2003 年より活動するシュトラールズントのヴァイキングメタルバンドのデビュー作。タイトルは「戦士たちの帰還」の意。北欧神話と失われた価値観をリスナーに届けたいとのことで、バンド名は「神話＋北」で北欧神話を想起させるものなのだろう。メンバーは北欧やドイツのペイガン / ヴァイキングメタル以外に Manowar からの影響を挙げており、シンセ入りの熱いだみ声へヴィメタルをベースに、民謡由来のメロディを若干織り込んだような音楽性。語弊を恐れずにいえば、歌詞や思想は別として、どことなく RAC などのジャンルに近い雰囲気も感じる。

Nattsmyg

Fylgja スウェーデン
Unexploded Records 2011

2005 年よりスコーネで活動する Dan Heikenberg なる人物による一人フォーク / ヴァイキング / ブラックメタルバンドの、2nd アルバムにして初の流通作品。バンド名は「夜の蛇」で、タイトルは北欧神話に登場する人に付き添うしばしば動物の姿をした霊的存在。ゲスト女声ボーカリスト Linn Carlshaf の芯のある歌声をメインに据えたフォーキーで幻想的なメタルで、ミドルテンポ主体の力強いメロディを聴かせる。ラストのボーナストラックは別として、Dan のしゃがれ声での歌唱以外にブラックメタルの要素はほぼない。

Nifrost

Motvind ノルウェー
Naturmacht Productions 2016

2005 年から活動しているイェルスターのヴァイキング / フォーク / ブラックメタルバンドのデビュー作。デジパック仕様。タイトルは「向かい風」の意。ブラックメタルとは言ってもかなりクリアな音質なので、北欧ならではのスカンジナビア民謡由来のメロディが織り込まれたエクストリームメタルといったサウンド。表題曲は美しいアコースティックギターや神々しいコーラス、フォーキーなリフを伴う暴虐パート、と本作の魅力が凝縮された良曲。ジャケットも美しく、初期の Enslaved あたりが好みであれば手にしてほしい高品質な作品。

Nordverg

Багровый рассвет ロシア
Stygian Crypt Productions 2011

2004 年に Dragon's Tears の名のもとに結成したエカテリンブルクのフォーク / ヴァイキングメタルバンドが改名して発表した「紅の夜明け」と題されたデビュー作。バンド名は「北の道」を意味し、彼らが選んだスタイルを指す。ヴィオラやバグパイプのほか、Arkona の Vladimir "Volk" をゲストに迎えてガイタ・ガレガやソピルカなどの民族楽器を取り入れた本格フォークメタルで、マイナーながら扇情的なメロディが詰まった良作。なお、本作でベースボーカルを務めた Farmazon は 13 年に脱退してしまった。

Norsemen

Bloodlust イタリア
Time to Kill Records 2019

2014 年より活動するベルガモのデス / ヴァイキングメタルバンドのデモ『Warrior's Fate』に続くデビュー作。歌詞のモチーフはヴァイキングや北欧神話ではあれど、音楽的にはメロディック・デスメタルとまではいかない程度に、ほんのりと熱めのメロディを織り込んだ硬派なデスメタル。ただ、専門店などでフォーク / ヴァイキングメタルのコーナーで取り扱いされている。同郷の Vinterblot の初期作品あたりが好みであればチェックしてみても良いかもしれない。なお、デモの 4 曲はすべて本作に収録されている。

Northrough

The Last Warrior イタリア

Narcoleptica Productions / Envenomed Music 2017

2017 年より活動するヴィチェンツァの一人ヴァイキング / メロディック・デスメタルのデビュー作。当初はデジタルリリース・オンリーだったが、発売の翌年に CD 化された。悪魔やグールに侵略された王国を救うため、若き妊婦を神への生贄として殺した王が、悪魔に取り憑かれて北の海に追放された。贖罪と名誉の回復のため、彼が悪魔との戦いの旅に出るヴァイキング時代の物語を描くコンセプト作。あまりヴァイキングメタル感はなく、シアトリカルなシンセの入ったダークメタルといった内容。似たような曲が多く、個々の印象が残りにくいのが難。

Norvern

Under the Aurora イタリア

Narcoleptica Productions 2018

当初は Hämärä（薄明かり）の名の下に結成され、2016 年に Norvern に改名したアンコーナのヴァイキングメタルバンドのデビュー作。18 年にデジタルリリースされたものを、19 年にロシアのレーベルが CD 化した。マイルドなクリーンボーカルによる勇壮感のあるフォーク / メロディック・パワーメタルで、アップテンポの曲ではさほど気にならないが、ミドルテンポで進行する曲では、ややボーカルの力強さに物足りなさを感じる。マイナーバンドの域は出ないが、メロディには光るものがあるので、今後の活躍に期待したい。

Oakenshield

Gylfaginning イギリス

Einheit Produktionen 2008

Ben Corkhill なる人物が 2004 年にリーズで Nifelhel の名で開始した一人フォーク / ヴァイキングメタルの、07 年改名後のデビュー作。この名は J・R・R・トールキンの『ホビットの冒険』の登場人物に因む。タイトルは『ギュルヴィたぶらかし』（『エッダ』の一部）を指す。ほんのりと民謡っぽさを感じるゆったりめの曲に、しゃがれ声とクリーンを使い分けるボーカルが乗るよくあるスタイルだが、物悲しく素朴なリコーダーが最大の特長だ。特に「Ginnungagap」（世界創造の前に存在していた裂け目）は必聴。

Odhinn

The North Brigade スウェーデン

Napalm Records 1998

EP『From a Splendourus Battle』に続く、ヴァイキングメタル黎明期のスンツヴァルのバンドによるフルアルバム。Dark Funeral に在籍したドラマー Dominator がメンバーの一員だったようだが、本作では John Odhinn Sandin が全パートを担当している模様。寒々しいシンセや民謡メロ、クリーンボーカルを取り入れたヴァイキング / ブラックメタル。バンドが日本の Imperial Dawn Records と契約していたことから、かつては日本でもよく見かけた作品。本作以降バンドの音沙汰がなく、活動状況は不明である。

Perished

Kark ノルウェー

Solistitium Records 1998

1991 年から 2005 年まで活動したトロンデラーグ郡のブラックメタルバンドの 1st フルアルバム。当初はデスメタルをプレイしていたらしいが、本作で披露したアトモスフェリックなブラックメタルは、フォーキーなメロディを奏でるシンセやアコースティックギターが取り入れられており、今日のヴァイキングメタルの源流となった初期の Satyricon や Enslaved にも通ずるサウンド。あまり知られていないが名盤。EP やデモからのボーナストラックを 3 曲追加して 2017 年に ATMF から再発されているのでチェックされたい。

Pimeä Metsä

No Blood, No Glory スペイン

WormHoleDeath 2016

2006 年から 18 年まで活動していたマドリードのフォーク / ヴァイキングメタルバンドの 2nd アルバム。バンド名はフィンランド語で「暗い森」の意。前作はアコーディオンや口琴といった民族楽器以外にも、フォーキーな音色のシンセを取り入れた民謡色の強い音楽性だったが、今作はアグレッシブさを増し、キャッチーながらも全体的にヘヴィな一枚となった。北欧神話やヴァイキング以外に、『ベーオウルフ』のような文学や、ウィリアム・ウォレスによるイングランド王への抵抗運動などをモチーフに、勇気や絆について歌われている。

Pitkan Matkan

From Despair to Rebirth フランス
M & O Music 2021

2009 年に結成されたリールのヴァイキングメタルバンドの 2nd アルバム。前作は自主制作だったが、今作はレーベルからのリリースとなった。バンド名は正確にはウムラウトが足りないが、フィンランド語で「長い道のり」だろう。民族楽器やキーボードに頼らず、リフに民謡風のメロディを織り込んだ甘さ控えめのメロディック・デスメタルといった音楽性で、コーラスや掛け声によりヒロイックな雰囲気を高めている。後半はやや地味な印象が強いのだが、まだ 2 作目ということもあり、今後の作品での改善に期待したいところ。

Prophanity

Stronger than Steel スウェーデン
Blackend 1998

ヴェストラ・イェータランド県のアリングソースで 1991 年に結成されたメロディックデス / ブラック / ヴァイキングメタルバンドの唯一のフルアルバム。Amon Amarth のように漢らしく勇壮なメロディを前面に打ち出した、キー入りのメロディック・デスメタル・アルバムである。ドラムが非常に上手く、ミドルテンポのパートもあるが、基本ブラストビートとともに勢いよく駆け抜けていく。ラストの「Swedish Steel（The Metalist)」はボーナストラック扱いで、クリーンボーカルで歌い上げるメロディックパワー / スピードメタルチューンとなっている。

Sad Legend

韓国
Searching for the Hope in Utter Darkness...
Jusin Productions 2002

2003 年に解散、08 年に一度復活したものの 14 年に再度解散してしまったソウルのメロディック・ブラックメタルバンドの、最初の解散前の 3 曲入り EP。98 年のセルフタイトルの 1st アルバムが、シンフォニック / メロディックブラックの名盤と名高い彼らだが、本作ではクリーンボーカル主体でゆったりとした曲を朗々と歌うヴァイキングメタルのような音楽性を提示している。歌詞は韓国語で、内容は北欧神話でもヴァイキングでもないが、ヴァイキングメタルファンは気に入るのではないかと思われる。入手困難なのが惜しまれる作品。

Seawolves

Dragonships Set Sail スイス
Heavy Horses Records 2009

2004 年に結成されたバーゼルのヴァイキング / メロディック・デスメタルバンドのデビューアルバム。叙情的なヴァイオリンが入ったメロディック・デスメタルで、シネマティックな SE やアコースティックギターによるイントロで世界観を盛り上げている。クリーンボイスによるコーラスが随所に用いられ、特にタイトル曲は牧歌的でキャッチーなサビが秀逸な佳曲だ。ボーカルのグロウルがブラックメタル的な枯れたもののため、この手の音楽性としては迫力不足なのが惜しいところ。バンドは本作以降音沙汰がなく、その後の活動状況は不明。

Seppä Ilmarinen

Seppä Ilmarinen フィンランド
Nordic Iron Age Records / VainoValkeat Productions 2019

1990 年代初頭から多数のバンドを経験しているフィンランドの Arska による一人ヘヴィ / ヴァイキングメタルのデビュー作。プロジェクト名の「鍛冶屋のイルマリネン」とは『カレワラ』に登場する神で、何でも創作できるとされる。レーベルいわく「エピック神話メタル」とのことだが、初期はブラックメタルをプレイしていた Morningstar や Oi! パンクバンドでも彼が活動していたこともあり、音質を始め、どことなくそれらからの影響を感じさせるアンダーグラウンドなヘヴィメタルを聴かせる。若干フォークの要素もあり。

Skaldenmet

Blood of Kvasir ドイツ
Independent 2019

2015 年に結成されたハンブルクのフォーク / ヴァイキングメタルバンドのデビューアルバム。デジパック仕様でリリースされた。バンド名は「詩の蜜酒」で北欧神話の神クヴァシルの血から醸造され、飲むと詩をひらめくとされる。メロディック・デスメタルを下地とした、管弦楽器系の音色のシンセを織り込んだスリリングでソリッドな楽曲を聴かせる。先行して配信されていた「Face Up to Northern Light」のマイルドな歌声によるキャッチーなサビは絶品。曲によってはフルートもあり。デビュー作ながら高品質な一枚。

Skjaldborg

Todgeweiht　ドイツ

Independent　2013

「盾の壁」を意味するラウプハイムの一人ヴァイキング/ペイガンメタルのデビュー作。アルバムタイトルはおそらく「絶体絶命」の意味合い。2002～08年はDol Guldur（『指輪物語』の闇の森の要塞）の名でブラックメタルをプレイしていたようで、本作も音楽的にはブラックメタル色が強いが、民謡フレーズが配されたメロディックな曲主体なので聴きやすいだろう。勇壮なリフが感動的な名曲「Kriegerherz」（戦士の心）など、21年の2ndアルバム発売にあわせて本作もストリーミング配信されたので、一聴されたい。

Skogshallen

Ölrunir's Saga　アメリカ

Independent　2014

2005年の結成から幾度も改名しているベイエリアのフォーク/ヴァイキングメタルバンドのデビュー作。前アルバムの『Northen Lights』はデモ扱いらしい。バンド名はスウェーデン語で「森で覆われた場所」。音楽性は本人たちいわく「ヴィンランドのヴァイキング・フォークメタル」とのことで、本作は酒と薬に溺れたÖlrunir Beerfrostという名のヴァイキングの物語らしく、お祭り的なフォークメタル・チューンが並ぶ。シリアスな作品を好む向きにはオススメしないが、そうでなければ聴いてみても良いだろう。

Slartibartfass

Nebelheim　ドイツ

Trollzorn Records　2007

2004年にバーデン=ヴュルテンベルク州のウルムで結成されたヴァイキング/フォークメタルバンドの2ndアルバム。バンド名はSF作品『銀河ヒッチハイク・ガイド』に登場する、惑星の構築者で、ノルウェー構築の際にフィヨルドのデザインで表彰された。メンバーがフンパ（フィンランドの民族舞踏曲）を好んで聴くらしく、アコーディオン調のキーボードを始めとして、アコースティックギターや彼らのトレードマークであるバグパイプを取り入れたサウンドを展開。メンバーの多くが口琴を演奏できるため、口琴ソロとでもいうべきパートを設けた曲など、当時若手だった彼らの独創性が光る一枚。

Sons of Crom

The Black Tower　フィンランド

Nordvis Produktion　2017

フィンランドのIiro SarkkiとスウェーデンのJanne Postiの二人により、2014年に結成されたヴァイキングメタルバンドの2ndアルバム。前作同様、Bathory影響下のミドルテンポ主体の音楽性で、エピック・ドゥームメタルをブラックメタル寄りにしたようなサウンド。ただ、やや単調とも感じられた前作と比較して、曲の展開に意匠が凝らされ、扇情性が高まっている。特に「In Fire Reborn」はサビのクリーンでの歌唱が神々しく、2曲目にしてラストを飾ってもおかしくない壮大で感動的な大曲。

Space Vikings

Eternal Destiny　アメリカ

Independent　2018

ヴァイキングシップが宇宙にまで旅立ったという設定の、ジョージア州のヴァイキングメタルバンドの3作目のEP。一度宇宙に帰還したが、宇宙休暇を終えて地球に戻り、クルーの入れ替えによりドイツから新ボーカルを迎えて制作された。音楽的にはメロディック・デスメタルで、わかりやすいサイバーな音などが用いられているわけではないので、宇宙だと思って聴けばシンセの音使いに宇宙を感じられなくもない、といった程度の内容。が、色物と侮るなかれ、展開が凝った曲には、所々に印象的なメロディも登場するので、チェックして損はないはず。

Sverdkamp

Hallgrimskvadi　ノルウェー

Independent　2017

2018年に突如解散してしまったローガラン県フィスターのヴァイキングメタルバンドの唯一のフルアルバム。バンド名は「剣での戦い」の意と思われる。Otygなどを思わせる朗々としたクリーンボーカルで力強く歌い上げられる民謡メロディが素晴らしく、時には昭和歌謡にも通ずる哀愁メロディも。フィジカルが作成されないまま解散してしまったが、初期のEinherjerあたりが好みであれば要チェックの作品。中心人物のNattsvartはGnipaheller（ヘルヘイムの入口の洞窟）やFramtakで活動を続けている。

Tarabas

Das neue Land ドイツ
Trollzorn Records 2010

2003年に結成されたマクデブルクのメロディックデス/ペイガンメタルバンドの2ndアルバム。デジパック仕様でリリースされた。本作は12曲75分の力作で、タイトルは「新たなる地」。このバンドがヴァイキングメタルかというと微妙なところだが、そう分類しているサイトも散見される。実際、前作はやや地味な作風であったが、今作はアコースティックギターも随所に用いられ、クリーンボイスのコーラスを交えて勇壮なメロディを歌う「Bruderschaft」（同胞）など、ヴァイキングメタルファンへの訴求力が高まっている。

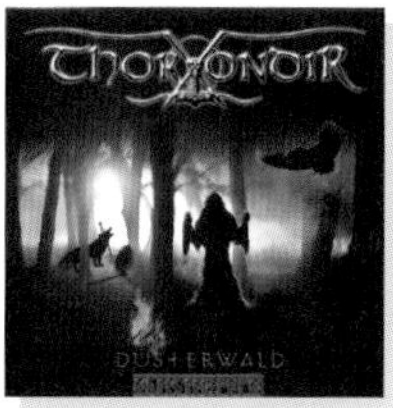

Tears of Styrbjørn

The Fallen Einheri チェコ
Murderous Music Production 2016

2008年に結成されたブルノのヴァイキング/ペイガンメタルバンドのセルフタイトルのEPに続くフルアルバム。8曲60分で、デジパック仕様での発売。タイトルは「倒れた戦士」（EinheriはEinherjarの単数形）で、バンド名のStyrbjørnはヴァイキングの傭兵団の統治者を務めた人物の名だと思われる。ミドルテンポ主体の重厚な曲に、がなり声と朗々としたクリーンのツインボーカルが乗るスタイル。雄々しいコーラスが良い。バンドは17年にギタリスト、キーボーディスト、ドラマーが脱退して活動休止した。

Thiasos Dionysos

Satyr ドイツ
Independent 2005

2003年に結成されたオーバーラウジッツのフォーク/ヴァイキングメタルバンドの1stフルアルバム。バンド名はギリシャ神話の豊穣の神ディオニュソスの信仰者を意味し、タイトルはその信仰者の男性を指すサテュロスだ。信仰者たちは歌い踊るイメージとともに描かれるのだが、本作もそのとおりのお祭り感のあるフォークメタルをベースに、ヴァイキングメタルらしいコーラスや勇壮さを加えたような音楽性。乱暴な言い方をすれば、Finntrollをさらにノリ良くしたような感じだろうか。自主制作だが、発売当時はそれなりに流通していた。

Thorondir

Düsterwald ドイツ
CCP Records 2008

2007年より活動しているバイエルン州ヴァルトザッセンのヴァイキング/ブラックメタルバンドのデビュー作。バンド名は『指輪物語』の登場人物で、タイトルは同作品の「闇の森」。北欧神話由来の曲も一部存在し、雄叫びから幕開けする疾走チューンは初期のEquilibriumあたりを思わせる。特に笛入りの「Mit erhobenem Horn」（角杯を掲げて）などは、ライブで盛り上がりそうな一曲だ。音質面や音の軽さなど、どうしてもB級感は否めないが、楽曲そのものは決して悪くないだろう。9曲28分とやや物足りないのも若干マイナス。

Thurs

ノルウェー
Myths and Battles from the Paths Beyond
Bloodred Horizon Records 2010

2005年結成のスタヴァンゲルのヴァイキング/ブラックメタルバンドのデモCD『Mot Nord』（北を目指して）に続くデビューアルバム。オーストリアのレーベルからスリップケース仕様で発売された。バンド名は古ノルド語で「巨人」を意味する。スカンジナビア民謡を取り入れたメロディックで聴きやすいブラックメタルで、アコースティックギターや口琴が楽曲をドラマティックに引き立てている。あまり流通していない作品だが、初期のEnslavedあたりの甘すぎないヴァイキングブラックが好みなら、探してみると良いだろう。

Uburen

And the Mountains Weep ノルウェー
Independent 2019

2010年結成のサンドネスのヴァイキング/ブラックメタルバンドの3rdフルアルバム。100枚限定。バンド名は彼らの地元の山の名で、望まれない子供を投げ捨てるという逸話が伝わることから「投げ捨てられた」のような意味らしい。本人たちが「サタン崇拝のないブラックメタル」と自身の音楽を形容するように、歌詞のテーマはヴァイキングや北欧神話だが、音楽的には寒々しくダークな北欧ブラックメタルで、荒涼とした情景は浮かぶものの、ヴァイキングを想起できる要素はほぼない。「Oskoreia」はPVがYouTubeで公開された。

Ulfdallir

Ярость Фенрира ロシア
Fono Ltd. 2016

「狼の谷」を意味する 2014 年結成のモスクワのヴァイキング / メロディック・デスメタルバンドのデビュー作。同郷の笛入りフォークメタルバンド GjeldRune の「Стальная броня」(鋼鉄の鎧)のカバーを含む 12 曲を収録。タイトルは「フェンリルの怒り」の意で、名が暗示する通り表題曲はブラストビートから幕開けするアグレッシヴな曲だ。全体的に音楽性は Amon Amarth あるいは Unleashed に近いスタイルのオーソドックスなメロディック・デスメタルで、やや盛り上がりに欠ける。歌詞は全編ロシア語。

Ulvedharr

Swords of Midgard イタリア
Moonlight Records 2013

クルゾーネで 2011 年に結成されたヴァイキング・デス / スラッシュメタルバンドの 1st アルバム。バンド名の原義は「狼の皮」で、狼の皮に身を包む戦士ベルセルクを指すもの。バンドはスウェディッシュ・デスメタルと 80 年代のスラッシュメタルからの影響を認めている。曲によってはコーラスや朗々としたクリーンボイスによる歌唱、民謡メロディのギターなど、エピックな要素が登場するのが個性だろう。17 年に Scarlet Records からスタジオライブ音源を追加して再発された。なお、明確に北欧神話モチーフなのは次作まで。

Ulveheim

Frå ulveheimen メキシコ
Ovis Records 2010

2004 年結成のモンテレイのヴァイキング / フォーク / ブラックメタルバンドの EP に続く 1st アルバム。タイトルは「狼の地から」。南米なのにノルウェー語で、スカンジナビア民謡に取材した本格ヴァイキングメタルを聴かせる。笛や口琴、アコースティックギターが哀愁メロディに彩りを添える。EP の表題曲だった「For ære, heder og fedreland」(名誉、尊厳、祖国のために)のクリーンボイスパートは絶品。初期の Vintersorg あたりが好みなら一聴されたい。なお、発売元もノルウェーのレーベルだ。

Ulvhedin

Pagan Manifest ノルウェー
Einheit Produktionen 2004

Einherjer や Enslaved と同じハウゲスンで 1994 年に結成されたヴァイキング / ブラックメタルバンドのデビューアルバム。バンド名は「狼の皮」の意で、北欧神話のベルセルクやそれに類する戦士の形容。本作は Einheit Produktionen の第一弾リリースで、ミドルテンポ主体の重厚な楽曲が中心だが、ギターソロや疾走パートもあり、楽曲の骨子はしっかりしている。ブラックメタル的なシャウトに加えて、誇らしげなクリーンボーカルも顔を出す。本作以降は音沙汰がなく、活動状況不明である。

Valensorow

Neptus アメリカ
Independent 2013

2012 年に結成のサンノゼのフォーク / ヴァイキング / メタルコアバンドのデビュー作。デジパック仕様でリリースされた。メンバー全員 RPG が大好きらしく、バンド名は彼らが創作した死後の世界の名前らしい。本作ではその世界に不死の力を獲得した英雄たちが集う話が描かれ、以降の 5 作で英雄たちの冒険譚が語られるはずだったが、15 年に 2nd アルバムを発表後、バンドは活動休止している。彼らいわくブルータル・フォークメタルとのことで、乱暴に言えば Ensiferum や Turisas をメタルコア寄りにした感じの音楽性だ。

Valkenrag

Chasing the Gods ポーランド
Independent 2018

2006 年にトマシュフ・マゾビエツキで結成され、その後ウッチに移転したメロディック・デスメタルバンドの 2nd アルバム。バンド名に意味はなく、単純に音の響きが格好良いから採用したとのこと。彼らはポーランドの Amon Amarth と評されたこともあるそうで、本作でもヴァイキングや北欧神話をモチーフとした、エピックで勇ましいメロディック・デスメタルを聴かせる。タイトル曲は、月と太陽を追い回す 2 匹の狼によって昼夜が入れ替わるという神話をテーマとしたもの。「Victory or Valhalla」は MV が YouTube で公開された。

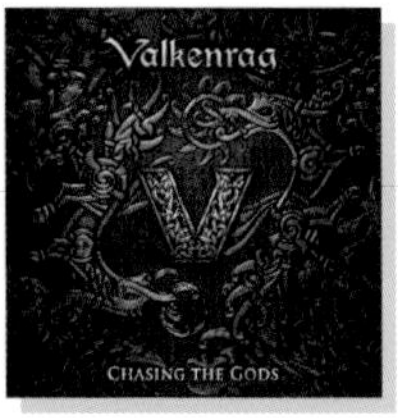

Vanaheim

Helter og kongers fall ノルウェー
Independent 1998

バールムで 1995 年に結成されたヴァイキングメタルバンドの唯一のフルアルバム。バンド名は「ヴァン神族の国ヴァナヘイム」で、タイトルは「英雄たちと王たちの没落」といった意味だ。復活前の同郷の Einherjer に近いギターオリエンテッドなミドルテンポ主体の音楽性。現在のような過剰に装飾されたフォーク / ヴァイキングメタルではないが、メロディには北欧の民謡成分が存分に感じられ、哀愁と勇壮さが同居する内容となっている。だみ声ボーカルと力強いクリーンとのツインボーカルだ。日本でもかつて一部のショップが入荷していたので、見かけたら手にとってほしい。

Vindland

Hanter savet フランス
Black Lion Records 2016

2005 年結成のブルターニュのメロディックブラック / ヴァイキングメタルバンドの 1st アルバム。バンド名はアメリカ大陸のヴァイキングによる呼称「Vinland」の別表記。『Valfar, ein Windir』のジャケットのようなシルエットのみのアーティスト写真からも窺えるとおり、Windir 影響下にある音楽性だが、本家ほどフォーク色は強くない。ジャケットは漁に出かけて命を落とした夫を嘆く寡婦で、タイトルはブルトン語で「(弔意を示す) 半旗」を意味する。もともとは CDR での発売だったが、2nd プレス以降はジャケット変更の上、プレス CD となった。デジパック仕様。

Vinterblot

Nether Collapse イタリア
Rising Records 2012

2008 年に結成されたバーリのヴァイキング / デスメタルバンドの EP『For Asgard』に続くデビューアルバム。SE2 曲を含む 10 曲入り。バンド名は「冬の生贄」。メンバーはスウェディッシュ・デスメタルに最も影響を受けたらしく、歌詞のモチーフが北欧神話というだけで、音楽的にはヴァイキングメタルらしい要素はあまりない。なお、次作の『Realms of the Untold』は魔法、錬金術、秘教がテーマで、ヴァイキングや北欧神話とは無縁になって、音楽的にはよりメロディックな方向に進んでいる。

Visigoth

Conqueror's Oath アメリカ
Metal Blade Records 2018

2010 年より活動する「西ゴート族」を冠したモルモン教徒の聖地ソルトレークシティのヘヴィ / パワーメタルバンドの 2nd アルバム。ヴァイキングメタルというわけではないのだが、一人フォーク / メロディック・ブラックメタル Gallowbraid として活動し、Folkodia への参加実績もある Jake Rogers がマイクを取り、音楽的にも朗々としたクリーンボイスで勇ましい楽曲を歌うスタイルなので、ヴァイキングメタルファンにも訴求力の強い内容となっている。高揚感たっぷりの「Outlive Them All」あたりを聴いてみてほしい。

Voice of Midnight

Bifrost ロシア
Metal Scrap Records 2011

モスクワ北東の都市イヴァノヴォ出身で、「True Viking Metal」と自ら呼称するバンドのデビュー作。自主制作で発表した EP『Valknut』(3 つの三角形を組み合わせた死を表す北欧のシンボル) の全 4 曲を含む 8 曲入り。タイトルは北欧神話の神々の世界と人間の世界を繋ぐ虹の架け橋。キーボードなどによる装飾は最小限に留め、硬派でメタリックなサウンドを聴かせるが、印象的なメロディに乏しいのが難点。ウクライナのレーベルからのリリースながら流通が良く、日本のショップなどでも割と見かける。

Voluspaa

Åsa ノルウェー
Aurora Australis Records 2010

1994 年結成の「巫女の予言」を冠するヘーネフォスのヴァイキング / ブラックメタルバンドのデビュー作。作品名はおそらく「アース神族について」。当初はバンド編成だったが、本作発表時には正式メンバーは Freddy Skogstad のみで、Hildr Valkyrie や Fortíð の Eldur、Ram-Zet のヴァイオリニスト Sareeta など多数のゲストを交えて制作された。暴虐疾走チューンは初期の Falkenbach、ミドルテンポの楽曲は中期の Bathory を思わせ、音質も良好で全体的に質の高い作品。

Wandersword

В ожидании войны ロシア

FireStorm Production 2012

2006年に結成され、15年に解散したインザのメロディックデス/ヴァイキングメタルバンドの唯一のフルアルバム。500枚限定。モスクワのパンクバンドПурген（Purgen）の「Русія」（Russia）のカバーを含む9曲入り。タイトルは「戦を待つ」の意で、13年にはBlasphemour Recordsから『Waiting for War』のタイトルで再発されている。フォーキーな音色のシンセをうっすらとまとい、叙情的なメロディにロシア語詞のボーカルが乗るスタイルで、異国情緒を感じさせる一枚。

Welter

The Elder Land オランダ

Berzerker Records 1998

Herr Kriegerなる人物による南ホラント州の一人ヴァイキングメタルの1stアルバム。改名前を含めると1994年から2000年まで活動していた。ミドルテンポ主体で、クリーンボイスで物悲しく土着的なメロディを朗々と歌い上げる曲もあるが、Kriegerは他にもブラックメタルバンドをやっていたため、本作もブラックメタル色が強い曲が多め。ややチープに聴こえるキーボードが、却って哀愁を強めている。Absurdの「Mourning Soul」のカバーも収録されているが、無気力な歌のせいか今ひとつの出来。

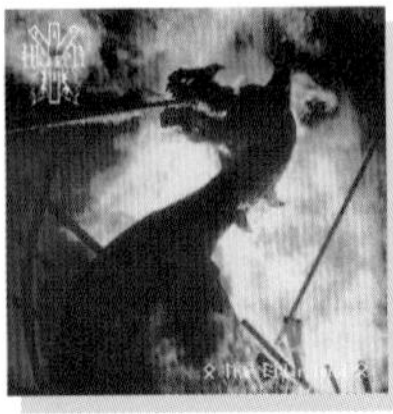

Wotanskrieger

Geleit ドイツ

Barbarossa Records 2004

2005年に解散したオーバーヴェーザーのフォーク/ヴァイキングメタルバンドの2作目。バンド名は「ヴォータン（オーディン）の戦士たち」の意で、タイトルは「付添人」。ピアノやアコースティックギター、バグパイプを効果的に用い、男女クリーンボイスを取り入れたドラマティックなフォーク/ブラックメタルだ。彼らはWotans Krigerという同名極右バンドと混同されて迷惑しており、ネオナチ疑惑を否定している。だが、諸事情で当時ごく短期間極右団体との接触があり、本作のリリース元も右寄りなため、流通が非常に悪くなってしまった。

Wrath

Viking 南アフリカ

Einheit Produktionen 2005

ケープタウン出身で後にイギリスに移転したNazgulなる人物による一人ブラックメタルのデビュー作。ペイガン/ヴァイキングメタルの作品を多く手掛けるレーベルからの発売かつ、ずばりそのものなタイトルで、実際ヴァイキングや北欧神話について歌われている。だが、音楽的にはBurzum影響下の厭世的でミニマルなブラックメタルとアンビエント。Burzumも『Dauði Baldrs』（バルドルの死）などで北欧神話を扱っていたが、そちらからの影響なのだろうか。ジャンル定義の難しさを感じさせる一枚で、ヴァイキングメタルファンは要注意。

Wulfgar

Midgardian Metal スウェーデン

Trollzorn Records 2010

2005年に結成されたクリシャンスタードのヴァイキング/デスメタルバンドの2ndアルバム。バンド名はアングロ・サクソン系の叙事詩『ベーオウルフ』の登場人物で、聡明なことで知られる。1曲目のイントロこそヴァイオリンによるSEだが、以降はメタリックで硬派だが、甘過ぎない程度にメロディを織り込んだデスメタルを聴かせる。いずれもミドルテンポで軍隊の行進をイメージさせるような、勇ましくずっしりとしたサウンドだ。表題曲と「Norsemen of Steel」には若干のコーラスもあり、勇猛さに拍車をかけている。

凱旋March

大行進 日本

Battle Mark 2003

Brave Bomberを母体として結成された東京出身の軍歌メタルバンドのEP『闘魂行進曲』に続く1stフルアルバム。10曲70分の大作。日本語で高らかに歌い上げられる軍歌調の勇ましいヘヴィメタルは、歌詞こそヴァイキングや北欧神話ではないが、ヴァイキングメタルと親和性が高いと言えよう。実際、戦いをテーマにしたメタルもしばしば広義のヴァイキングメタルだと考えられる。バンドは2004年に活動休止しているが、リーダーの齋藤正壽によるソロアルバム『日章』が08年に発売されているのであわせてチェックされたい。

CHAPTER 5

PIRATE METAL

パイレーツメタル

この章ではオマケとして、パイレーツメタルについて述べる。古くはドイツの Running Wild が海賊モチーフの曲を作ったりしていたが、ヴァイキングメタルほど、明確にそのようなジャンルが定着しているわけではなかった。だが、フォークメタルのブームによって Alestorm がジャンルを再発明して、ヴァイキングメタルと並んで姉妹ジャンルとしてのパイレーツメタルが誕生したように思われる。なお、ヴァイキングも農業や漁業のほか、海賊行為も行っていたが、民族と時代が限定された海賊がヴァイキングだろうか。

RUNNING《ランニング》 WILD《ワイルド》

ハンブルク出身、海賊テーマにしてパイレーツメタルの元祖に！

ドイツ 自由ハンザ都市ハンブルク　1976 ～ 1979 (as Granite Hearts), 1979 ～ 2009, 2011 ～
Rock 'n' Rolf (Vo, Gt), Peter Jordan (Gt), Ole Hempelmann (Ba), Michael Wolpers (Dr)

誤解を招いたサタニックな歌詞

1976 年、ドイツのハンブルクで Rolf Kasparek、Uwe Bendig、Michael Hofmann、Jörg Schwarz の 4 人が Granite Hearts というバンドを結成した。後に加入するドラマー Hasche とベーシスト Matthias Kaufmann は当時 Grober Unfug なるバンドをやっており、Matthias と Rolf は同じ学校だったようで、彼がサポートベーシストを務めたこともあったらしい。79 年には彼らがファンだった Judas Priest の楽曲に因んで、バンド名を Running Wild に変更した。また、この頃には Rolf は Rock 'n' Rolf のニックネームで呼ばれるようになっていた。

彼らは後に海賊や歴史をテーマにした作品を発表するようになり、元祖パイレーツメタルバンドとも考えられているが、どちらかと言えばジャーマンメタルのコンテキストで語られることの方が多い。ドイツでは Scorpions に続いて、79 年に Accept がデビュー、80 年代にはその影響下のパワーメタルバンドが次々と生まれることになる。彼らはその中核を成すバンドの一つだ。

Rolf、Uwe、Matthias、Hasche の布陣で 81 年にデモ『Rock from Hell』を発表、Uwe と Matthias の後任への交代後、数本のデモの発表やスプリット作品への参加など精力的に活動していく。84 年に正式な単独作品としては初の EP『Victim of States Power』を Noise Records から発売し、同年 12 月に 1st フル『Gates to Purgatory』（煉獄への門）をリリースした。この頃はタイトルが示すように、サタニックなイメージの曲が主だった。実際にはサタンは「すべてを疑う反逆者」という政治的象徴だったのだが、誤解を招いたようで、85 年の 2 枚目『Branded and Exiled』では、より意図が明確化された歌詞になった。

解散後のベストアルバムがきっかけで復活

転機となったのは 3 枚目『Under Jolly Roger』（海賊旗のもとに）だ。たまたまこのタイトルが浮かび、それに相応しいアートワークに変更、ステージ衣装を作成、Rolfが海賊に関する本を読んで魅了された結果、以降の作品で海賊や歴史が扱われるようになる。なお、本作の発売後にHascheが脱退、オリジナルメンバーはRolfのみとなる。以降もメンバーの脱加入が多く、彼のワンマンバンド的な側面も強い。前作の方向性を推し進めて88年に『Port Royal』、89年に『Death or Glory』と彼らは立て続けに発表する。特に後者はドイツのアルバムチャートに初めてランクインした出世作となった。以降、スタジオアルバムとしては9枚目の95年の『Masquerade』までをNoise Recordsからリリース、GUN Recordsへと移籍して2005年には13th『Rogues en Vogue』をドロップした。この後にギタリストPeter Jordanが加入している。

以後、ベスト盤を除いては作品のリリースが途絶えていたが、09年4月17日、Rolfは突如解散を発表、7月のWacken Open Airへの出場をラストライブとするとした。数年前から解散は頭にあったらしく、バンドが30年目、Wackenが20年目の節目ということでキリが良かったとのことだ。フェスでは異例の2時間にも及ぶこの時のライブは2011年に『The Final Jolly Roger』としてDVDとCDが発売された。彼は長年の活動のうちに新しいことを始めたくなっていたようで、バンドの解散後ほどなく、Peterと二人でGiant-Xを結成した。しかし、DVDが発売された11年、Running Wildの新しいベスト盤を発売する企画があったようで、それ用に数曲の新曲を制作しているうちに気が変わったのか、結局Rolfはバンドの再結成を発表する。以降Giant-Xはサイドプロジェクトとして存続しつつ、Running WildはSteamhammerと契約して、12年に復帰作『Shadowmaker』を発表、13年と16年にもアルバムをリリースしている。

Under Jolly Roger

Noise International 1987

3rdアルバムにして、以降の彼らのトレードマークとなる海賊をモチーフにした曲が初収録された作品。Jolly Rogerとは黒地に白のドクロと交差した2本の骨が描かれた旗で、かつての海賊船で実際使用されていた。ライブで定番曲の表題曲は歌詞のみならず、大砲のような効果音が取り入れられ、世界観を高めている。この曲以外は海賊モチーフではない。スピードメタル的な1stよりメロディが豊かになった前作から、パワーメタル色が強まった。2017年に再録や未発表バージョンを収録したボーナスディスク付きで再発された。

Port Royal

Noise International 1988

大々的に海賊をテーマに取り上げ始めた初の作品。タイトルは、イギリスの植民地支配下にあったジャマイカ南東部にあった港湾都市で、海賊の本拠地としてイギリス王室が公認していた。「Uaschitschun」とはアメリカ原住民による白人男性の呼び名で、「幽霊」のような意味合いらしく、自然破壊について歌った曲だ。「Calico Jack」は実在の海賊で、前作のタイトルにも使用されたJolly Rogerを発案した人物だ。音楽的には前作より大幅にメロディックになっている。前作同様2017年に再録などを追加して再発された。

Death or Glory

EMI Noise 1989

彼らの作品の中でも最高傑作との声も多い5thアルバム。日本でも国内盤がオリコン95位を記録した出世作。2分弱のイントロからスピーディになだれ込む「Riding the Storm」やコーラスが熱い「Bad to the Bone」といったライブでの定番曲を含む11曲入り。全体的に勇猛で漢臭い作品となっている。「Battle of Waterloo」に見られるように、海賊に限定せず史実一般をテーマに起用し始めたのもこの頃。本作も2017年に2枚のEPの曲などを収録したボーナスディスク付きで再発された。

ALESTORM《エールストーム》

冗談で「トゥルー・スコティッシュ・パイレーツメタル」標榜！

イギリス スコットランド パース　2004 ～ 2007 (as Battleheart), 2007 ～　Christopher Bowes (Key, Vo), Gareth Murdock (Ba, Vo), Peter Alcorn (Dr), Elliot Vernon (Key, Vo), Máté Bodor (Gt)

名前が似ているから改名させられた

2004 年にイギリスのスコットランドの都市パースで、友人だったキーボーディストの Christopher Bowes とギタリストの Gavin Harper の二人が、Battleheart というスタジオプロジェクトを始動した。地元に良い音楽がなかったかららしい。このプロジェクトの来歴は諸説あるが、一時的には 6 人体制のバンドになったという。しかし、いずれも短期間で脱退してしまったため、Christopher がマイクを取って、2 人で最初の EP『Battleheart』を制作、オフィシャル HP で無料公開した。06 年 4 月のことだった。

彼らはもともとは普通のパワーメタルバンドとしてその活動をスタートした。ところが、たまたま海賊をモチーフにした「Heavy Metal Pirates」という楽曲を作ってリハーサルで演奏してみたら、思いのほか格好良い出来になったのをきっかけに、海賊をテーマにフォーク / パワーメタルをやっていくことにしたそうだ。というわけで彼らは別に歴史に興味があるわけではない。

EP が好評となり、ファンから正式バンドとしての活動を期待された彼らに、ベーシスト Dani Evans とドラマー Doug Swierczek が加入、さらにベーシスト Jason Heeny が加入して、Dani がリズムギターにパートチェンジ、5 人体制でバンド初のライブを実施した。全員が初顔合わせしてからわずか 5 日後のことだったらしい。だが、Jason が数ヶ月で脱退、Dani が再びベーシストの座に収まった。そして同年 10 月には 2 作目の EP『Terror on the High Seas』を再び無料公開する。本作が話題となり、イギリスのメタル雑誌『Metal Hammer』誌の付録オムニバス CD に 1 曲収録されるに至った。しかしながら 07 年初頭に今度は Doug が脱退、バンドは Ian Wilson を後任に迎え入れている。

07 年半ば頃には彼らはレーベル探しを始め、オーストリアの名門 Napalm Records にデモ音源を送った結果、契約に成功する。しかし、同レーベルにはすでにフィンラン

ドのエピック/シンフォニックメタルバンドBattleloreが所属しており、名前が似ていたBattleheartは改名を求められた。結成時から音楽性が変化していたこともあり、現在のバンドの音楽やコンセプトにふさわしい名前を新たに考えた結果、ここにAlestormが誕生した。

パイレーツメタルを再発明

彼らは自身の音楽性をトゥルー・ノルウェージャン・ブラックメタルになぞらえて、冗談で「トゥルー・スコティッシュ・パイレーツメタル」と称している。ただ、ヴァイキングメタル同様、パイレーツメタルも歌詞やバンドのコンセプトによって規定されるところが大きいジャンルで、彼らの場合は先に述べたとおりフォーク/パワーメタルだ。トランペットやトロンボーンを多用しているほか、シーシャンティ(船乗りたちの労働歌)の雰囲気を醸し出すために、アコーディオンやフィドル、ティン・ホイッスルなどの音色を取り入れているのが特徴である。

海賊をモチーフとしたバンドとしては、古くは1980年代からドイツのヘヴィメタルバンドRunning Wildが挙げられるが、彼らはその影響をまったく受けていないという。向こうはもっと伝統的なジャーマンメタルゆえ、音楽的にも完全に別物だとバンドは公言している。Christopherは音楽的な影響として、同郷のエピック/シンフォニック・ブラックメタルバンドBal-Sagothを挙げている。Alestorm以降、フォークメタル色の強いパイレーツメタルバンドのフォロワーが現れ出したので、彼らはこのジャンルを再発明したと言えるのではなかろうか。

パワーメタル、エレクトロパンク、ブラックメタルにも挑戦

08年1月に『Captain Morgan's Revenge』でワールドワイド・デビューを果たした彼らだが、9月にバンドの創設メンバーであるGavin Harperが脱退してしまう。同年10月にリリースされたEP『Leviathan』が、彼が携わった最後の作品となった。その後、後任ギタリストにTim Shawが着任するが、彼もまた短期間で解

Metal Allianceで初来日も果たした。15年にはオリジナルメンバーのDaniが脱退してしまうが、Máté Bodorを後任に迎え、アメリカのパイレーツメタルバンドSwashbuckleや、同じくアメリカのアコースティック・パイレーツロックバンドThe Dread Crew of Oddwoodとともに北米でもPiratefestツアーを成し遂げた。16年にレーベルメイトのSkálmöldと互いのカバー作品、17年5月に5枚目となるフルレングス『No Grave but the Sea』、20年には6thアルバム『Curse of the Crystal Coconut』をリリースしている。

なお、Christopher BowesはAlestorm以外にも多彩な活動を見せており、パワーメタルバンドGloryhammerでキーボードを弾いているほか、Christopher Bowes and His Plate of Beansではエレクトロパンク、Fröstskögではブラックメタルにも挑戦している。また、日本のフォークメタルバンドJapanese Folk Metalの「うらめしや」へのゲスト参加でも知られる。

雇されることになる。この理由はわかっていない。この穴を埋めるため、Daniがベースからギターにパートチェンジして、代わりにアイルランドのフォークメタルバンドWaylanderのGareth Murdockがベーシストとして加入した。

09年には初の北米ツアーを実施したほか、2枚目のフルアルバム『Black Sails at Midnight』を発表し、レーベルメイトであるTýrとHeidevolkとのヨーロッパツアーを成功におさめた。これを記念してこの3バンドによるスプリット作品『Black Sails over Europe』も制作された。これはAlestormとTýrの新譜から数曲とHeidevolkの代表曲数曲を収録した、ツアー用のバンド紹介盤的な位置づけの作品だ。

10年にドラマーIanが脱退、後任にPeter Alcornを迎えて、11年6月に3枚目『Back Through Time』をリリースした。本作の発売後、キーボーディストでスクリームボーカルもこなすElliot Vernonが加入する。13年11月には初のライブDVD『Live at the End of the World』、14年8月に4枚目のアルバム『Sunset on the Golden Age』と順調にリリースを重ねる。

同年10月にはイギリス国内でPiratefestツアーをオーストラリアのLagerstein、同郷のRed Rumといった他のパイレーツメタルバンドとともにまわり、11月にはPagan

Captain Morgan's Revenge
Napalm Records 2008
Battleheart時代の楽曲を多数含むデビュー作。ジャケットに描かれたモルガン船長は、そのペットの半分骸骨のネズミScurvy Steve（壊血病のスティーブ）とともにバンドのマスコットキャラとなっている。音楽的にはフォークメタル風のパワーメタルといった様相だ。「Flower of Scotland」は地元のフォークグループThe Corriesのカバーで、非公式ながらスコットランドの国歌として広く認知されている。邦題は『モルガン船長の復讐日誌』。2018年には10周年記念盤も発売され、そちらは2015年のライブ音源との2枚組となっている。

Leviathan

Napalm Records　2008

新曲「Leviathan」（旧約聖書に登場する海竜のような怪物）を中心に、彼らの原点「Heavy Metal Pirates」の再録などを収録した 4 曲入り EP。この新曲では海賊たちが怪物を討伐に向かうのだが、この話の続きは 3rd アルバム収録の「Death Throes of the Terrorsquid」で語られる。「Wolves of the Sea」は、セルビアの首都ベオグラードで開催された Eurovision Song Contest 2008 のラトビア代表 Pirates of the Sea のエントリー曲のカバー。「Weiber und Wein」は前作収録の「Wenches and Mead」のドイツ語バージョンだ。

Black Sails at Midnight

Napalm Records　2009

2nd フルレングス。PV が制作された「Keelhauled」やインスト曲「No Quarter」に顕著に見られるように、アコーディオンやヴァイオリンの音色がふんだんに取り入れられ、シーシャンティ由来のメロディが増えて、前作よりもさらに陽気なフォークメタルへのシフトが進んでいる。表題曲には意外にもスラッシーな一面も。『真夜中の暗黒海賊船』の邦題で国内盤が出ている。iTunes 版には『セサミ・ストリート』の作中歌「C is for Cookie」のパロディ「P is for Pirate」を追加。限定盤はスリップケース付きのデジパック仕様で、DVD が付属している。

Back Through Time

Napalm Records　2011

3 枚目。Christopher の他プロジェクトの影響か「Death Throes of the Terrorsquid」には若干ブラックメタルの要素も。タイトルを言うだけのわずか 6 秒の「Rumpelkombo」は Grave Digger の Chris がインタビューで Alestorm を侮蔑して呼んだ単語で、この曲の作詞者を彼にすることで、定期的に僅かな印税が入って Alestorm を思い出させる仕組みになっている。「Swashbuckled」はパイレーツメタルバンド Swashbuckle についての曲だ。限定盤はデジブック仕様で、カバー曲 2 曲を追加収録。国内盤にもその 2 曲は収録されている。

Sunset on the Golden Age

Napalm Records　2014

4th アルバム。イギリスの R&B シンガー Taio Cruz の「Hangover」（二日酔い）のカバーを含む 10 曲 48 分。前作リリース後に加入した Elliot Vernon のスクリームボーカルに合わせたものか、メタルコア色が感じられる楽曲が散見される。ライブで大盛り上がり必至の「Drink」や「Mead from Hell」など高品質なパーティチューン中心であるが、イギリスとスペイン間の海上権を巡る戦争「1741（The Battle of Cartagena）」などシリアスな名曲も聴きどころ。デジブック仕様の限定盤のボーナスディスクには過去曲のアコースティック・バージョンなどを収録。

No Grave but the Sea

Napalm Records　2017

5 作目のアルバム。ようやくセルフタイトル曲が収録されたのは、それをするに足るほどバンドが大きくなったからとのこと。同曲と「Mexico」は MV が制作された。これまで通り陽気なフォークメタル的な楽曲や、トロンボーンやトランペットが鳴り響くゴージャスで勇ましい楽曲が並んでおり、若干マンネリを感じなくもないのだが、いずれも質は高く安心して聴ける内容。デジブック仕様の限定盤と国内盤のボーナスディスクは、本作のボーカルを犬の鳴き声に差し替えたバージョンだ。国内盤には限定ボックスの 7" からも 1 曲追加収録。

Curse of the Crystal Coconut

Napalm Records　2020

6 枚目。全体的には従来のノリの良いおふざけフォーク / パワーメタルを聴かせる。電子音やラップが取り入れられた実験的な「Tortuga」のような曲もあるが、ファンから受け入れられない危険があったと Bowes も認めており、同曲にステレオタイプな海賊を演じた MV を作成して、多少受け入れられやすくした模様。なお、10 曲目には Japanese Folk Metal のかえるはかせとタツグチが語りで参加している。デジブック仕様の限定盤のボーナスディスクには「16 世紀バージョン」として本作のチップチューンアレンジを収録。

SWASHBUCKLE《スウォッシュバックル》

シーフードレストランで意気投合、サメの着ぐるみも登場！

アメリカ ニュージャージー州 マーサー郡　2005 ～
Commodore RedRum (Gt), Admiral Nobeard (Vo, Ba), Legendary Pirate King Eric "The" Brown (Dr)

スラッシュメタルと海賊が好きだ

2005 年初頭、ベーシストの Patrick Henry とギタリストの Justin Greczyn の二人がシーフードレストラン Red Lobster で会った。そこで、二人ともスラッシュメタルと海賊が好きだとわかり、意気投合して結成されたのが Swashbuckle だ。バンド名は「チャンバラ活劇を繰り広げる」の意の英単語で、Swashbuckler で冒険活劇や海賊映画を指す。彼らは海賊をイメージした衣装を身にまとい、サメの着ぐるみなどが登場するエンターテインメント性の高いライブで知られる。結成の経緯からわかるように、音楽的にはデス / スラッシュメタルなのだが、作品においてメインの曲の合間に雰囲気作りのための民謡調のインスト曲やセリフを交えて、海賊の世界観を高めているのが特長だ。

彼らは 4 曲入りのデモの制作後、ドラマーの Mike Soganic とギタリストの Joe Potash をメンバーに加え、05 年 11 月に 7 曲入りのデモ『Yo Ho Demo』を発表する。この頃から彼らはステージネームを使いだし、Patrick、Justin、Mike、Joe はそれぞれ Admiral Nobeard、Commodore RedRum、Captain Crashride、Rowin' Joe Po と名乗り、地元でライブ活動を始めた。そして 06 年に完成したのがデビュー作『Crewed by the Damned』だった。本作の発売後、Joe が脱退してしまうが、彼らはアルバムを引っさげ、北米ツアーを敢行した。

Myspace Band Contest で堂々 2 位

そして彼らはチャンスを勝ち取る。08 年 5 月から 10 月にかけてドイツの大手メタルレーベル Nuclear Blast Records が開催した Myspace Band Contest において、カナダのフォーク / メロディック・デスメタルバンド Blackguard に優勝こそ譲りはしたが、見事 2 位を獲得、同レーベルとの契約に至ったのだ。レーベルは「パンクとスラッシュのクロスオーバーで我々に感銘を与えたのみならず、見た目でもインパクトを与えた」と彼らを評している。彼らは09年にKorpiklaani、Primordial、Moonsorrowといったバンドと北米のPaganfestツアーを成功させ、2ndアルバム『Back to the Noose』をリリースする。それからDie Apokalyptischen Reiter、Unleashed、Alestormなどと初のヨーロッパツアーにも繰り出した。彼らの音楽性はフォークメタルではないため、フォーク/ペイガンメタル系のバンド以外に、VaderやDecrepit Birthといったデスメタルバンドや、Death Angelのようなスラッシュメタルバンドともステージをともにしている。

Nintendo Switchのゲームに楽曲提供

10年にはMikeが脱退、後任にBootsmann Collins（Paul Christiansen）を迎えて3枚目『Crime Always Pays...』を発表した。彼もまた1年でバンドと道を違えることになるが、新たにLegendary Pirate King Eric "The" Brown（Eric W. Brown）が加入している。この彼は多才で、チップチューンアーティストRainbowdragoneyesとしてNintendo Switchのゲームソフト『The Messenger』に楽曲提供したり、パイレーツメタルのチップチューンアレンジを発表したりしている。そのほか、The Dread Crew of Oddwoodにも一時在籍、カナダのフォークメタルバンドNekrogoblikonでも活躍している。

彼らは、数日間に渡りマイアミ周辺をクルージングする豪華客船上で行われる大規模メタルフェス70000 Tons of Metalに11年、14年と出場を果たすなど、順調な活動を見せた。14年の4曲入りの7"『We Hate the Sea EP』と15年のシングル「Good Friends in Wet Places」以降リリースが途絶えていたが、19年にはカバー曲2曲からなるEP『Dumb to be Swashbuckle』とシングル2曲、20年にもシングルをデジタルリリースしている。

Crewed by the Damned
Bald Freak Music　2006
デビュー作。16曲39分という構成で、曲の合間合間にフォーキーなインストを挟むスラッシュメタル。低音だみ声のデスメタル寄りのボーカルは好みが分かれるところかもしれない。インスト曲とメタル曲の乖離が大きく、メタル曲が短かい割にインスト曲が長めなのも全体の流れを悪くしている。ただ、バランスが悪いだけでどちらも決して質が低いわけではなく、本作の時点では今ひとつ世界観の表現がうまく行っていないが、後のブレイクを予感させる内容ではある。CDは流通が良くないが、Bandcampでデジタル販売されている。

Back to the Noose
Nuclear Blast Records　2009
『帰ってきた海賊戦士』の邦題でキングレコードから国内盤も発売された2ndアルバム。前作同様大量のインストやセリフを合間に挟むが、基本はクロスオーバー・スラッシュ。タイトルは映画『パイレーツ・オブ・カリビアン/呪われた海賊たち』に登場するセリフで「(逃げても捕まって）絞首刑になる」の意だが、ヴァイキングメタルにありがちな「Back to the North」のパロディにも思える。当時のGuns N' RosesのギタリストRon "Bumblefoot" Thalがプロデュースに関わっている。

Crime Always Pays...
Nuclear Blast Records　2010
1年という短かいスパンで届けられた3rdフルレングス。基本的には前作同様デスメタルやハードコアからの影響を感じさせるスラッシュメタルなのだが、前作ほどインスト曲におふざけ感はなく、数も減っている。その分「Powder Keg」（火薬樽）に「オーオーヨーホーホー」という船乗りの歌っぽいコーラスが登場したり、「A Time of Wooden Ships and Iron Men」ではフォークメタル調のサビメロが顔を出したり、フォーク/ヴァイキングメタルとのクロスオーバーが進んでおり、聴きやすい一枚。

THE《ザ》 PRIVATEER《プライヴァティーア》

リードギター並に主張する女性ヴァイオリニスト擁する私掠船！

ドイツ バーデン＝ヴュルテンベルク州 フライブルク・イム・ブライスガウ　2007 ～　Roman Willaredt (Gt), Christian Spöri (Gt, Vo), Kim Fritz (Dr), Clara Held (Violin), Eric Tobian (Ba), Jonas Piraterie (Vo)

Alestorm の影響下にあるわけではない

The Privateer はドイツ南西部に位置する都市フライブルクにて、2007 年にリードギターの Roman Willaredt とリズムギターの Christian Spöri を中心に結成されたパイレーツメタルバンドだ。当初は Privateer という名前だったが、ポーランドに同名のパワーメタルバンドがすでにいたため、The Privateer に改名したらしい。Privateer とは私掠船を意味する英単語だ。

Roman が最初に制作した 2 曲がたまたま海賊や海をモチーフにしており、これが他のメンバーからの評判も良かったことから、以降もパイレーツメタルバンドとして活動していくことを決めたという。音楽的にはフォークメタル色のあるパワー / メロディック・デスメタルで、実際 Iron Maiden や Grave Digger といったヘヴィメタルバンドや、Amon Amarth のようなメロディック・デスメタルバンドの影響を受けているそうだ。そういうわけで彼らは Alestorm の影響下にあるわけではない。歌詞の点でもパイレーツというテーマをもっと真剣に捉えていると彼らは言う。

ヴァイオリンの使いどころがわからない

結成時はギタリスト 2 人に加えてボーカル Pablo Heist、ベース Julius Liebing、ドラム Jonas、キーボード Martine という面子だった。初期は Roman が影響を受けていた古典的なヘヴィメタルの色合いが強かったという。ある時、自分の彼女の友達にヴァイオリニストがいることを知った Christian は、ヴァイオリンを曲に取り入れるアイデアを思いつき、Roman もこれに賛同して、09 年に女性ヴァイオリニスト Miriam Weinzierl が加入した。とは言え、ヴァイオリンの使いどころがわからなかったため、まるでセカンドリードギターかのように主張するヴァイオリンが以降の彼らの特徴となった。また、この頃からもっとメロディックな音楽性に移っていったとのこと。

ドラムが Kim Fritz、キーボードが Daniel Hipp に入れ替わって、10 年に初のデモ音源『Tavern Tales』を発表する。この発表後にドイツやスイスでライブも何度か実施している。ベースの Jonas Reinmuth への交代を経て、次いでバンドは 11 年にデビュー作となるフルアルバム『Facing the Tempest』を自主制作によりリリースする。このアルバムの制作後に Daniel が脱退、以降バンドは後任キーボーディストは迎え入れていない。

安定しないボーカリスト

ほどなくしてバンドはドイツの Trollzorn Records との契約に至り、12 年に先に発表したアルバムが再販され、ワールドワイドな知名度を獲得する。ここでヴァイオリニストが脱退してしまうが、後任に Clara Held を加えて、翌 13 年に 2nd アルバム『Monolith』を発売した。

その後、バンドは前 2 作よりはるかに長い期間を費やして次のアルバムの制作を行う。制作期間にベースが脱退したため、前任の Julius が再加入している。このアルバムの発売に関しては、いろいろなレーベルからのオファーを受けたのだが、その中の一つにフェスで出会ったオーストリアの NoiseArt Records があった。仲の良いバンドからの評判も良かったので、同レーベルへと移籍して、17 年についに 3 作目『The Goldsteen Lay』をリリースする。その後新ベーシスト Eric Tobian が加入している。

同年 10 月には結成時からのボーカリスト Pablo が脱退してしまうが、18 年元旦に後任に Daniel Priegnitz を迎え入れ、彼らは同年 2 月から 3 月にかけて、Korpiklaani、Heidevolk、Arkona、Trollfest、Black Messiah らとともに Folk Metal Superstars Tour というヨーロッパツアーを成功に収めた。だが、9 月に突如 Daniel の脱退が発表され、以降決まっていたライブをサポートボーカルを入れて乗り切る。19 年元旦、この彼が新ボーカリスト Jonas Piraterie だと発表された。

Facing the Tempest
Independent 2011

自主制作によるデジパック仕様でリリースされ、12 年に Trollzorn Records からジュエルケースで再発された 1st フルアルバム。デモの 2 曲を含む 8 曲入り。「嵐に直面して」というタイトルのためか、全体的にシリアスで物悲しい雰囲気が漂っており、ヴァイオリンの音色が哀愁を助長させる。スクリームも多用されているが演奏にデスメタル的な重さは控えめで、どちらかと言えばパワーメタル色が強い。Finsterforst のアコーディオン奏者 John Joseph が「Port Corrad」でゲスト参加。「Basilisk」は怪物に襲われる船の曲で、ジャケットはその曲に着想を得たものと思われる。

Monolith
Trollzorn Records 2013

2nd フルレングス。タイトルは「一枚岩」を意味する英単語で、ジャケットに描かれた海から浮かび上がった古代都市の石柱を指す。このコンセプトはラヴクラフトの小説に登場するクトゥルフが封印された石造都市ルルイエに着想を得たそうだ。この都市はやがて海底から浮上して、人々の精神に害悪を与えると言われる。全体を通して前作よりダークに仕上がっている。なお「Störtebeker」のみドイツ語詞なのは、この曲が 14 世紀に実在した海賊クラウス・シュテルテベーカーについての曲で、彼の母語で彼に捧げるためである。

The Goldsteen Lay
NoiseArt Records 2017

レーベル移籍後初となる 3 枚目のアルバムはコンセプトアルバムとなった。タイトルは Goldsteen の歌の意で、Vince Goldsteen なる船乗りが、とある島にまつわる数々の伝説を記した。ある船乗りたちがその古い航海日誌を頼りに、地図にない島を目指して航海に出る。期待に胸をふくらませる船乗りたちだったが、いざ辿り着いたその島には彼らより先に住まう部族がいて、船乗りたちは狩られることになる。しかも、この島は呪われており、島から逃げ出すことができないというストーリーとなっている。デジパック仕様。

The Privateer インタビュー

回答者 : Christian

Q：もしかしたらこれは最初の質問としては厄介かもしれません。ドイツには多くのヴァイキング、あるいはペイガンメタルバンドがいますよね。なぜみなさんはヴァイキングではなくパイレーツをバンドのテーマに選んだのか説明していただけますか？

A：たぶんそれはドイツにたくさんのヴァイキングメタルやペイガンメタルバンドがいるからだね。俺たちがバンドを結成したとき、実はパイレーツメタルバンドになることは計画してなくて、でも最初の 2 曲の歌詞がパイレーツのテーマに関連してたんだ。Pablo Heist がバンドに加入したときに、バンドがどの方向に進むべきかを議論して、パイレーツの音楽がライブパフォーマンスとストーリーテリングの点で前途有望だと決めたのさ。Alestorm はその当時（訳注：2008 年頃と思われる）そんなに知られてなくて、俺たちは独自のスタイルで何か新しいものを生み出せると考えたんだ。それに、このバンドのメンバーの多くは LARP（ライブアクション・ロールプレイングゲーム）にハマっていて、歴史上の衣装に身を包んだり、他の役に切り替わったりする経験がすでにあったんだ。うん、ヴァイキングメタルバンドとしても同様のことはできただろうけど、パイレーツのほうが俺たちにとってははるかに楽しそうにみえたのさ。

Q：公式サイトによると、みなさんは Iron Maiden や Grave Digger、Amon Amarth といったバンドに影響を受けたとあります。しかしながら、みなさんの音楽スタイルはヘヴィ・フォークメタルですよね。フォークメタル部分の影響についてもっと詳しくお聞かせください。

A：Roman と Chris は、一部の極めてメロディックなパートを除いては、フォークからの影響はほぼなしのヘヴィメタルバンドとして、このバンドを始めたんだ。バンドの音にヴァイオリンが加わって、主旋律を奏でる第二の楽器として使うことができた時に、これが変わったんだ。それからは俺たちの音は、どちらかと言えば初期の Eluveitie や Ensiferum のアルバムみたいになり始めた。だけど俺たちの音楽はメロディック・デスメタルとヘヴィメタルの組み合わせであって、フォークの影響の大半は単にヴァイオリンのフォーキッシュな音色によるものでしかない、と今でも考えているよ。

Q：みなさんは Alestorm といった他のいわゆるパイレーツメタルバンドよりもパイレーツというテーマをもっと真剣に捉えているとどこかのインタビューで読みました。これについてもう少し詳細に説明していただけますか？　みなさんの歌詞を、他のバンドの歌詞と違ったものにするために何か試みていることはありますか？

A：主として飲酒やパーティについての曲もいくつか書きはしたけど、俺たちの曲の大部分は複雑な物語で、Alestorm 流の典型的なパイレーツソングよりもはるかにダークなんだ。俺たちは音楽でどちらかと言えば陰鬱で怪しい世界を創り出そうとしているのさ。

陰鬱で怪しい世界を創り出そうとしているのさ

これまでの曲はシンガーだった Pablo が歌詞を手掛けていたんだ。彼は H・P・ラヴクラフトの大ファンで、彼の書くテキストのコンセプトは彼から見たラヴクラフトの世界へのさりげない言及でいっぱいだよ。俺たちの狙いは、白熱したライブパフォーマンスとキャッチーなサビ（もちろん）に加えて、家でアルバムを聴く時にリスナーが没頭できる音楽を書くことでもあるんだ。

Q：もしかすると前の質問と関係するかもしれませんが、みなさんの歌詞はとりわけ初期の頃はパイレーツを扱っていましたが、今はパイレーツに限らず、海に関するイベント全般に言及していますよね？　みなさんは自身の音楽性をどちらかと言うとメランコリックだと述べていますが、歌詞もまたダークでメランコリックなのでしょうか？

A：1st アルバム以降は海賊や私掠船についてのみ書くのではなく、7 つの海におけるダークな冒険譚についても書くことに決めたんだ。俺たちの 3rd アルバムはとある島への遠征についてで、ダークで怪しい曲からサイケデリック体験できるような曲までありとあらゆる種類の曲が収録されているよ。

Q：初期には The Privateer にキーボードプレイヤーがいましたが、今はいません。これはキーボードよりもヴァイオリンのほうがみなさんの音楽にフィットすると考えたからでしょうか？

A：バンドにヴァイオリニストとキーボーディストの両方が在籍した時期もあったのだけど、ヴァイオリンの音のほうが主旋律と、ギターとの調和のとれたメロディに断然フィットすることに気づいたんだ。もともと俺たちの曲にはそんなにたくさんのキーボードパートがなかったから、Hippが脱退したときにキーボードのポジションはなしにして、スタジオからのオーケストラサンプルを使うことに決めたんだ。

Q：みなさんはヴァイオリンを音楽に加えることを思いついたものの、効果的な使いどころが思い浮かばず、結果としてまるでセカンドギターかのようにヴァイオリンを使った、とどこかで読みました。そうは言ってもヴァイオリンを加えてから３枚のアルバムをリリースされました。ヴァイオリンがみなさんの音楽において果たす役割はどのように変化してきたとお考えでしょうか？

A：そのとおりさ。当初はヴァイオリンはギターメロディにほとんど協調していたんだ。ヴァイオリンパートはギタープレイヤーたちが書いていて、彼らはヴァイオリンの知識がなかったからね。これが変わったのは、オーケストラのバックグラウンドがあるClaraが加入した時だね。年月を経て彼女はヴァイオリンによりフィットする独自のメロディを書き始めて、俺たちはヴァイオリンをソロパートに多用するようになったんだ。

Q：みなさんは２度のボーカリストの脱加入を経験されています。これまでの３作のアルバムでは、初代ボーカリストのPablo Heistがマイクを取りました。新しいボーカリストのJonas Piraterie（訳注：彼が３代目。２代目は短期間で脱退した）を迎えての作品はまだ世に出ていません。彼を迎えての次のアルバムではみなさんの音楽性はどのように変わるとお考えでしょうか？

A：Pabloのガテラルボイスはスクリーミング寄りだったけど、Jonasはグロウルをよく使うんだ。あともちろん彼の歌声もPabloとはちょっと違うね。それほど劇的な変化はないだろうと考えているけど、Jonasは多くの可能性を秘めていて、俺たちの新しいアルバムでそれを披露することになるよ。

Q：みなさんは海賊のコスチュームを着ていますよね。では歴史上に魅力を感じている実在の海賊はいますのでしょうか？

A：俺たちの衣装はある種、歴史上の海賊の服飾を独自解釈したものなんだ。バンドのみんなが思い思いの海賊のイメージを形にして、次から次へと（訳注：原文ではone piece after another のpieceをpeaceにして『ONE PEACE』とかけてある）イメージを付け加えていく（そして決して洗わない）から、衣装に歴史的な正確さは与えられていないんだよ。

Q：恐れ多いのですが、みなさんの地元のフライブルク・イム・ブライスガウは内陸なので、海はみなさんの日常生活の一部ではないかと思われます。海にはよく行かれるのでしょうか？

A：うーん、残念ながら身近な環境に海がないから、ますます海が恋しいよ！　いつの日かカリブ海の70000 Tons of Metalフェスのクルーズ船の上でライブがしたいね。The Privateerに完璧にフィットするだろうよ。

Q：最後になりますが、日本のファンや読者に何かメッセージをお願いします。

A：日本はいつもメタルジャンル全体に大きな影響力を持っていて、支えてくれているから、いつの日かみんなの偉大な国でライブができたら、最高に素晴らしいね。ロックし続けてくれよ！

THE《ザ》 DREAD《ドレッド》 CREW《クルー》 OF《オブ》 ODDWOOD《オッドウッド》

セガゲーム集いがキッカケの アコースティック・パイレーツ！

アメリカ カリフォルニア州 サンディエゴ　2008～　Wolfbeard O'Brady (Accordion, Whistles, Vo), Smithy Crow (Double bass, Orchestral key, Vo), Stark Cordwain (Irish bouzouki, Whistles, Vo), Deckard Cordwain (Mandolin, Ukulele, Vo), Pete (Dr)

The Dread Crew of Oddwood は 2008 年に Wolfbeard O'Brady を中心に結成されたアコースティック・パイレーツ・ロックバンドだ。アコースティック楽器のみの演奏にこだわっているため、メタルではないが、Alestorm や Swashbuckle らとステージをともにしており、パイレーツメタルに縁の深いバンドだ。本人たちいわく、彼らの音楽は「Heavy Mahogany」とのこと。Wolfbeard がセガのゲーム機 Genesis（メガドライブの海外版）向けのソフト『Ecco the Dolphin』のファンの集いを企画し、その参加者が本人含め 8 人で、その 8 人がバンドのオリジナルラインナップとなったらしい。数人はもともと高校で一緒に音楽をやっていたらしいが、ほかの参加者も偶然ミュージシャンだったそうだ。

彼らは幾度かのメンバーチェンジをしながら 09 年に『Reign the Helm』、10 年に『Rocktopus』、12 年に『Heavy Mahogany』、16 年に『Lawful Evil』と 4 枚のアルバムを発表している。いずれも自主制作によるリリースだ。15 年から 18 年にかけては Swashbuckle のドラマー Legendary Pirate King Eric "The" Brown も T-Bone の名で在籍していた。現在は5人組となっている。

Heavy Mahogany
Independent　2012

彼らのジャンル名を冠した 3rd アルバム。Kickstarter で資金調達して制作された。Wolfbeard が考案したこの単語は、おそらくアコースティック楽器の素材がマホガニー材であることに起因するのだろう。一聴すれば口ずさめそうなほどキャッチーで陽気なフォークメタルを、すべてアコースティック楽器で演奏しているというのが基本だが、アイリッシュパンクからの影響も窺える。複数人がマイクを取るスタイルだが、いずれもクリーンボイスによる歌唱だ。15 曲で 50 分ほどとコンパクトな曲が多く、さらりと聴ける作品だ。

BLAZON STONE《ブレイゾンストーン》

Running Wild が由来のバンド名、曲調・ボーカルも類似！

スウェーデン イェヴレボリ県 サンドヴィーケン　2008 ～ 2011 (as Störtebeker), 2011 ～ 2019, 2020 ～
Ced (Ba, Gt, Dr), Emil Westin Skogh (Gt), Kalle Löfgren (Dr), Matias Palm (Vo)

2008 年にマルチプレイヤーの Ced こと Cederick Forsberg が Störtebeker というプロジェクトを開始した。実在の海賊 Klaus Störtebeker にちなんだこのプロジェクトは 11 年に Blazon Stone に改名する。Running Wild の作品名に因むこの名が示すとおり、本プロジェクトは彼の Running Wild 愛を表現するものだ。彼は Rocka Rollas というバンドでも活動しており、もとはそちらがメインだったが、16 年に解散が宣言された。彼は Cloven Altar、Breitenhold など他にも次々とプロジェクトを立ち上げている。

Blazon Stone は Erik Nordkvist がマイクを取る 13 年の『Return to Port Royal』を皮切りに、Georgi Peychev が歌う 15 年『No Sign of Glory』、さらに Erik Forsberg に交代しての 16 年『War of the Roses』と 17 年『Down in the Dark』と発表する。この Erik の脱退後、18 年 11 月に活動休止となるが、彼をゲストに迎えて 19 年 4 月に『Hymns of Triumph and Death』を発売した。同年 7 月に有能なメンバーが集まらないとして解散が発表されたが、20 年 9 月に次作の制作中だとアナウンスされた。そして 11 月に 1st アルバムの再録盤を発売し、21 年にはドラムの Kalle Löfgren とボーカルの Matias Palm が加入して、活動を続けている。

Down in the Dark
Stormspell Records　2017

4 作目。インスト 2 曲を含む 12 曲入り。いずれもメロディがよく練られ、一緒に口ずさめそうなキャッチーな疾走曲中心の作風は、全盛期の Running Wild に勝るとも劣らない傑作となった。曲調のみならず、Erik のボーカルも Rolf を意識したものとなっており、特に「Rock Out!」などの力強い歌唱に顕著である。往年の Running Wild ファンにはもちろんのこと、民族楽器こそ使用されていないものの、一部の楽曲にはフォークメタルのようなフレーズも登場するので、そちらのファンにもオススメの一枚。

LAGERSTEIN《ラガーシュタイン》

ライブで靴にビールを入れて飲み、ラガーフェスまで主催！

オーストラリア クイーンズランド州 ブリスベン　2010～　The Majestic Beast (Gt), Neil Rummy Rackers (Gt), Mother Junkst (Key, Violin), Jacob, The Fiercest Pirate in all the Caribbean (Key), Captain Gregaaarrr (Vo), Lucky the Great (Ba), Rusty Timbers (Dr)

Lagerstein はオーストラリアのブリスベンで 2010 年に結成されたパイレーツメタルバンドだ。音楽的にはフォークメタルで、アイリッシュ・ミュージックの影響を受けているという。結成の目的は、かつてない規模のパーティの開催らしい。当初は 6 人組で、11 年にボーカルの Definition of a Viking とドラムの The Ax Man が、それぞれ Ultralord と Oldmate Dazzle に交代、12 年に 1st アルバム『Drink 'til We Die』を発表する。その翌年ボーカル脱退に伴い、後任の Captain Gregaaarrr とキーボーディスト Jacob, The Fiercest Pirate in all the Caribbean が加入、以降は 7 人組となった。16 年に 2 枚目『All for Rum & Rum for All』を発売、その後ベーシストとドラマーが脱退、19 年に Lucky the Great と Rusty Timbers が加入して現ラインナップとなり、自国のレーベル Kegstand Productions と契約を交わして 3 作目『25/7』をリリースした。

彼らのファンは「Lager Crew」と呼ばれ、ライブでは靴にビールを入れて飲む（Shoey というオーストラリアの伝統）らしい。12 年からは毎年 Lagerfest というフェスを主催するほどの人気で、欧州ツアーも幾度かこなし、Alestorm 主催のフェスにも出場している。

All for Rum & Rum for All

Independent　2016

2nd アルバム。デジパック仕様。彼らが影響を受けたアイリッシュフォークの要素が色濃く出た「Drink the Rum」や、Turisas を思わせるド派手なトランペットや勇ましいクワイアが取り入れられたヴァイキングメタルのような「Raise Your Steins」など、この手のジャンルのファンなら間違いなく楽しめる作品。そういった要素を別としても、いずれの楽曲もよくメロディが練られ、マイルドで表現力豊かなボーカルによる歌唱も良く、パワーメタルファンにもオススメできる内容だ。明るく陽気な一枚。

RUMAHOY《ラムアホイ》

エンターテイナーとしてお笑いに走る全員目出し帽着用ラム酒愛好家！

イギリス スコットランド オーチタームフティー ▶ アメリカ ノースカロライナ州 オクラコーク島　2011 ～
Cabin Boy Treasurequest (Ba), Swashbuckling Pete (Dr), Bootsman Walktheplank (Gt), Captain Yarrface (Vo)

このバンドはどこからが設定なのか定かではないが、2011 年頃スコットランドの小さな村オーチタームフティーで Captain Yarrface を中心に結成された若手パイレーツメタルバンドが Rumahoy だ。全員目出し帽という奇抜な見た目で知られる。いつからかノースカロライナ沖のオクラコーク島に拠点を移した模様。Alestorm は自らを「世界で 2 番目のトゥルー・スコティッシュ・パイレーツメタルバンド」と呼んでおり、1 番は Rum Ahoy という恐ろしいアンダーグラウンドなバンドだとインタビューで答えている。これは彼らの曲「Rum」の歌詞に因んだ架空のバンドなのだろうが、Rumahoy はそれをバンド名として「世界で 1 番のトゥルー・スコティッシュ・パイレーツメタルバンド」と冗談めかしている。

彼らは 12 年にデモ『Yarr Demo 2012』、13 年に EP『Heritage Tales: The Very Best of Rumahoy』を発表、18 年には Alestorm と同じ Napalm Records からデビュー作『The Triumph of Piracy』をリリースした。同年 Piratefest ツアーで Alestorm のサポートアクトを務め、イギリスとアイルランドをまわった。19 年には Wintersun のパロディかと思われるタイトルの 2nd『Time II: Party』を発表している。

The Triumph of Piracy
Napalm Records　2018

Rubicon Music から国内盤も発売されたデビュー作。9 曲 40 分で、国内盤には 2013 年の EP からの 3 曲を追加収録。アコーディオン調のキーボードが心地よい Alestorm 直系の高品質なフォークメタルとなっている。ボーカルは低音だみ声。エンターテインメントとしての海賊のイメージを凝縮したような世界が展開されており、ディスコ調の「Pirateship」といったギミックを盛り込むなど遊び心に溢れた作品。「Forest Party」と「Quest for Heritage」は MV が制作され、YouTube で公開されているのでそちらもチェックされたい。

Rumahoy インタビュー

回答者：Captain Yarrface
（訳注：彼の回答はすべて大文字）

Q：あなたは当初はスコットランドのオーチタームフティーに住んでいて、次にノースカロライナ州のオクラコーク島へ移住した、とどこかで読みました。しかし（訳注：Bandcamp のプロフィールによると）、あなたは今アルゼンチンのブエノスアイレスに住んでいるようです。これは本当なのでしょうか？　だとしたら、なぜそんな頻繁に住むところを変えるのでしょうか？

A：アルゼンチンはちょうど今俺が船を係留させてるところなのさ。ここにはやるべきスペインらしいことがたくさんあるんだ。スペインじゃないのにね。笑っちゃうよな、ハハハ。ノースカロライナも楽しかったな。俺の黒ひげおじさん（訳注：エドワード・ティーチのことのようだが、彼はオクラコークで死没したものの出身はイギリス）の出身地だからね。俺たちはまたすぐどこかに移住するかもしれないな。すべてはどこが俺を一番楽しませてくれるか次第なんだ……もしかしたら次は東京かもな？　東京にはたくさんの鶏肉があると聞いてるんだが、俺は鶏肉が好きなんだ。

Q：あなたは本当に海がお好き（訳注：like）ですよね。海の何があなたを一番魅了するのでしょうか？

A：好き……好きだって!!!?!!　俺は海を愛して（訳注：LOVE）るんだ!!　海は世界全体で最も偉大なものだ。俺は 5 歳のときに海で生まれて（訳注：原文は I WAS BORN AT SEA AT 5 YEARS OLD. 5 歳のときに Captain Yarrface になったという意味だろうか）、海からずっと離れたくなかったんだ。海には波や塩があって、海の犬であるアザラシのような面白い動物がたくさんいるんだ。

Q：覆面マスクはみなさんのトレードマークの一つかと思います。どのようにして覆面を被るアイデアを思いついたのでしょうか？　いつの日か覆面の下を目にするチャンスは訪れるのでしょうか？

A：トレードマーク？　俺は若い頃に顔を失ったんだ。鮫がやってきて、顔を噛みちぎっていったのさ。覆面マスクは今や俺の皮膚なんだ。だからもし君が俺の皮膚を脱いでほしいと望むならやってやるけど、最初にストロングゼロをいっぱい飲む必要があるだろうね!!　ファミリーマートへようこそ。

Q：恐れながら、Alestorm は同郷ですし、みなさんに大きな影響を与えたのではないかと思われます。彼ら以外にどんな音楽やバンドが Rumahoy の結成という観点でみなさんに影響を与えましたでしょうか？

A：Alestorm!?!　あいつらはスコットランド出身だけど、俺たちはどこからの出身でもあるよ。あいつらはちっぽけな海賊気取りだよ。俺たちが真の海賊さ。Bowes 坊や（訳注：Alestorm のボーカル）と頭の腐った船員たちはみんな舷側から突き出した板を目隠しされて歩かされて、アザラシが蔓延る俺の海へ落っこちるといいさ。俺たちは Justin Timberlake（訳注：アメリカのシンガーソングライター / 俳優。Alestorm とどういう関係があるのか不明）が大好きなんだけどね。彼は素晴らしいよ!!

Q：多かれ少なかれパイレーツメタルとラベル付けされるバンドはかなりの数います。他のパイレーツメタルバンドと比較して、Rumahoy の特徴で一番オリジナルだと思うものは何でしょうか？

A：そうだな、他のすべてのパイレーツバンドは海賊の真似事をしているだけの奴らでしかないね。俺は船上で暮らしてるし、海で育った。俺は実際に海賊、地球上で一番偉大な海賊 Captain Yarrface だ。海へようこそ!!　日々 Rumahoy の折り紙付きの乳を絞ろう（訳注：原文は MILK THE PROBERBIAL TIT OF RUMAHOY で

Rumahoy の成し遂げたものを搾取することの例えだろう）とする海賊気取りがどんどん出てくる。俺は良い乳搾りが好きなのと同じぐらいラム酒を飲むのも好きなんだ。

Q：あなたが魅了された歴史上で実在の海賊はいますでしょうか？　いたとしたら、それが誰で、どんな海賊だったか少し教えてください。

A：俺が歴史上の真の海賊だ。でも俺じゃないとすると、黒ひげ船長（訳注：エドワード・ティーチのこと）だな。彼は俺のおじさんなんだ、知ってたか？　彼は望むものは手に入れ、たくさんのラム酒を飲んだ。俺はそんな人物とつながりがあるんだ。彼は海にようこそと到底十分には言わなかったけどね。

Q：みなさんは『Heritage Tales: The Very Best of Rumahoy』をデモの後に発表されました。このコンピレーションの曲を再録して再発する予定はございますでしょうか？

A：それらの古い曲はとても YARR で AHOY なんだ（訳注：原文が VERY YARR AND AHOY)。またやるかもしれないけど、新しい曲のほうがはるかにいいと俺は思うな。もしかしたら周年記念アルバムを将来出すかもしれないね。

Q：みなさんの 1st アルバム『The Triumph of Piracy』は大手レーベルからリリースされ、日本国内盤も発売されました。ファンやメディアからのこのアルバムに対する評判はいかがでしたか？

A：それは素晴らしかったよ、特に日本のみんなからはね。俺たちは日本に行ってみんなを海に歓迎するのが待ちきれないよ。俺たちはこのアルバムを引っさげて少しツアーをやったのだけど、聴衆の反応はすごく良かったよ。かわいい海賊の少年少女が Rumahoy めがけて飛び回るのを目にしてすごく心温まったよ。

Q：みなさんは最近『Time II: Party』を発表されました。とても楽しい曲ばかりですね。恐れながら、これは自主制作でのリリースかと思われます。だとしたら、なぜ自主制作でのリリースを選ばれたのでしょうか？

A：いくつかの選択肢と試して守るべきスケジュールがあったんだ。今もっと大規模にそれを再リリースする作業に取り組んでいるとこさ（注：2020 年に Napalm Records から CD 化）。世界のみんなの手にフィジカルコピーを届けるためにね。

Q：日本のメタルバンドや音楽で知っているものはありますか？

A：Japanese Folk Metal だね、彼らは素晴らしいよ。日本に行ったら、彼らに一緒にライブをしてほしいよ。

Q：日本にライブをしに来るご予定はございますでしょうか？　もし来日されたとしたら、日本で行ってみたいところややってみたいことはありますか？　日本は島国ですので、日本の海に行ってみたいとか？

A：ナイスな大波の上でパイレーツパーティができるように、モンスーンが吹くまでに日本へ船を走らせたいね。それから風が運んでくれるとこならどこにでも上陸するつもりさ。日本に行く計画はあって、日本の食べ物をすべて食べたいし、ストロングゼロを全部飲みたいね。

Q：最後になりますが、日本のファンと読者に何かメッセージをお願いいたします。

A：こんばんは、日本の坊ちゃんお嬢ちゃんたち。俺がみんなの船長 Captain Yarrface、地球上で最高の海賊さ !!　海へようこそ !!　Rumahoy を聴き続けて、みんなとパーティができるようにみんなのお茶目な国（訳注：原文は SILLY COUNTRY）へ行かせてくれ。マリオみたいな格好をして AHOY って叫びながらへべれけになって東京を走り回るぜ !!

SILVERBONES《シルヴァーボーンズ》

北イタリアでRunning Wildを模倣するパイレーツメタル！

イタリア トレヴィーゾ県 コネリアーノ　2013〜　Alessandro Da Re (Vo), Andrea Franceschi (Ba, Vo), Kirill Giacomel (Gt), Ricardo Galante (Gt, Vo), Matteo Penzo (Dr)

Silverbones は 2013 年 1 月頃、北イタリアに位置する都市コネリアーノでベーシストの Andrea Franceschi を中心に結成されたパイレーツメタルバンドだ。影響を受けた主なバンドとして Running Wild を挙げており、その他 Grave Digger や Judas Priest、Manowar といった 80 年代の伝統的なヘヴィメタルバンドからの影響を公言している。

14 年には地元でライブ活動を開始、同年 12 月には Bandcamp で 4 曲入りデモ音源『Between the Devil and the Deep Blue Sea』を公開する。15 年には Raiders in the East Tour と題したツアーを実施、チェコ、ポーランド、スロヴァキアでライブを披露した。そしてアメリカの Stormspell Records と契約して 16 年 6 月にアルバム『Wild Waves』でデビューを果たす。しかし、17 年にリードボーカルとギターを担当していた Marco Salvador が、18 年にはドラムの Enrico Santin が脱退してしまう。ドラムの後任には Matteo Penzo が加入、Marco の穴を埋めるメンバー探しは難航したが、18 年末にボーカルの Alessandro Da Re とギターの Kirill Giacomel が加入、バンドは 2nd アルバム制作を進めている。

Wild Waves
Stormspell Records　2016

デビューアルバム。イントロを含む 9 曲 44 分。デモのインスト曲を除く 3 曲すべての再録も収録されている。一聴しただけで耳に馴染むストレートでメロディックな楽曲が並ぶ。エドワード・ティーチ（通称黒ひげ）の海賊船の名を冠した「Queen Anne's Revenge」は民謡調のリフが心地よい名曲だ。Marco の歌は Rolf と比較するとマイルドなので、Rolf の歌唱のファンには物足りないかもしれないが、レーベルメイトの Blazon Stone とあわせて Running Wild ファンなら聴いて損はないだろう。

Barloventos

Contra viento y marea アルゼンチン
Independent 2014

改名前を含めると2010年に結成された、ビエドマのパイレーツメタルバンドの自主制作によるデビューアルバム。「barlovento」はスペイン語で風上を意味する。哀愁たっぷりにスペイン語で歌い上げられるフォーク/パワーメタルで、「あらゆる困難を乗り越えて」の意のタイトルの通り、「La isla de la maldición」（呪いの島）や「Melodía de guerra」（戦の調べ）に顕著なように冒険に向かう際の決意めいた勇ましさを兼ね備えたサウンド。スパニッシュメタルファン全般に幅広くオススメしたい好作だ。

Black Corsair

Seven Seas イタリア
Ænima Recordings 2019

国内盤も発売されたトリノのシンフォニック・パワーメタルバンドSound Stormを脱退したFilippo Arancioが、Black Corsairと名乗り、バンド名も同じくして2015年に結成したパイレーツメタルバンドのデビュー作。デジパック仕様。「Corsair」は私掠船の意。音楽的には前バンド譲りのシンフォニック・パワーメタルにフォークの要素を取り入れた感じで、バンド名を冠した曲はアコーディオンや口笛の音色を取り入れ、中盤には行軍のようなパートを挟むなど、意匠を凝らした力作となっている。

Calarook

Surrender or Die スイス
Independent 2020

2014年にCalicoの名で結成され、19年に改名したヴィンタートゥールのパイレーツメタルバンドのデビュー作。旧バンド名は実在の海賊由来だが、検索性が低かったため、特に意味のない造語に改名したとのこと。音楽的には、ヴァイオリン入りの甘さ控えめのメロディック・デスメタルで、どちらかというとシリアスでダークな印象。メタル部分にもう少しひねりがあると良いのだが、ヴァイオリンパートがロシア民謡を思わせる「Invisible Pineapples」や、哀愁漂う「Davy Jones' Locker」などはオススメ。

Calico Jack

Calico Jack イタリア
Underground Symphony 2019

2011年に結成され、海賊を想起させる衣装に身を包み、18世紀にイギリスに実在した海賊の名をバンド名に冠するミラノのパイレーツメタルバンドのデモとEPに続くデビューフル。デジパック仕様でリリースされた。セルフタイトルに自信が表れているのが窺えるように、11曲69分の力作に仕上がっている。音楽的にはだみ声によるフォーク/メロディック・パワーメタルスタイルで、随所に弾きまくりのヴァイオリンが織り込まれる。ヴァイオリン入りのパイレーツメタルだとThe Privateerがいるが、どちらかと言えばAlestorm的な音楽性。

Cat o' Nine Tails

Under Captain's Flag フィンランド
Independent 2015

2012年に結成されたフィンランドのクリスチャン・パイレーツメタルバンドのデビュー作。バンド名はイギリス海軍などが使用していた拷問器具の鞭だ。メンバーの海賊コスチュームに気合の入りようが見受けられるが、別にふざけているわけではなく、聖書の内容を説くために海賊の物語を寓話的に用いているという珍しいバンド。音楽性としてはシンフォニック・メロディック・パワーメタルをベースに、アコーディオンやヴァイオリンを導入して民謡リフを奏でたり、一部にデスボイスも取り入れたサウンドで、完成度はなかなか高い。

Cauldron Black Ram

Skulduggery オーストラリア
Apocalyptor Records 2004

1996年から活動するアデレードのパイレーツ・デス/ブラックメタルバンドの2004年デビューアルバム。メンバーはフューネラル・ドゥームメタルバンドMournful Congregationやデス/ブラックメタルバンドStarGazerなどでの活躍でも知られ、本作ではオールドスクールなズルズルのデスメタルを披露している。ジャケットのとおり海賊や宝探しがモチーフにはなっているが、音にはその要素はほぼ皆無。05年に日本のWeird Truth Productionsから1000枚限定で再発された。

Dammaj

Mutiny　アメリカ
Roadrunner Records　1986

1981年に結成された、ギタリスト2人とベーシストのGilbert三兄弟を中心としたサンフランシスコのヘヴィメタルバンドのデビュー作。タイトルは艦船などでの暴動を意味し、Running Wildの『Under Jolly Roger』の前年に発売された海賊モチーフの作品ということで知られる。音に海賊感はないがエピックで硬派なメタルサウンドは素直に格好良い。オリジナルは12"でのリリース。87年にバンドは解散したが、2010年に活動再開しており、本作も12年にSkol Recordsからデモ5曲を追加の上CD化再発された。

Iron SeaWolf

Hoist the Black Flag　イギリス
Independent　2016

2009年結成のカンブリア/ランカスターのパイレーツメタルバンドの処女作にしてフルアルバム。デジパック仕様。アコーディオン全開のフォークメタルだが、メンバーがMoonsorrowを始めとするペイガンメタルのアコースティックカバーバンドStonebearerにも参加しており、この手のジャンルにしては珍しく7～9分程度の長尺な曲が散見される。イントロに続く「The Eternal Quest」がいきなり壮大で感動的なミドルテンポの名曲なのだが、パイレーツらしい陽気なアップテンポナンバーももちろん収録されている。

Lords of the Drunken Pirate Crew

Loaded to the Gunwales　アメリカ
Independent　2016

2011年にギターボーカルのBlood-BoodtsとギタリストShitfaced（本作時点で脱退済み）により結成されたシカゴのパイレーツメタルバンドのデビューアルバム。メンバーの衣装を始めとして、Yo-Ho-Hoの掛け声などステレオタイプな海賊を表現した親しみやすいメロディックなサウンドで、随所に散りばめられた女性メンバーSophiaによる笛が印象的なフォークメタルとなっている。歌はだみ声。Blood-Boodtsが本作のレコーディング後に脱退してしまったため、バンドは活動を休止している。

Los Pirates

Heavy Piracy　イタリア
Independent　2009

Folkstoneの元ギタリストの2人と元ベーシストが在籍する、ベルガモのパイレーツメタルバンドのデモに続くデビュー作。音楽的には骨太なトラディショナル・ヘヴィメタルで、Folkstoneのようなバグパイプを大々的に取り入れたフォークメタルとは無縁のサウンドとなっている。もともとは自主制作での発売であったが、2010年にPunishment 18 Recordsから再発され、そちらであれば日本のショップ等でもたまに見かける。なお、バンドは本作以降音沙汰がなく、残念ながら活動状況は不明。

Metal Castle

III　イギリス
Independent　2016

イースト・サセックスを拠点に活動するフォーク/パイレーツメタルバンドの3作目。バンド名はMetal CaSTLeとも。イングランドのバンドということもあって、前作『Tea Nation』ではお茶をコンセプトにした作品を提示した彼らだが、本作では「Pirates (We're Still Pirates)」で、今でもパイレーツだとの主張がなされた。レゴランドをめぐる「The Battle for Legoland」や、イギリスのコンビニエンスストアLondisへ向かう「Voyage to Londis」などユーモラスな曲が並ぶ。音もチップチューンを取り入れるなど遊び心溢れる作品。

Mormieben

L'Armada en chasse　フランス
Independent　2017

2011年より活動する、ブルトン語で「海の息子たち」を意味するらしいナントのパイレーツメタルバンドのEP『Hissons le pavillon』（旗を掲げよ）に続くデビューアルバム。デジパック仕様でのリリース。14分超の大作「La Légende du Mormieben」（Mormiebenの伝説）を含む11曲57分。タイトルの意は「狙われたアルマダ」だろうか。音楽的にはだみ声でのフランス語歌唱によるフォークメタルで、素朴な音色のフルートのせいか、どことなく憂いを感じるシリアスな楽曲が多めとなっている。

Paddy and the Rats

Riot City Outlaws ハンガリー
Napalm Records 2018

ミシュコルツのアイリッシュ・パンクバンドの5th アルバム。アイリッシュパブ・ミュージックやケルト音楽にパンクロックをミックスし、ジプシー音楽やポルカをも取り込んだ音楽性で、海賊や船乗りをモチーフとしているのが特徴。音楽ジャンルにおけるパンクは、動物におけるネズミと同じく汚く悪い存在だから Rats だそうだ。メタルではなくパンクなのだが、メタル系の大手レーベル Napalm Records からのリリースであるため、ショップやディストロのフォーク / ヴァイキングメタルのコーナーで目にすることのある作品。

Red Flag Crew

Tides of Blood スペイン
Independent 2015

2014 年結成のサラゴリのパイレーツメタルバンドのデジタル EP『Black Sails on the Horizon』に続くデビューフル。EP のインスト曲を除く全 4 曲も再録されて収録されている。カラーのジャケットと青のモノトーン調のジャケットの 2 種類があり、合計 500 枚限定。音楽的にはフォーキーなメロディを取り入れたメロディック・デスメタルで、アコーディオンなど様々な音色のキーボードが楽曲に華を添えている。若干単調に感じられる曲も散見されるが、アルバム後半はフォークメタルの要素も強く良曲揃いだ。

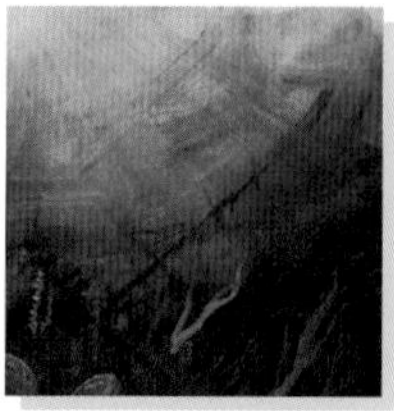

Red Rum

Booze and Glory イギリス
Independent 2015

2011 年結成、14 年に EP『With Gods by Our Side』をデジタルリリースしたイースト・ミッドランズのパイレーツメタルバンドのデビューアルバム。デジパック仕様で発売された。ジャケットの酒が暗示するとおり、陽気でハッピーなフォークメタル・チューンも収録されているが、意外にもタイトルトラックはシリアスでどこか Turisas を思い起こさせるような勇ましい楽曲に仕上がっており、他も多くはシリアスで勇壮な曲が占めている。「To the North」なんて曲もあり、どちらかと言えばヴァイキングメタル的だ。

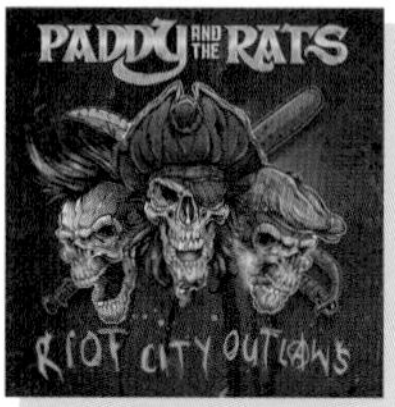

Rumproof

Rogues of the Seven Seas ハンガリー
Independent 2018

2014 年結成のペーチの若手パイレーツメタルバンドの EP『Black Flag in the Sky』に続く 1st フルアルバム。音楽性としては、アコーディオンや管楽器の音色のシンセや、ヴァイオリンをふんだんに取り入れた明るく陽気なフォークメタルを提示。Máté Horváth の歌が非常に表現力豊かなのに加え、コーラスが効果的に用いられ、まるで海賊団の一員になったかのような没入感が得られる。早々に完売してしまったが、Nail Records から EP と本作を 1 枚にまとめて 19 年に再販された。

Shtack

Shtack オランダ
Independent 2013

シンフォニックメタルバンド Epica の出身地として知られる、ルーフェル村で 2008 年に結成されたパイレーツメタルバンドのデビューアルバム。音楽的にはアコーディオン調のキーボードや民謡リフを織り込んだフォーク / メロディック・デスメタルで、クリーンボイスによるコーラスパートもあり。如何せんメタルとしての迫力やソリッド感に欠け、B 級感は否めないのだが、民族音楽が好きであれば聴いてみると良いだろう。特に「Pirate Metal」という、ずばりこのジャンルそのものを冠した曲はなかなかのもの。

Skull & Bones

The Cursed Island アルゼンチン
Independent 2013

2011 年結成のブエノスアイレスのパイレーツメタルバンドのデビュー作。もともとは自主制作によるリリースだったが、14 年にアメリカの Stormspell Records からジャケットを若干変更の上で再発されている。民族楽器を取り入れたフォークメタル的な楽曲も若干存在するが、基本的には民謡メロディはほんのりとした色付け程度で、Running Wild のような熱いパワーメタルを聴かせる作品。15 年に Naufragant（難破した）に改名して、19 年 1 月にアルバムリリースを予告したが、出ていない。

Skull Branded Pirates

An Oath Sworn on Broken Bones イギリス
Independent 2012

2007年結成のリーズのパイレーツメタルバンドによる、09年の『The Legend of Salty Jim』に続く2ndフルアルバム。正統派のヘヴィメタルをベースに、スラッシュメタルからの影響を若干織り込んだような音楽性で、節々にパイレーツをイメージできるような要素が散りばめられている。アメリカはフロリダ州のパイレーツ・ヒップホップグループCaptain Dan and the Scurvy Crewが「Straight Outta Kingston」のラップパートでゲスト参加している。

Storm Seeker

Beneath in the Cold ドイツ
AeternA Records 2019

2013年にノイスで結成され、16年のEP『Pirate Scum』が一部のマニアの間で好評を博したパイレーツメタルバンドの1stフルアルバム。デジパック仕様。大々的にチェロとハーディ・ガーディを取り入れた高品質でキャッチーなフォークメタルに、だみ声のボーカルが乗るスタイルで、SandraとFabiによる女声ボーカルも堪能できる。ライブで盛り上がること必至な合唱パートが多いのも彼らの特長の一つ。「Drag o Below」と「Pirate Squad」はMVがYouTubeで公開されている。

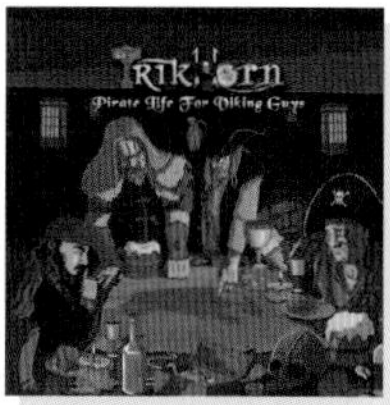

Tortuga

Pirate's Bride ドイツ
Independent 2015

2014年に結成されたディリンゲンのパイレーツメタルバンドのデビューアルバム。バンド名は17世紀に海賊で栄えた、カリブ海北部ハイチのトルトゥーガ島だろう。「Pirate Song」のようにバグパイプやフルートが導入された曲もあるが、基本的にはリーダーの女性ボーカリストCaptain Mary Readがマイクを取るトラディショナルなヘヴィメタル。彼女の名は実在の女海賊で、数百年を経て海賊たちが帰ってきたという設定だ。掛け声や大砲の音などで世界観が演出されており、次作ではフォークの要素も強化された。

Toter Fisch

Yemaya フランス
Independent 2017

2010年結成で「死んだ魚」の意のトゥールのパイレーツメタルバンドのEP2枚に続く1stアルバム。デジパック仕様。タイトルはアフリカのヨルバ人の伝統宗教に登場する水の女神の名で、ジャケットに描かれた女性だ。収録曲「Mami Wata」は彼女のブードゥー教での呼称で、ギリシャ神話の海の女神カリュプソーとしばしば関連付けられるらしい。カリュプソーは映画『パイレーツ・オブ・カリビアン』の登場人物ティア・ダルマの正体ということでパイレーツと遠い関連がある。音楽的にはアコーディオン入りのフォーク/メロディック・デスメタル。

Trikhorn

Pirate Life for Viking Guys ベルギー
Independent 2020

2011年にSandooの名のもとに結成され、13年に活動休止したが、16年に新しいバンド名で活動再開したリエージュのパイレーツメタルバンドの2ndアルバム。パイレーツなのかヴァイキングなのかよくわからないタイトルだが、「Viking Heart」など一部の曲に勇壮なヴァイキングメタル感は感じるものの、全体的にはだみ声で歌われるフォークメタルといった感じの音楽性。かけ声などを交えて世界観の演出がなされている。まだまだマイナーバンドの枠を出ず、いま一歩垢抜けないサウンドだが、光るものは感じる一枚。

Vane

Black Vengeance ポーランド
Independent 2018

2016年に結成されたクラクフ/カトヴィツェのメロディック・デスメタルバンドの、17年のEP『The Prologue』に続き、18年に早くもリリースされた1stアルバム。19世紀のシーシャンティ「Randy Dandy-O」のカバーが収録されているが、他はすべて音楽的にはメロディックデス/グルーヴメタルで、歌詞以外にパイレーツをイメージできるような要素は少ない。フォークメタルバンドPercival Schuttenbachの作品への参加実績もあるEwa Pituraが1曲女声ボーカルでゲスト参加している。

Verbal Deception

Aurum Aetus Piraticus カナダ
Scarab Metal Productions 2006

2002年結成のカルガリーのパイレーツメタルバンドのセルフタイトルの04年のEPに続くデビューアルバム。タイトルは「海賊の黄金時代」を意図したラテン語だそうだが、ラテン語として間違っているらしい。デスメタルにシンセによるフォーキーなアコーディオンの音色を取り入れたサウンドで、メロディック・デスメタルとアトモスフェリック・デスメタルの中間ぐらいの甘さ控えめの音となっている。一応レーベルからのリリースではあるのだが、バンドのオフィシャル（閉鎖）とカナダのCDショップでの販売が主だったようでレアな作品。

Voodoo Satan & The Satan Band

The Dead & The Departed フィンランド
Independent 2018

1712年にカリブ海で結成したと主張するフィンランドのパイレーツメタルバンドの2ndアルバム。ギターボーカルのVoodoo Satanを中心としたバンドのようだ。名前の指し示すとおり、ブードゥー教の影響を受けているそうで、呪術的な雰囲気を醸し出すオカルトロック的なドゥーム/ヘヴィメタルを聴かせる。キーボードが怪しげな世界観を演出しており、「Bones of the Dead」のように、劇中で海賊たちが作戦会議をしている場面にでも流れそうなシアトリカルな曲もあり、なかなか個性的で面白い作品。

Yarr

Die Stadtpark Chroniken ドイツ
Nahetal Klangschmiede 2020

2013年より活動するノインキルヒェンのパイレーツメタルバンドの14年のEP『EPos』に続く1stアルバム。EPの5曲はすべて再録の上、本作にも収録された。デジパック仕様で限定200枚でのリリース。MiraiやImmoriorなどのブラックメタルバンドで活躍するメンバーが絡んでいることもあって、歌唱はブラックメタル的なしゃがれ声や絶叫だが、曲調は底抜けに明るいフォークメタルで、コーラス含めクリーンボーカルパートも多いため聴きやすい。AlestormやRumahoyあたりが好みであれば要チェックだ。

Ye Banished Privateers

First Night Back in Port スウェーデン
Napalm Records 2017

2008年にBjörnとPeteによって結成され、男女ボーカルを含む総勢21名に及ぶ大所帯のウメオのパイレーツロックバンドの3rdアルバム。メタルではないが、有名メタルレーベルNapalm Recordsからのリリースのため、ショップやディストロでフォーク/ヴァイキングメタルコーナーに分類されることが多い。アイリッシュフォークやスカンジナビアンフォークに着想を得たアコースティックフォークをやっており、The Dread Crew of Oddwoodより本格的で洗練されたサウンドだ。

藍華柳

海賊盤 ～Aye.藍.sir～ 日本
Crow Music 2004

後にVersaillesやJupiterでも活躍するギタリストTERUが在籍していた京都のV系/メロディック·パワーメタルバンドの2004年のEP。曲のコンセプトごとに衣装を大きく変化させるため、常にパイレーツメタルだったわけではないが、本作発売時は海賊コスチュームだった。「笑いあり、涙あり、モハメドアリ」をモットーに、お笑いの要素を取り入れていたことでも知られる。「すすめ！　パイレーツ」のMVを見てみると良いだろう。なお、京都の寺町通りにかつて存在したV系ショップAi-華龍の名は彼らに因んだもの。

時空海賊 Seven Seas

Dreams 日本
Tricycle Entertainment 2006

2003年にSeven Seasの名のもとに結成され、凄腕の女性ギタリストEITAが話題を呼び、06年に時空海賊Seven Seasに改名した東京のメロディック・パワーメタル/V系バンドの06年作。本作で海賊をコンセプトに時空を駆け抜けるイメージを打ち出し、歌詞も英語ではなく日本語となった。音楽的にはハイトーンボーカルと技巧的なツインギターをフィーチャーした、ポップで明るいジャーマンメタルを聴かせる。バンドは09年に解散したが、2020年に至るまでちょくちょく復活してはライブを実施している。

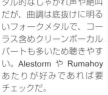

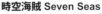

あとがき

五章に渡ってヴァイキングメタル、そして隣接ジャンルのパイレーツメタルについて紹介してきたが、いかがだっただろうか。忌憚なく言えば、メタル、とりわけエクストリームメタルの歌詞の中身に注意を払う人は少数派なのではないかと思う。特に英語などを母語としない我々日本人においては、その傾向は一層顕著かと推察される。もちろん、ヴァイキングメタルでも、作品をペイガニズムの表現の場として真剣に捉えているバンドから、娯楽コンテンツの一つと考えているバンドまで、その向き合い方は様々であろう。ともあれ、ヴァイキングメタルでは北欧神話や、ヴァイキングを筆頭としたスカンジナビアの歴史などが表現され、また、時としてそうしたものを比喩あるいは媒介として、作り手の内省の吐露や、社会やリスナーに向けたメッセージの発信がなされていることが、本書を通じて少しでも伝われば幸いである。

まえがきでもこのジャンルの定義の曖昧さについては触れたが、いかに幅広いメタルのサブジャンルがヴァイキングメタルとして認知されているかについても、実際耳にして体感していただけただろうか。第四章の冒頭でも述べたとおり、90 年代末から 2000 年代前半にかけて、大量のバンドが出現して以降は、それほど革新的なバンドは出現していない。だが、このように混沌としたジャンルゆえに、まだまだ化学反応が起こりうる可能性を秘めているとも言える。紙面の都合上、掲載できなかったバンドも当然ながらいるし、新しいバンドがこれからも続々と出てくるだろうから、読者諸氏もぜひ探求を続けてほしい。

さて、この本の執筆の経緯や経過について少し振り返ってみようと思う。私は良いと思えば比較的ジャンルにこだわらず聴くほうではあるので、叢書「世界過激音楽」の出版元パブリブ社はもともと知っていた。そして 2017 年 12 月、岡田早由氏が『東欧ブラックメタル・ガイドブック』の出版に際して、新宿ゴールデン街で一日バーテンダー＆手売りイベントを開催されるとのことで、私はそこに足を運んだのだった。その際に、フォークメタルが好きと話したところ、本書の編集者である濱崎氏がフォークメタルに詳しい人を探しているとのことで、連絡してほしいとの旨を伺った。そうして、はたして自分は詳しいのだろうかと思いつつも、濱崎氏とコンタクトを取った。その後、DOMMUNE のイベントで濱崎氏と初めて会い、その翌週あたりだったかに高円寺駅前のデニーズで打ち合わせをして、本企画が始まったのであった。

当初は『ペイガン・フォークメタル・ガイドブック』を書いていただきたいとの依頼だったのだが、そもそも思い描くペイガン・フォークメタル像が私と濱崎氏で異なり、執筆は大変難航した。ひとまず対象とするバンドのリストアップを実施したのだが、膨大な量になってしまった。その中には、ヴァイキングメタルだと分類されることが多いバンドも含まれていた。それゆえ、「まずは比較的メタルリスナーに馴染みがあり、メタルを聴かない層にも見た目などのインパクトが大きいヴァイキングメタルに絞って書いてみてはどうか」という話になったのが、本書の執筆経緯である。

以降も度々問題が発生した。ヴァイキングメタルを対象にした結果、当初は執筆予定になかったバンドを含める必要が生じたり、筆を進めるにつれて、どこまでがヴァイキングメタルなのかというのも考えれば考えるほどあやふやになっていき、いたずらに時間が経過していってしまった。さらにコロナ禍において私が体調を崩してしまったりもした。Red Rivet Records 代表の松長史朗氏にはインタビューの仲介をしていただいたのに、バンド側もコロナでインタビューどころではないだろうと考えて質問を送るのを躊躇して時間が経ち、私の体調不良も相まって完遂できず終まいになってしまったことについて、この場を借りて今一度お詫びさせていただきたい。そうして、完成の目処が立ったのは 2020 年 10 月頃であった。その後は出版スケジュールの都合などで今日に至るわけだが、遅筆の私を待っていただき、アドバイスやコラムの寄稿を頂戴した編集者の濱崎誉史朗氏、執筆のきっかけとなった岡田早由氏、バンド名の読み方について助言をいただいた秋山知之氏、インタビューの仲介に快く応じていただいた Einheit Produktionen オーナーの Olaf 氏、カバー画像の使用許諾をいただいた Grimner の Ted Sjulmark 氏、普段私のオススメ音源を聴かされる会社の HM/HR 部の某先輩に改めて謝辞を述べたい。

松原誉史 Takashi Matsubara

大阪生まれ、都内 IT 企業勤務の趣味人。特に音楽が好き。ゲーム好きが高じて高校生の頃に世界の神話や伝承などを読み漁る。民族音楽も当時から好きで、ワールドミュージックのシリーズものの CD を買い揃えたりしていた。メタルとの出会いは大学生の頃に、当時の同回生から Rhapsody を薦められて。モスクワでとあるフォークメタルバンドのメンバーと飲んだり、別のとあるフォークメタルバンドが日本に観光に来た際の案内をしたり、海外ブログ Folk-metal.nl で短期間だがインタビュアーを務めたり、Encyclopaedia Metallum の編集をしたりなど。

tks.m11@gmail.com
@ethnometal

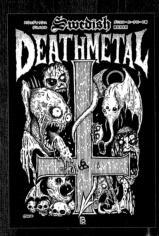

世界過激音楽 Vol.15

ヴァイキングメタル・ガイドブック

海の戦士たちの先祖賛歌

2021 年 6 月 1 日　初版第 1 刷発行
著者：松原誉史
装幀＆デザイン：合同会社パブリブ
発行人：濱崎誉史朗
発行所：合同会社パブリブ
〒 103-0004
東京都中央区東日本橋 2 丁目 28 番 4 号
日本橋 CET ビル 2 階
03-6383-1810
office@publibjp.com
印刷＆製本：シナノ印刷株式会社